新 潮 文 庫

龍 は 眠 る

宮部みゆき著

新 潮 社 版

5414

新潮文庫

龍は眠る

宮部みゆき著

新潮社

これは、ある決闘の記録である。

最初にお断わりしておくが、私はその一部始終を傍観していただけの人間で、この物語の主人公ではない。主役となるのは、二人の少年――青年期にさしかかったばかりの少年たちである。

その一人を、私はよく知っている。もう一人の方は、彼の死後に、少なくとも私がこの物語を語ることを自分に許すことができる程度には、知ることになった。もう少し早く、彼のことをよく知り得ていれば、あるいは、起こったことの大半は食い止められたかもしれない。だが、そんなことを思ってみても、所詮《しょせん》は負け試合のあとの繰り言にすぎないということも承知している。

それでも私がこの話の一部始終を語ろうとするのは、それ以外には、彼らに対する感謝の念を表す術《すべ》を見つけることができなかったからだ。苦い自己弁護と共に、彼らが何をしてくれたのか、どんなことをやってのけることができたのかを話すこと以外には。

だから、この物語はまず、彼らのためにある。そして、いつかどこかでこの物語に耳を傾けてくれるであろう人たちが、自分の内側にも、彼らと同じような力が眠っていると気づいたときのためにも。

目次

龍《りゅう》は眠る

この能力は完全に隠されている。さもなければイカサマの海に氷山の一角をのぞかせながら、数世紀にわたって潜在しつづけるということはとうてい考えられない。

デーヴィット・R・コングレス

「あばかれた影」

第一章　遭　遇

1

我々が初めて出会ったのは、九月二十三日の夜十時半ごろのことだった。佐倉工業団地の近くで、路肩に自転車を倒し、彼はしゃがみこんでいた。

時も場所も、事前にアリバイを用意しておいた犯罪者のように正確に覚えているのは、その夜その時刻、関東地方に大型で強い台風が接近しつつあったからだった。私はカーラジオをつけっぱなしにして、三十分ごとに放送されるニュースを聞いていたが、いつもふがいない空振りを繰り返している天気予報とは違い、台風情報は小憎らしいまでに正確だった。

予報官の言葉どおり、午後七時ごろから西風が強くなり始め、やがて暴風雨がやってくると、ライトをつけていても一メートルほど先しか見えないような有様になった。叩《たた》きつけるように降り注ぐ雨もさることながら、道路にできた水溜《みずた》まりに車輪がつっこむと、ちょっとした噴水顔負けの水飛沫《みずしぶき》があがり、それがまたフロントガラスにざばりとかかっては、視界をさえぎる。どこか安全な場所を探して車を停《と》め、暴風雨が峠を越すまで待った方がよさそうだと、私も考え始めていた。

そのとき、彼を見つけたのだ。

私が、いっそ歩いた方が早いくらいの低スピードで車を転がしていなければ、我々の出会いは最悪の形になっていただろうと思う。私は彼を轢《ひ》いてしまい、顎《あご》をがくがくさせながら救急病院を探し回る羽目になっていたはずだ。だいたい、そんな時刻に、台風のど真ん中を、それも車ならまだしも自転車で横切ろうとしている人間がいようなどと、普通は考えられない。ライトの向こうにぼんやりと浮かび上がった人影を見つけたときも、最初は、田舎道でよく見かける、警察官の形をした人形だと思ったくらいだった。

だが、その人影は、私の車にむかって手を振った。警察には、バッテリーで動く警官人形を道端に据《す》えっぱなしにしておくほどの予算はない。だから、生身の人間だとわかった。薄いビニール製の雨合羽を着ていたが、フードは頭から吹き飛び、袖《そで》も裾《すそ》も暴風にはためいていた。髪が濡《ぬ》れて頭にぴったりとはりついているうえに、豪雨に顔をしかめ目を細めているので、ストッキングをかぶった強盗のような顔に見えた。どうやら男であるらしいことと、年配者ではなさそうだということが、かろうじてわかるだけだった。

彼は道の左端にいたが、私の車が近づいていって停まると、大急ぎで運転席側の窓に近づいてきた。窓をさげると、吹き降りが顔を打ち、私もしかめ面《つら》をしないではいられなくなった。

「こんなところで何してるんだ？」

そのときはまだ叱《しか》るつもりはなかったが、風の轟《とどろ》きさに負けないために、私は怒鳴った。

「パンクしちゃったんです！」

彼も怒鳴り返し、大雑把《おおざっぱ》に自転車の倒れている方向を指した。

「動けなくなっちゃって。すみません、どこか修理のできるところまで乗せてってくれませんか？」

「とにかく乗りなさい」

私が大声で言うと、彼は前屈《まえかが》みになって風に逆らいながら自転車の方へとって返し、すべったりぶつかったりしながら自転車を起こすと、こちらへ戻ってくる。水溜まりを横切るとき、自転車の前輪が十センチほど沈んでしまい、車輪が回るたびに小さな波がたつのが見えて、私は少しばかり気味悪くなった。この台風と豪雨をみくびっていたという点では、私もこのヒッチハイカーと同じかもしれない。

「ちょっと待っててください。これ、折り畳めるんです。そしたらトランクにも乗せられるから」

「自転車なんか放《ほ》っとけ！」

「でももったいないし……」

「あとで取りにくりゃいいだろ？」

「飛ばされちゃったらどうしようかな」

私は声を張り上げた。「地べたに寝かせておきゃ飛んでかないよ。とにかく早く乗ってくれ！　ぐずぐずしてると置いてくぞ！」

実際、こんな場所で長く停まっていたら、うまく走りだせなくなる可能性が高かった。私の車は新品でもなく高性能でもなく、私がもっともそうしてもらいたくないときを狙《ねら》ってエンコするという、性悪な癖を持っていた。私とこの車は、刑事とタレ込み屋のように、互いを全然信頼しないまま、ただとりあえずは便利で、ほかにお代わりがいないということだけでくっついていた。

「早く、早く！」私は彼をせきたてた。

彼はなんとか満足のいく位置に自転車を横たえると、走って戻ってきた。助手席のドアを開けようとして、ひどく苦労している。雨で手が滑るのかと思って手伝うと、強風に押されてドアが開きにくいのだとわかった。

まったく前代未聞だった。こんな暴風雨は経験したことがなかった。気象予報官の「三十年ぶりの大型台風です」という台詞《せりふ》を、なんとなく聞き過していたことを後悔した。

彼がなんとかドアを開け、身体《からだ》を通り抜けさせるのを見計らって、私は彼の雨合羽をつかみ、内側にひきずりこんだ。

「脚をはさむなよ！」と怒鳴るのと同時に、恐ろしいほどの勢いでドアが閉じた。コメディ映画によくあるように、閉まったと同時に、ドア全体が壊れて落ちてしまうのではないかとさえ思うほどだった。

「あー」彼は声を出してため息をついた。「スゲエや」

私は車をスタートさせた。車輪が何度か空回りをし、悪い予感がした。ようやく、がくんと前のめりになりながら動きだしたときには、思わず安堵《あんど》のため息が出た。

私が拾ったヒッチハイカーは、全身から均等に水を滴《したた》らせていた。耳たぶからも、鼻の頭からも。彼は顔のまわりの水滴をぐるりと手の甲でぬぐってから、やっとまともに私を見た。

「どうもすみません。助かりました」

そのときにはもう、私にも、自分が拾ったのが年若い少年だということがわかっていた。ハンドルにしがみつきながら、彼の方は見ずに、頷《うなず》いてみせた。

「無鉄砲にもほどがあるぞ。こんなときに自転車を乗り回してるなんて。この辺に住んでるんだろ?」

「ううん。東京です」

呆《あき》れ返った。「じゃ、自転車でこっちまで?」

「そうです」

「学校を休んで?」

「連休だから。明日も休みですよ」

言われてみればその通りだった。仕事柄《がら》、そういう意味でカレンダーを意識することがないので、忘れていたのだ。

「東京から千葉のこの辺までなら、僕にとっては近距離です。もっと遠くへ行ったことが、何度もあるもの。だから、べつに宿のことなんか決めないで、フラッと出てきたんです。野宿したっていいし、いざとなったら安く泊まれるところを探せばいいしね。今夜だって、パ

「なんて天気だ」

ンクさえしなければ、自転車を押していって、雨をしのげる場所を見つけられたのに」

口調は落ち着いていて、とくに嵐《あらし》を怖がっている様子もなかった。

「それにしたって無謀じゃないか。台風が来ることはわかりきってたんだから」

私が咎《とが》めても、あっけらかんとしている。「おじさんだって」

男女を問わず一般に、二十五歳をこえたら、「おばさん」「おじさん」と呼ばれても仕方がない。が、三十五歳になるまでは、一応ムッとした顔をする権利はある。だから私はそうした。

「あ、スミマセン」少年は笑った。「『おじさん』って呼び方は、すごくキャパシティが広いから。えーと、あの、お名前は――」

びっしょり濡れた頭をかくと、「それより、先に自分が名乗らなきゃ失礼ですよね。僕は――」

さっきの自転車と一緒に名前も置き去りにしてきてしまったとでもいうように、うしろを振り返った。私は気をきかせた。

「嫌《いや》なら名乗らなくてもいいよ。べつに補導しようという気はないから」

「やあ、そんなことはないです。イナムラシンジっていいます。『稲村ジェーン』の稲村に、慎重の慎に司会の司」

「高校生だろ？」

「はい。一年です。ところで、今どっちに向かって走ってるんですか？」

「東関東自動車道へ向かってるんだよ。方向さえ間違ってなければね」

佐倉街道へ出て南へ走れば、インターチェンジはそれほど遠くないはずだった。

フロントガラスにぶつかる雨の勢いは、いっこうに衰える様子もない。ワイパーは徒労を繰り返しているだけで、ものの役にたたなかった。ふたつ並んだ明かりが見えない限りは、対向車がいないと信じて進んでゆくしかない。

「東京へ行くんですね？」

「そうだよ」

「こんな天気のなかを、よっぽどの急用ですか？」

「まあね」

実際には、こんなやっかいな目にあいながら急いで帰る必要はなかった。台風が通過するまで、実家で待っていても良かったのだ。車の性能をあてにできないのだから、なおのこと。だが私は腹を立てていて、とにかく家を出たかった。だから、仕事にかこつけて、無理に帰ると言ったのだ。

稲村慎司は、いくぶん不安そうな顔をしていた。それが、車全体を揺さぶるような強風のためだけでないことに、しばらくしてから気づいた。

こんな夜に自転車でツーリングしようとしていた少年を拾った私は、呆れながらも鷹揚《おうよう》に構えていられる。だが、こんな夜に自家用車を走らせている見ず知らずの男に拾ってもらった少年の側は、運転者の正体を知りたいと思うのが当然だ。はっきり答えてやるべきだった。

「べつに、トランクに死体や麻薬を積んでるわけじゃないよ」私は前を向いたまま ちらりと笑ってみせた。「怪しい者じゃない。ダッシュボードのポケットをのぞいてごらん。免許証と名刺が入ってるから」

口で説明するより、その方が確実だ。慎司は言われたとおりにして、薄暗い車内で私の名刺を見つけた。

「高坂昭吾《こうさかしょうご》」と、読み上げる。「へえ……雑誌記者さんなんだ」

「さんは要らないよ」

正直なもので、慎司は目に見えてほっとしたようだった。

「仕事があるから帰るんですか? それとも、取材からの帰りですか?」

「私用でこっちへ来てたんだ。それに、無理に今夜中に東京へ帰らなきゃならないこともない。行けるところまでは行ってみようと思って出てきたんだから」

それは本当だった。

慎司はまだ私の名刺を見ている。「『アロー』なら、僕、よく知ってます」

「へえ。キヨスクや本屋で見かけるくらいだろ?」

「アロー」は、発行部数も知名度もそこそこの週刊誌である。フリーランスの契約記者も入れて四十人ほどの所帯で、形としては独立採算制をとっているが、実態はある大手の全国紙のコブみたいなものだ。そこから弾《はじ》かれたり、落ちこぼれたり、あるいは天下ったりした記者たちが、「アロー」に送り込まれてくるのである。

私もその一人だ。異動がかかって三年、「出向」という言葉の辞書には載っていないニュアンスを、骨身にこたえて知らされているクチである。

「見かけるだけじゃないですよ。読んでます。ときどきだけど。店に置いてあるから」

「店?」

「うち、喫茶店をやってんです。父さんが——父が毎週『アロー』を買ってくるんです」

「それはごひいきにどうも」

じりじりと、だが確実に、私は車を走らせた。何度か角を曲がり、一度は多少広い道に出て、そこで地図を確認した。もう少し南へ走らなければならない。

「この辺、それほど田舎じゃないのにな。夜になると真っ暗ですね」

「天気のせいもあるんじゃないか」

「高坂さんはどこから来たんですか?」

「船戸」

「へえ。霞《かすみ》ケ浦《うら》の方じゃないですか」

「よく知ってるな」

「行ったことありますよ。でも、あっちの方から東京へ帰るなら、成田街道を通ればいいのに」

「いつもならそうしてるんだけどね。事故で封鎖されてたんだ。上座《じょうざ》のあたりでトラックが荷崩れを起こして、うしろの車が何台か巻き込まれたらしい」

「うひゃあ」慎司は声をあげ、それから可笑《おか》しそうに笑いだした。「わかった。そうすると、僕を拾ってくれた辺りで、高坂さんも道に迷っちゃってたんじゃないですか？」

私は苦笑した。「当たり」

と、そのとき、何かに乗り上げたのか、タイヤをとられたのか、車は大きくバウンドした。座席の下から一撃を食ったような感じがして、身体が揺れた。

「おっと、ごめんよ」

「何か轢いたのかな？」慎司は素早く言った。

「まさか。木の枝か何かだろう」

そう受け流しながらも、私もなんだか嫌な感じがした。車はまだじりじりと前進していたが、私はゆっくりとブレーキを踏んだ。車体がすうっとスリップしながら停まるのが、はっきりわかった。

白状すれば、私一人だったなら、そのまま走りすぎていたことだろう。隣に慎司が乗っていることで、私のなかの分別――いや、大人としての見栄《みえ》のようなものが、車を停めさせたのだ。

思い切って運転席側のドアを開けると、とたんに豪雨が殴りかかってきた。肩まで外に突き出してうしろをのぞいても、何も見えない。周囲は漆黒の闇《やみ》で、そのなかにまばらに点在している弱々しい明かりは、人家や街灯のものだろう。

「見えますか？」

「駄目《だめ》だ」

埒《らち》があかない。仕方ない、降りてみようと、足元を見おろして驚いた。急流ができている。雨水が早瀬のようになって流れているのだ。道路の真ん中を。

頭をあげ、周囲を見回してみた。ちょうど斜め前に細い間道が伸びていて、車のヘッドライトの明かりのなか、雨が盛大に路面を叩いているのが見える。そこからも雨水が流れてくるが、ここほどひどい流れになっているわけではない。

「おかしいな」私は慎司を振り向いた。「そっちのドアを開けて、地面を見てみてくれないか？　降りちゃ駄目だ。のぞいてみるだけでいい」

慎司は私の指示どおりにすると、目に入る雨をまばたきしてふりはらいながら顔をあげた。

「すごいよ。川みたい。ちょっとおかしいんじゃないかな。ほら」

見えない何かを指すように人差し指を立てて――

「ごうっていうような音がしてますよ」

私はもう一度ドアから身を乗り出して、道路の上を透かして見た。たしかに、慎司が言ったような音が聞こえる。かすかではあるが、風のうなりとは違う。

「その辺に懐中電灯があるはずなんだ。とってくれないか」

慎司に頼んでおいて、私は上着と靴《くつ》を脱いだ。

「出てみるんですか？」

「うん」

「傘《かさ》は？」

「傘なんかさしたら、かえって危ないよ」

「それもそうですね」

左手に懐中電灯を持つと、右手でしっかり車のドアにつかまりながら、私はそっと道路に足をおろした。思いがけないほど水は冷たく、爪先《つまさき》も踵《かかと》も沈むほどに深くなっている。その場でズボンの裾をまくった。

「気をつけて」慎司は運転席の方へ移動してきて、私がしっかり地面に立つまで、ズボンのベルトをつかんでいてくれた。

「大丈夫だ、いいよ、離してくれ」

慎重に、ゆっくりと、右手で車に触れながら、車体に添うようにして進んだ。雨で冠水した道路がこれほど歩きにくく、危険なものだとは思っていなかった。

それにしても、これはちょっとひどすぎる。もっと海寄りの、埋立地みたいな土地ならまだわかるが――

そして、見つけた。路上に、懐中電灯の明かりを照り返すものを。金属だ。大きい。

「どうですか？」

慎司が大声で訊《き》いた。私はまだ見つけたものの正体をつかむことができず、明かりを動かしていた。

「何かあったんですか？」

車の尾部まで来ると、ごうっという音がもっとはっきりした。私はトランクの端につかまったまま、声を張り上げて返事をした。

「わかったよ！」

「何です？」

「マンホールだ。蓋《ふた》がずらしてあるんだよ！」

ぞっとするような眺《なが》めだった。マンホールの蓋がずらされて、道路に半月形の穴があいている。そのなかに雨水が流れこんでゆく音が、強風の下でも聞こえるほど大きく響いていたのだ。私の車は、その蓋に乗り上げてバウンドしたのだろう。

そばまで近寄って、のぞきこんでみる勇気は出なかった。うっかりすべって流されたら、なかに落ち込んでしまうだろう。この雨量だ。マンホールの下を流れている下水の水位も、相当あがっているはずだ。落ちたら、まず助かるまい。

濡れついでに、私は頭上を見上げた。雲は早いスピードで西から東へと流れてゆく。これだけの雨を含んだ、これだけ厚く重い雲を、やすやすと動かしている大気のエネルギーは、まだ当分尽きることがないように思えた。

朝になって雨がやんでも、下水に流れこむ水の量がすぐに減るわけではない。マンホールの蓋をあのままにしておいては危険だった。

手にした懐中電灯を動かして、周囲を照らしてみた。そのとき一段と強い風が吹き付けてきて、私は首を縮めた。そして、視界の隅《すみ》を何か白っぽいものがふわりと横切るのを見た。

素早く首をめぐらせて、探してみた。顔を打つ雨を片手で遮《さえぎ》りながら見回すと、また何かがふうっと動いた。

傘だった。

子供用の黄色い傘だ。集団登校の小学生たちが、揃《そろ》ってさしているような傘だった。開きっぱなしになって、道路脇《わき》の草叢《くさむら》のなかを、風にもてあそばれながら転がってゆく。

動悸《どうき》が早まった。開いたままの傘と、開けっぱなしのマンホール。

傘の持ち主はどこへ行った？

不吉な予感にとらわれて、私は車の周囲を歩き回った。懐中電灯を動かし、「誰かいますか？」と呼んでもみた。答えはなく、草叢のなかで傘だけが人を小馬鹿《こばか》にしたようにあっちへ行ったりこっちへ行ったりしている。

「高坂さん」運転席のドアから身を乗り出して、慎司が私を呼んだ。「向こうから、誰か来ます」

私の車が向かっていた方向から、前かがみになって風雨のなかを抜けてやってくるのは、大人の男だった。慎司のよりはずっと上等の防水コートを着こみ、フードで頭を包み、長靴を履いている。手には大型の懐中電灯。彼が声の届く距離に近づいてくるまで、実際にはほんの一、二分しかかからなかったのだろうが、その時の私にはずいぶんと長く感じられた。

彼は長身を丸めるようにして頭を下げ、「すみません」と呼びかけてきた。

「このあたりで、小さい子供を見かけませんでしたか？　男の子です。背はこのぐらいで

――」と、自分の腰の辺りをさす。「黄色いレインコートに、黄色い雨傘をさしています。

見かけませんでしたか？」

ちょっとのあいだ、私は口をきくことができなかった。風のうなりも雨音も耳から消えた。聞こえるのは自分の心臓の鼓動だけだった。

慎司が不審そうに私を見ている。男は我々の顔を見比べている。

顔中ずぶ濡《ぬ》れなのに、くちびるも喉《のど》もカラカラに乾いてしまったような気がした。ようやく、私は訊いた。「あなたのお子さんですか？」

男は大きく頷《うなず》いた。「ええ、そうで――」

そこで言葉が途切れた。男の視線をたどり、私は反射的に振り返って、あの傘が道路の方に転がり出てくるのを見つけた。

男の顎《あご》が、がくんと下がった。懐中電灯を持っていた手から力が抜け、身体《からだ》の脇にだらりと下がる。そして一瞬の放心のあと、背後から誰かに鞭《むち》でどやされでもしたかのように突進してきた。

私は危ういところで彼を引き止めた。「待ちなさい！　危ない」

「危ないって――」

「マンホールがあるんです。蓋が開いてるんだ」

言葉の意味が男のなかで焦点を結ぶまで、数秒かかった。そして、前にもまして強い力で私の腕を振り払うと、闇雲に傘の方へと近づいてゆく。私は、今度は彼の防水コートをつかみ、口を開けたまま茫然《ぼうぜん》としている男に近寄ると、怒鳴った。

「あれは子供さんの傘ですか？」

男は返事をしない。「大輔《だいすけ》？　大輔？」とつぶやいている。子供の名前だろう。私は男の腕をつかんでゆさぶった。

「あなたの子供さんの傘ですか？」

男はゆっくりと首をよじると、私を見おろし、何度も頷いた。「そう……らしい」

彼をその場に残し、転がっている傘に近づいて、拾い上げた。柄《え》のところに「一ねん二くみ　もちづきだいすけ」と名前が入っていた。男が私の手から傘をひったくると、わめくような声をあげて握り締めた。

彼と私は、急いでマンホールへと近づいた。私はまた彼の防水コートの端をつかんだ。男は蓋のそばにしゃがみこみ、全身に雨水を浴びながら、地中にぽっかりと開いた穴のなかを照らし、流れ落ちてゆく水を照らした。

それから、二人で足元に気を配りながら周囲を歩き回り、子供の名を大声で呼んだ。何度も呼んだ。だが答える声は聞こえず、小さな人影も、黄色いレインコートも見えない。

「お宅はどちらです？　ここから離れてますか？」

返事をもらうまで、何度も怒鳴らなければならなかった。

「向こうの――向こうの方です」

男はさっきやってきた方向を指さした。その指は、重度のアルコール依存症患者のそれのように震えていた。彼の差した方向には、ひとかたまりのカラフルな光が見えた。終夜営業のレストランか、ガソリンスタンドの明かりのようだった。

半ば男をひきずるようにして車のそばに戻り、不安そうに見つめている慎司の手に、黄色い傘と私の懐中電灯をおしつけた。

「すまないけど、ここにいてくれ。人が通りかかったら、明かりを動かして警告するんだ。誰も近づけちゃいけない。すぐ戻ってくるからな。いいか？」

慎司はぽかんとしていた。小さな傘をしっかり握り、私の方を向いていながら、目は百メートル先を見ていた。

「おい、しっかりしてくれ。聞こえてるか？」

もう一度大声を出すと、慎司はぶるっと身震いして我に返った。まるでそれが彼の命綱であるかのように、固く傘を握り締めて。

「君も気をつけるんだぞ。マンホールのそばに寄っちゃ駄目だ」

「わかった」と、蒼白《そうはく》な顔で頷いた。

慎司を道端に残し、男を車に押し込むと、エンジンをふかした。男は大きなゴム人形になってしまったかのように、だらしなくシートにへたりこんでいた。話しかけてやらないと、そのまま正気を失ってしまいかねないように見えた。

「しゃんとしてください。まだそうと決まったわけじゃない。電話をみつけてお宅にかけてみるんです。いいですか？　子供さんは傘を飛ばされただけで、無事家に帰ってるってこともあるんですからね。そういうことがよくあるんです。いいですね?」

生まれて初めて、私は大声で嘘《うそ》をついていた。男は返事をしてくれなかった。

2

やはり、子供は家に帰っていなかった。

三十分ほどすると、問題のマンホールのある場所は、人と車とライトで溢《あふ》れた。パトカーが三台、水道局の緊急作業車が一台、頭を寄せるようにして停車し、てんでに赤と黄色の回転灯をひらめかせている。場違いににぎやかな色の組合せでくるくる回るその光は、捨《す》て鉢《ばち》な女のヒステリー笑いのように、やたらに明るかった。

もうひとつ、台風のど真ん中に出現した月のように丸く、真っ白にまぶしい光を投げかけているのが、警察が運んできた投光器だった。今はいっぱいに開けられているマンホールの穴に向けられており、腰に命綱を巻いた水道局員が一人、地下にのびている垂直の穴をのぞきこんでいた。

私と慎司は、車のなかで事情を訊かれた。話すことは大して多くなかった。慎司は大事に持っていた黄色い雨傘を警官に渡し、私がそれを見つけたくだりを説明しているあいだ、ずっと下を向いていた。

風は依然として強く、投光器の白い光のなかに浮かび上がる雨は、畳針のような形をしていた。気まぐれな強風にあおられた畳針の大群が吹き付けてくると、警官たちも水道局員たちも、さながら機銃掃射を浴びているかのように首をすくめ、それが通りすぎると、また頭を上げて作業を続ける。

「見込みはどうです？」

私が尋ねると、防水コートを着込んだ警官は、残念そうに頭を振った。行方不明になっている子供の祖父にあたるくらいの年配者で、額に何本も深いしわを刻んでいた。

「ほとんどないね……どうしようもない。一応、下水の本管の方へも人が降りて捜索してはいるが、まず見つけられないだろうよ。汚水処理場の取水口で網を持って待ってたほうが確実かもしれん」

わざとぞんざいな言い方をしていた。その気持ちはわかった。

マンホールに落ちた「望月大輔」は七歳。小学一年生だった。両親の名は望月雄輔・明子。ここから二区画ほど北にある公団住宅に、親子三人で住んでいるという。

「なんでこんなときに、子供が外を歩いてたんだろう」

「それなんだが、親も取り乱してて、まだよくわからん。いなくなったペットを探そうとしてたとか言ってるが」

慎司がちょっと頭を上げて、小声で言った。「モニカっていうんだ」

「モニカ？」

「猫《ねこ》です。可愛《かわい》がってたんだ。それがこんな天気に外へ出ていって、帰ってこないから、心配して探してたんですよ」

私と警官は顔を見合わせた。慎司は抑揚のない声で続けた。「さっきその辺で、ほかのおまわりさんが話してるのを聞きました」

「そうか」警官はまた頭を振った。白髪の目立つ髪から水滴が落ちた。「子供ならありそうなことだ。可哀相《かわいそう》に。親も辛《つら》いだろうな」

「犯人、つかまりますか?」と、慎司が訊いた。きちんと頭をあげて、警官を見つめている。

「犯人って?」

「決まってますよ。マンホールの蓋を開けておいたヤツです。まさか、水道局の人が閉め忘れてたわけじゃないでしょ?」

「そっちの確認もとってるところだ」警官はちょっと言い淀んだ。「なぜ蓋が開いてたのか、調べないとな」

「もし誰かの悪戯《いたずら》だったなら、警察が放《ほう》っちゃおかないよ」私は慎司に言った。「必ず捕まえる」

慎司はまたうつむいてしまい、その彼の頭ごしに、私と警官は共犯者のようにこっそりと視線をあわせた。

これがもしも悪戯だったなら、仕掛けた人間を探しだすことはほとんど不可能と言っていい。目撃者も期待できず、手がかりもない。出会い頭に人を刺したとか、女性に悪さをしたとかいうことなら、その手の犯罪の前歴のある者や、似たような傾向の事件を洗ってゆくことで道が開ける場合もあるが、ただ「マンホールの蓋を開けました」では、探しようがないのだ。極端な話、酔っ払った男が気まぐれに――かなり力の要る気まぐれだが――ちょっとやってみただけということかもしれないのだから。

人間というものは、ときどき、自分でも思いがけないほど強い誘惑にかられて、くだらないことをしでかす癖がある。四年ほど前、まだ私が日刊紙の方にいて、都下の支部で記事を書いていたころ、そんな例にぶつかったことがあった。団地のベランダから鉢植えが落とされ、そのために人が一人死んだ、というものだ。

べつに、殺意だの恨みだのという大げさな意図がからんでいた事件ではなかった。その団地の五階に住むサラリーマンが、ベランダに出て、妻が花屋で買ってきた鉢植えをながめているうちに、不意にむらむらと、(これを下に落としてみたら面白いだろうな)と思った――というだけのことだったのだ。ちょうど、我々がハイキングなどで高いところに登ったとき、無意味に大声を出してみたくなるようなもので、本人はいたって軽い気持ちでやったことだった。それが誰かにぶつかるかもしれないなどということは、頭をかすめもしなかったのだ。

人間はときどき、そんなふうに致命的に無責任に――いや、楽観的になる。誰でもそういうエアポケットを持っているのかもしれない。鉢植えを落とした男は裁判の前に精神鑑定を受けたが、異常は発見できなかった。比較的大手のアパレル会社の経理課長をつつがなく勤めていた人物で、私もじかに本人と話をしたことがあるが、どこにでもいる平凡な男であり、夫であり、父親だった。

その当時のことを思い出して、私はふと、声に出してつぶやいていた。

「悪意があってやったことなら、まだいいが」

「え？」慎司が顔をあげる。

「いや、なんでもない」

警官は黙って鼻筋を指でかいていたが、ひとつ咳払《せきばら》いをして、窮屈そうに膝《ひざ》を動かすと、手帳を閉じた。

「とりあえず、あんたたちはもうここから離れてもいいよ。というより、こっちの坊やは家に電話をかけた方がいいんじゃないか？ 親御さんが心配してるだろう」

うっかりしていた。そうに決まっている。

「さっき聞いた気象情報だと、嵐《あらし》はまだまだ続くそうだ。あんたたち、その格好で東京へ帰るのは無理だと思うぞ。だいいち肺炎になる。どこかに宿をとったらどうた？」

どのみち、私は今夜はここへ居座って、捜索の模様を見届けるつもりだった。

「泊まれるような場所がありますか？」

警官は、節くれだった指で、車のうしろの方をさした。さっき望月雄輔と出会ったときにも見た、ひとかたまりの明かりの方向を。

「あっちに、二十四時間営業のレストランと、ビジネスホテルが一軒ある。しけたところだから、満室なんてことはあるまいよ」

我々は礼を言って警官と別れ、バックで車を出すと、教えられた方向へ向かった。ホテルはすぐに見つかった。「ピット」――いや、「ピット・イン」というホテルだ。「イン」のところはネオンが消えている。建物そのものがどこかでピット・インした方が良さそうなつくりではあるが、とにかく屋根と電話があり、自動ドアの内側には雨が降っていなかった。

フロントには、眠そうな顔をした若い男がいて、傍《かたわ》らに置いた液晶テレビを横目で眺《なが》めながら、どこでも好きな部屋を選んで泊まれますと言った。ツインをとって、前払いの料金を払い、慎司と並んで宿泊カードを書いた。ボールペンを持つ慎司の指がひどく震えているので、私は手をとめて声をかけた。

「大丈夫か?」

彼は声を出さずにこっくりと頷いた。打ちのめされているように見えた。

「なんかあったんすか?」

少しばかりテレビから興味をそらして、フロント係が訊《き》いてきた。我々二人を、どういう関係なのかと訝《いぶか》っているような節も見えた。

「さっきはパトカーがわんわん言いながら走ってったし……」

「近くのマンホールに、子供が落ちたらしいんだ」

フロント係は背中をのばした。「ホント? 地元の子ですか」

「そうらしい」

「ひでえ話」と、眉《まゆ》を寄せる。「お客さんたち、その子の家の知り合い?」

「いや、そうじゃないけど」私は上着の内ポケットから名刺を取り出した。湿っていた。

「ああ、取材かあ」フロント係は理由《わけ》もなく感心したような顔をした。

「そうなんだ。こっちの子は俺《おれ》の拾ったヒッチハイカーでね、このまま泊まるけど、俺はまた現場へ戻らなきゃならない。なんでもいいから着替えと、雨合羽みたいなものを貸してもらえると助かるんだが」

「いいですよ、お安い御用だ。そのまんまじゃ、二人とも怪奇雨男だもんな。脱いだ服はそっくりフロントへ持ってきてください。裏にコインランドリーがあるから、そこで乾かしてあげますよ」

私は自分の上着を見おろした。雨水を吸いこんで、灰色から黒に変わっている。

「スーツも？」

「当然」

「いくらなんでも――」

フロント係は手をのばし、「失礼」と言ってから、私の上着の襟首《えりくび》を折り返し、ラベルを見た。

「これなら大丈夫。いざとなったら雑巾《ぞうきん》の代わりにもなるくらい丈夫だからね」

やりとりを聞いていた慎司が、やっと、少しだけ笑い顔になった。それでほっとして、私も苦笑をもらした。フロント係だけが大真面目《おおまじめ》な顔をしていた。

着替える前に、私の部屋の電話から、慎司の自宅に連絡した。彼が事情を説明したあと、私も代わり、自分の身元を明らかにして、明日には彼をそちらに送り届けることを約束した。電話に出ているのは慎司の父親で、丁寧な口調で話し、しきりに恐縮していたが、私が予想していたほどひどくは心配していなかったようだった。

「腹の据《す》わった親父《おやじ》さんだな」

慎司は弱々しく笑った。「自分もツーリングが趣味だから、結構いろんな経験をしてるんです」

シャツを脱いでタオルをかぶっていると、ひとまわり小さく見えた。もともと、小柄《こがら》な少年だったのだ。身体《からだ》つきもほっそりしている。

「でも、こんなに親切にしてもらえることはめったにないです。本当にありがとう」

そう言って、きちんと頭をさげた。躾《しつけ》のいい子だった。私はあいまいに手を振って、「どういたしまして」と言う代わりにした。

「風呂《ふろ》に入って暖まって、ゆっくり休んでろよ。どうせ俺は一晩中外にいることになるから、遠慮しないでいい」

フロント係が貸してくれたのは、洗い晒《ざら》しのコットンパンツとトレーナーだった。その上に、彼が出勤するときに着てきたというオイルクロスのヨットパーカをつけ、「風呂場の掃除をするときに使ってんです」というゴム長靴《ながぐつ》を借りて履き、私は現場へ戻った。

「アロー」の編集部へ連絡し、カメラマンをよこしてもらうことを、考えないではなかった。

だが、部屋でちらりと眺めたテレビのニュースでは、台風のためにあちこちで被害が出ていることを報じていた。みな出払っていてつかまらないかもしれない。つかまっても、風雨をついてここまで来たがらないかもしれない。結局、この目で事件の一部始終を見ておくのがいちばんだと決めた。

分秒を争う日刊紙とは違うので、何がなんでも捜索現場の写真が欲しいということもなかった。あとで記事にするとき通信社からでも都合すればいいことだ。雑誌には速報性は要求されない。「アロー」に移ったばかりのころは、それがピンとこなくて、ずいぶんとんちんかんなことをやったものだった。

現場では、さきほどまでと同じように、大勢の男たちが、マンホールを囲んで右往左往している。パトカーのライトが点滅し、誰かがひっきりなしに無線《むせん》に応対している。「子供を生還させる」ということだけが目的ならば、すべてが最初から空しかった。

投光器がまぶしいので、目をそらすと、マンホールからいちばん遠く離れた場所に停《と》めてあるパトカーの後部座席に、寄り添い合っている頭をふたつ見つけた。警官は乗っていない。私はそっと近寄っていって、窓を叩《たた》いた。

望月夫妻だった。妻の方は顔を伏せていて、夫にしがみついている。望月雄輔は私を振り仰ぎ、窓ガラスを下げた。目がうつろだった。

「まだ発見できないようです」

私は黙って頷いた。と、女が頭をあげて、私の方へ乗り出してきた。

「落ちてないってことも考えられるでしょ？」

彼女の手は夫の腕をつかんでおり、指の関節が白く浮いていた。パジャマに似たスエットウェアの上に、しゃれた肩章《けんしょう》つきのレインコートという、子供の身に変事が起こったときの母親にだけ似合う格好をしていた。顔は涙に濡《ぬ》れ、目は充血して、身体がぶるぶる震え、いくらかろれつが怪しかった。無論酔っているのではなく、パニックに叩きのめされて、コントロールを失いかけているのだった。

「誰も見てたわけじゃないんだもの。あの子、落ちてないかもしれないでしょ？　違います？」

私は女の顔を見つめ、目をそらしている彼女の夫の横顔を見つめ、それから言った。

「ええ、そうですね、奥さん。その可能性はあります」

「そうよね？」そう言って、女は急に空気が抜けたようになった。「あの子……ちょっと目を離した隙《すき》に出ていっちゃって……」

夫が彼女の背中を撫《な》で、「おまえのせいじゃないよ」とつぶやいた。

私は小声で訊いた。「ペットの猫を探そうとしていたそうですね」

望月雄輔はのろのろと頷《うなず》いた。「大輔が可愛がっていたんです。動物は嵐を避ける方法を知ってるから大丈夫だって言ったんですが、子供のことですから、心配でしょうがなかったんでしょう。女房の目をぬすんで、一人で外へ出たらしいんです」

「子供はペットを可愛がるし、人間と同じように扱いますからね」私は慎司の言っていたことを思い出した。「モニカという名前をつけたのも大輔ちゃんですか」

望月雄輔は、ちょっと放心した。「モニカ――」

「猫の名前でしょう?」

「いえ、違います」大きく首を振る。それに大事な意味があるとでもいうように。「猫の名前はシロですよ。シロです」

茫然《ぼうぜん》としていた彼の妻が、低く言った。「大輔は、モニカって名前にしたがってたのよ。だけどわたしがやめさせたの。気取った名前じゃ呼びにくいからって」

ゆっくりと手で顔を覆《おお》い、頭を抱える。「猫なんか飼わなきゃよかった」

そしてわっと泣き崩れた。望月雄輔はくちびるを噛《か》んでいる。

私は(お気の毒です)と言いかけて、やめた。そう言ってしまったら、子供が生きているかもしれないという可能性を全否定することになる。遺体が発見され、子供の死がもう動かしがたい事実となるまでは、誰も彼らを気の毒がってはならないのだった。

「きっと見つかりますよ。きっと」そう言って、私は彼らから離れた。今夜は嘘《うそ》ばかりついているという気がした。

ちょうどそのとき、地元のテレビ局の中継車が、派手に泥水《どろみず》を跳ね上げながら走ってきて、望月夫妻の乗っているパトカーのそばで急停車をした。彼らがきたところで何の助けになるわけでもなく、彼らの到着を誰が待っていたわけでもないのに、中継車から降りてきた連中はみな、自分たちが、今ここにいる人間たちと行方不明になっている子供にとって、必要不可欠な存在だと信じ込んでいるような顔をしていた。私はうんざりし、気が重くなった。できるだけ彼らの見えない場所にいることにした。

しばらくして、またさっきの警官の顔を見つけた。道路を封鎖しているロープの側《そば》で、張り番をしている。さすがに野次馬はほとんどいないが、地元の記者らしい男たちが数人、ずぶ濡れになってうろうろしていた。

あの警官も濡れ鼠《ねずみ》になって、ひどく老《ふ》けてしまったように見える。声をかけると、ちょっと顎《あご》を引いて私を見つめた。

「まだこんなところに――ああ、そうか、あんたもブン屋さんだったな」

「雑誌ですよ」

「どっちだって同じだ。さっきの坊やは？」

「ホテルで寝てるはずです」

「そりゃ良かった。だいぶショックだったようだから」目をしばしばとまたたいて、「俺もこたえてるよ。こういう事件は辛い。子供がからむとな」

七歳か……と、ため息まじりにつぶやく。

「うちの孫が五歳なんだ。身につまされるよ。なんだってこういうひどいことが起こるんだろうな。あんた、どう思う？」

警官が多弁になるのは、マスコミをけむに巻こうとするときか、仕事が行き詰まり、疲れて無力感にとらわれているときだ。私のそばにいる警官は今、自分の職業の使命を疑っているかのように、気難しい顔をしていた。

「悪い偶然が重なったんでしょう」

猫の名前を呼びながら、黄色い傘《かさ》を小さな両手で一生懸命に支え、雨のなかを歩いていく子供の姿が、目に浮かんだ。ひょっとしたらべそをかいていたかもしれない。帰ってこない猫を案じる気持ちと、嵐に怯《おび》える思いとで。

そんな子が、足元にぽっかり穴が開いていることに気づくはずもない。何が起こったのかさえわからないうちに、闇《やみ》のなかへ落ちていたことだろう。

「小学校で教えるべきかもしれないな」と、私は言った。「横断歩道を信用しちゃいけない。青信号を信用しちゃいけない。道端のマンホールを信用しちゃいけない。とんでもないときに裏切られるから」

「孫にはそう伝えとくよ」と、警官は言った。

作業は遅々として進まなかった。相変わらず投光器はまぶしく、風は強く、雨はこの世の終わりのように激しく降っていた。たとえ今夜これから奇跡が起こってくれるのだとしても、今のところ、それらしい予兆は何一つ見えていなかった。

3

雨がやんだのは、翌朝の七時ごろのことだった。

台風は、どうやら、関東地方をその暴風圏の縁にひっかけるようにして通過したらしく、夜中じゅう外に出ていても、「目」に入ったという感じのする時間帯はなかった。吹きまくっていた西風がほんの少し弛《ゆる》んだかと思うと東風に変わり、気がついたら静まり始めていたというところだ。

雨がやむと、捜索を眺めることは容易になったが、捜索自体は少しも楽にならないようだった。下水に流れこむ水の量はいっこうに減らず、むしろ増してゆくばかりだ。水道局員の一人から、造成したときの手違いか計算違いとかで、この道路は逆蒲鉾《かまぼこ》形にへこんでいるのだという話を聞いた。だから、道の中央にあるマンホールの蓋《ふた》が開いていれば、そこにどんどん水が流れこんでくるのだ。

七時半に、警察は、警備に数人の巡査を残して、現場から引き上げることを決めた。捜索計画を練り直し、範囲を広げるのだろう。いよいよ汚水処理場の取水口に網を持ってゆくのだ。

それを聞いて、私もホテルに引き上げた。この格好のまま誰かを抱き締めたりすると、間違いなく相手は溺死《できし》するだろうと思うほどのずぶ濡れで、歩くとゴム長のなかでがぼがぼと音がした。

昨夜のフロント係はまだカウンターにいて、やはり従業員らしい中年の女性としきりに話し込んでいたが、私の顔を見ると、さっと立ち上がった。

「見つかったんすか？」

私は黙って首を横に振った。フロント係はそれとわかるほどに肩を落とし、中年の女性は「ああ、ヤダヤダ」と言いながら奥の通路へ引っ込んだ。

「あのおばちゃん、掃除に来てるパートさんなんすけどね。行方不明の子と同じ公団に住んでんだって」

フロント係はそう言いながら、私がヨットパーカから抜け出すのに手を貸してくれた。

「団地じゅう大騒ぎらしいっすよ。何人か出て捜索を手伝ったらしいけど……。みっけたのは猫《ねこ》だけだったって」

私は思わず彼の顔を見た。「猫が？」

「ええ。シロって名前の」

「生きてた？」

「もちろん。動物ってしぶといもんね」

望月夫妻にとっても、シロにとっても、「最悪」を絵に描《か》いて額に入れたようなものだ。

「ホントは団地じゃ飼っちゃいけないんだけど、そんな決まり、みんな守ってないっすからね。すごく可愛《かわい》がってた猫らしいっすよ」

「君んとこは？　ペット飼ってるか」

「おふくろが、動物はオレだけでたくさんだって」

「じゃ、その猫もらってやれよ」

きれいに乾かしてもらった衣類を受け取り、私はエレベーターへ向かった。急に、がっくりと疲れた。

部屋に入ると、慎司は起きていた。というより、一晩中眠らないでいたようだった。

「見つからなかったんですね」

「うん」

まっすぐバスルームへ行って、浴槽《よくそう》の蛇口《じゃぐち》をひねった。熱い湯に触れると腕に鳥肌《とりはだ》がたち、震えがきた。それほどに冷えきっていた。望月大輔も同じように冷たくなっているだろうなどと考えてしまったので、慎司が呼んでいる声が聞こえなかった。

「なに？」

彼はバスルームのドアの脇《わき》に立っていた。

「チェックアウトは十時だけど、オーナーにバレないかぎりは午後までいたってかまわないって、フロントの人が言ってました。高坂さん、ちょっと寝た方がいいんじゃないですか」

「ひと風呂浴びれば平気だよ。早く帰らないと、君のご両親だって安心できないだろう。俺も、ずっとここにいるわけにもいかないんだ」

現場で「アロー」の親元の新聞社の支局員を見つけたので、捜索に進展があったら連絡してくれるように頼んであった。

「天気になったからツーリングして帰るなんて言い出さないでくれよ。俺は君の親父さんに約束しちゃったんだから」

それで思い出した。「忘れずに自転車を拾いにいかなくちゃな」

「あ、そのことですけど、これから取りに行ってきます」

「場所がわかる？」

「ええ。夜中に、フロントの人に地図を見せてもらったんです」

「だいぶ離れてるだろ？」

「そうでもないですよ。行きは歩いても、帰りは乗ってこられるから、二十分もあれば戻ってこられます。ここにいてください。ちょっちょっと行ってきますから」

慎司はひどくそうしたがっているように見えて、訝《いぶか》しい気がしないでもなかった。

「そんな手間をかけなくたって、あとで車で行けば――」

「車で行くほうが二度手間ですよ。あと戻りしなきゃならないんだから。いいです、僕行ってきます」

そう言うと、少しばかりあわてた様子で部屋を出ていった。小さなことではあったが、釈然としない感じで、私は湯気のなかにとり残された。あとになって、彼の口から「どうしてもそうしたかった理由」というのを聞かされたとき、もっと釈然としない思いをすることになるのだけれど。

風呂に入り着替えを済ませ、いくらか人間らしい気分になって待っていると、慎司が帰ってきた。約束の倍、時間がかかって、四十分ほどたっていた。

おまけに、ひどく青ざめて見えた。

「自転車、見つからなかったのか？」と尋ねても、反応が返ってこない。目の前でポンと手を鳴らしてやらないとならないかと思った。

実際にそうする代わりに、腕組みしたまま黙ってじっと顔を見つめていると、突然かくんと首を頷かせ、「ええ、見つかりました」と答えた。僻地《へきち》へ国際電話をかけているときのようなものだった。

「大丈夫か？」

熱でも出したかと思ってそう訊くと、「何が？」と言う。

「何がって、君がだよ」

「僕？　僕どこかおかしいですか？」

おかしいところだらけだったが、目は澄んでいるし、ちゃんと背中を伸ばして立ってもいる。

「稲村慎司くん」

「はい」うわの空のようだ。

「元気か？」

「はい」頷いて、口の端でしわしわっと笑った。ちょっと正気に戻ったような感じで、「朝飯、隣のレストランでどうぞって、フロントの人が」

「そう」ほかに答えようもなく、私はそう言って立ち上がった。「じゃ、行くか」

だが慎司はついてこない。ドアのところで振り向くと、まだその場につっ立っていて、さっきまで私が座っていた椅子《いす》の方を向いている。道を歩きながら英単語を暗記している学生のように、頭のなかで何かをこねくりまわしていて、自分がどこにいるか忘れているかのように見えた。口が半分開いている。

私はその場でしばらく待った。大して長くは待たなかった。慎司はそっぽを向いたまま、唐突に「高坂さん」と呼んだ。

「うん」

また口を閉じてしまう。私は片手をドアのノブにかけ、片手を腰にあてて、(癲癇《てんかん》か?)と考えていた。

「高坂さん」

「はいよ」

やや間をおいて、慎司は振り向くと私を見た。

「あの……」

待っていても先を続けてくれないので、私は眉《まゆ》を上げた。「なんだい?」

そのとたん、すぐそこまでこみあがっていたものをあわてて飲み込んだように、慎司の喉《のど》がごくりとした。

「ネクタイ、曲がってます」

拍子抜けしてしまい、すぐにはピンとこなかった。

「え?」

「ネクタイ。よじれてます」

たしかにそうだった。フロント係がアイロンをかけちがったのか、私のネクタイにはバイアスがかかってしまっていた。

「それを言いたかったの？」

「うん」

嘘だとわかった。どんな鈍い人間でもわかるだろう。慎司はネクタイなんかと違うことを話したがっているのだ。

「ほかには？　俺《おれ》がズボンをうしろまえに穿《は》いてるようだったら、廊下に出る前に教えてくれよ」

「ほかにはないです」

そう言って、ドアの方へやってきた。方向を見失ったような表情が、ひとまずは消えていた。なんにせよ、私は何かをつかみ損ねたようだった。

レストランは細い路地をへだててホテルと隣り合っており、建物のくたびれ加減では、ホテルの方が判定勝ちという感じがした。ボックス席が四つとカウンターがあり、十四インチのチャンネル式のテレビが一台、その端に鎮座してニュースを映している。壁ぎわのボックス席がふたつ埋まっていて、ひとつには男女の二人連れが、もうひとつには、男が二人向きあって座っていた。

窓のそばのボックスに座ると、ちょっとびっくりするほど若く、美人のウエイトレスがメニューを持たずにやってきて、「モーニングは一種類しかないんだけど」と言う。

「そうらしいね」

客はみな同じような料理をつついている。

「でも、コーヒーはお代わり自由よ」そう言ってにっこりし、「お客さん、ネクタイが曲がってる」

面倒なので、私はネクタイをほどいてポケットに押し込んだ。斜向《はすむ》かいの席に座っている慎司は、ちょっと目を動かしただけで何も言わなかったし、笑いもしなかった。

いったん消えたウエイトレスは、すぐに熱いコーヒーをふたつ持って戻ってきた。これは有り難かった。彼女はカップをテーブルに置くと、少し身を乗り出して声をひそめた。

「お客さん、『アロー』の人なんでしょ？」

驚いた。

「なんでわかるの？」

「ヒバちゃんに聞いたの。ね、あっちのテーブルにいる男の人たちも、どっかの記者みたいよ。ライバルでしょ？　なんか聞き出してあげようか」

私は肩ごしに壁ぎわの二人組を見た。知らない顔だ。

「聞き出すって、何を？」

「スクープよ。マンホールの事件のこと」

一瞬本気になった。「子供が見つかったとでも言ってた？」

「ううん」ウエイトレスはますます声を低め、私に顔を寄せてきた。「でも、記者の人たちって、こんなときは探り合いするんでしょ?」

「探り合うものがあればね」

日刊紙の記者は、だ。

「任せてよ」

厨房《ちゆうぼう》の方から呼ばれて、彼女はいそいで立ち去った。慎司がそれを見送っている。

「テレビドラマの観《み》すぎだな」

私が言うと、ぼんやりとした視線を向けてきた。

「彼女、カバーガールにスカウトしてくれないかって言ってきますよ」

「まさか」

「ホントです。わかるんだ」

真面目《まじめ》な顔でそう言うと、目のまわりを指でごしごしこする。「僕、たががはずれちゃったみたいだ」

独り言のように聞こえたので、私は黙っていた。すると、慎司は目の縁を赤くして、早口に、書かれたものを読み上げるような調子で言った。

「ヒバちゃんていうのは、あのホテルのフロントにいた人のあだ名ですよ。顔がヒバゴンに似てるからって。あのウエイトレスさんは、ときどきあの人とデートしてて、お金のないときはあのホテルの102号室を使ったりしてる」

私は笑った。「昨夜《ゆうべ》、よっぴてフロント係としゃべってたのか？」

慎司は首を振る。「あの人には、地図を見せてもらっただけです。でも、わかるんだ」

今度は私の方が方向感覚を失《な》くしたような気がしてきた。

慎司は目をあげて、私が口を開く前に、おっかぶせるように言った。「ちょっと待っててください。今考えをまとめるから。僕、今までこんなふうになったことないんで、どうしたらいいか――」

膝《ひざ》の上で両手をおろおろと動かしている。私はテーブルの上に手を置いて、彼の顔をのぞきこんだ。

「わかったよ。なんだかわからないけど、わかった。だから落ちつきなさい」

震えるように小刻みに頷《うなず》いて、慎司はつぶやいた。

「僕、オープンになっちゃったらしい。こんなこと初めてだ」

私もこんなに困惑したのは初めてだった。昨夜ははきはきした少年に見えたのに、精神的なトラブルでも抱えているのだろうか。

ウエイトレスが皿を運んできた。友達に内緒話を打ち明けにゆく女の子のように、くちびるがほころんでいる。皿を置きながら、さっきと同じように接近してきて、ほとんど囁《ささや》くような声で言った。「あっちは東京日報だって」

息のなかに、甘いガムの香りが混じっている。私も調子をあわせて囁いた。「連中、どんなことをつかんでた？」

「マンホールに落ちた子は、ペットの猫を探してたんだって」

「そう。ほかには？」

「お父さんは市役所の住民課に勤めてるらしいわよ」

「へえ」

「気の毒に、お母さんは半狂乱になっちゃってて、病院につれていかれたみたい」

全部承知していることばかりだったが、私は感心してみせた。「凄腕《すごうで》だな」

ウエイトレスは、ブラウスの襟元《えりもと》から胸がのぞけそうなほど近くへ寄ってきた。

「役に立つ？」

「ああ。親切だね。でも、向こうの方が大手だぜ」

彼女はにんまりして私のワイシャツの衿《えり》をはじいた。「あたしはいつだっていい男の味方よ」

「それはそれは」私は笑った。「でも、うちはグラビアに素人《しろうと》の娘は使わない」

ウエイトレスはゆっくり起き上がった。「なぁんだ」

「悪いね」

「なんでわかったの？　人が悪いったらありゃしない」

くるりと回れ右する彼女のエプロンのポケットに、指をひっかけて引き止めた。思いついたことがあった。

「悪いついでにもうひとつ。彼ら、子供の探してた猫の名前を知ってるかな？」

彼女はくるりと目を動かした。「さあね」

「訊《き》いてみてくれる？」

彼女の頭のなかの計算器が動いた。「チップ？」

私が頷くと、彼女はぶらぶらとした足取りでテーブルから離れた。これだから、「いい男」などと言われて喜んではいられない。

ウエイトレスの様子を見ていると、大きな銀色の水差しを手に、東京日報の二人の記者のテーブルに近付いてゆく。お冷やを足しながら、二、三こと言葉を交わし、記者の一人を笑わせてから、そこが定位置であるらしいカウンターの脇に戻ると、水差しを置いた。

今度は近づいてこなかった。その場で声を出さず口だけ動かして、「し、ろ」と言った。

私は軽く片手をあげた。

「猫の名前はシロだ」

慎司は両腕で身体《からだ》を抱えるような格好をして、目だけ動かして私を見た。

「君は、モニカって名前だと言ってたよな」

「あの子がそう呼んでたからです」

だが昨夜は、警官がそう言っていたのを聞いた、と話していた。私は身を乗り出した。

「なあ――」

慎司は出し抜けに立ち上がりかけた。動作はのろのろしていた。

「気持ち悪くなっちゃった」

また蒼白《そうはく》になっていた。コンパで飲みすぎた大学生のようだった。両手で胃を抱え、椅子をがたがたいわせながら通路へ出ると、店の外へ出ていこうとする。さっきのウエイトレスが驚いた様子で走ってきて、彼の背中に手を置いた。私も立ち上がっていた。

「気分悪いの？」

慎司の顔をのぞきこんでから、ウエイトレスは、あんたのせいだという目で私をにらんだ。私はただ驚いていて、木偶《でく》の坊《ぼう》よろしく彼女を見返すしかなかった。

「トイレ、どこですか？」

慎司は苦しそうで、額に冷汗が浮いている。

「あっちよ」

ウエイトレスがカウンターの左手のドアを示すと、慎司はよろよろ歩きだした。手を貸そうとして近寄ると、「触らないでください」と言われた。

「大丈夫です。すぐ治ると思うから、待っててください」

その声には、こちらが思わずひるんでしまうほどの強い意志がこもっていた。私もウエイトレスも手をひっこめた。慎司はドアの向こうに消えた。

それなりに痛い目にあいながら生きてきたつもりだが、誰かから「触らないでくれ」という言葉で拒絶されたのは、初めての経験だった。思いがけないほどショックを受けることだった。ウエイトレスも同じ気持ちのようで、啞然《あぜん》としている。

「触らないでなんて、初めて言われたわ」

「そうよ。『触らないでよ、このエロじじい』って怒鳴ってやったことはあるけど」

「そりゃ、痴漢だろう?」

「ううん。キャバクラで」

「それじゃ商売になるまい」

「だからウエイトレスなんかやってんのよ」

彼女はぷりぷりしながら行ってしまい、私は間の抜けた思いで椅子に戻った。東京日報の記者たちもこちらを振り向いていたが、やがて興味なさそうに背を向け、一人が伝票をつかんで立ち上がった。

モーニングのトーストもスクランブルエッグも冷めかけており、サラダは水っぽくなり始めていた。手をつける気にはなれなかった。いささか不安にもとらわれていた。切実に煙草《たばこ》が欲しかったが、どうにかこらえて、代わりにコーヒーを飲んだ。

慎司は戻ってこない。

もうひと組みの男女も席を立ち、店を出て行く。十四インチの映りの悪いテレビでは、ニュースが始まった。そのとき、私は自分がとんでもない馬鹿《ばか》だったことに気がついて、あのウエイトレスを驚かすほどの勢いでカップを置いた。

「お客さん?」

今度はあんたがヘンになっちゃったの? という顔をして、二、三歩こっちに近寄ってくる。私は口がきけなかった。

彼か?

彼が、、、やったのか?

閉じたままのトイレのドアに目をやった。ウエイトレスが両手で肘《ひじ》を抱いてこちらをうかがっている。

「なんでもないよ」私はゆっくり言った。「どうもね」

彼女は首をかしげ、厨房に入ってしまった。もう絶対に関《かか》わるもんかと決めたらしい。

それでいい。知られない方がいいと思った。

慎司が、あの子がマンホールの蓋《ふた》を開けておいたのだ。どんな意図があってのことなのか、ちょっとしたイタズラだったのか、それはわからない。だが彼は蓋を開け、あの場を離れ、雨のなかをさまよっているうちに、黄色い傘《かさ》をさして、「モニカ」という名を呼びながら歩いていた小さな子供を見かけた。子供は人が猫《ねこ》を呼ぶときにそうするように、舌を鳴らした
り鳴き真似《まね》をしていたかもしれない。だがそのときはなんとも思わなかった。そのときは。

慎司は道に迷ってうろうろしていたに違いない。私の車に乗り、たまたまさっきマンホールの蓋を開けてきた場所へさしかかった。私が車を停《と》める羽目になり、黄色い傘を見つけ、それで初めて、慎司も、自分がしたことが何を引き起こしたのかを知ったのだ。

私は思い出していた。黄色い傘を渡したとき、彼が心臓発作でも起こしたかのような様子だったことを。

「犯人はつかまるかな」と、暗い顔で訊いたことを。一晩中寝ていないらしいことも。そして、自転車を取りにいくと行って出かけ、真っ青になって戻り、それから様子がおかしくなったのだ。

あのとき、たぶん、あの子は現場へ戻っていたのだ。戻らずにはいられなかったのだろう。そして今も、罪悪感に堪えかねてとり乱しているのだ。

そのとき、トイレのドアが開いて慎司が出てきた。粘土さながらの顔色だったが、身体はまっすぐ伸ばしていたし、よろめいてもいなかった。

私は近づいてくる彼を目で追いかけ、彼が椅子に戻っても、まだ見つめていた。慎司が顔を上げたので、まともに視線があった。

ちょっとのあいだ、彼は私の目の裏をのぞきこむような顔をしていた。文字どおり、「のぞかれた」という気がした。試験でカンニングをしようとしていて、ふと顔をあげると監督官がじっとこちらを見ていた――というときのようだった。わかっているぞ、おまえの頭のなかの考えは全部筒抜けだ。やめておきな。

やめておきな。

だが、私は言った。「君がやったんだな？」

慎司は黙っていた。だが、目のあたりに漂っていた緊張感がふっと抜けたようには見えた。私はビンゴをあてたのだと思った。

「そうじゃないかって、今気がついたんだ。俺《おれ》も抜けてるよ。そうなんだな？」

柄《がら》にもなく慈父を気取って優しい声を出していた。だが、慎司は首を横に振った。

「違う」

「違うって……」

驚いたことに、彼はやんわりと笑った。肩から力を抜き、大きく息を吐いて。

「違うんです。ちぇ、こういうふうになっちゃうんだな。可笑《おか》しいな」

「何が可笑しい？」

もう一度かぶりを振ると、慎司はしゃんと首を立てた。

「出ましょう。静かな場所で、ちゃんとお話ししたいことがあるんです」

私はガラガラの店内を見回した。「ここじゃ駄目《だめ》なのか？」

「僕、今、オープンになっちゃってるから、いろんなものが入ってきちゃってしんどいんです。ほかに人のいないところへ行きたい」

理由のわからないまま、我々は外へ出た。私も動転の一歩手前くらいの気分になっていたので、ウエイトレスに約束したチップを忘れた。彼女は窓際《まどぎわ》に立って、胸のあたりで腕を組んだまま、ふくれっ面《つら》でこちらを見送っていた。あかんべいをされないだけ、まだましだったのかもしれないが。

4

「手を貸してください」と、慎司は言った。

我々はレストランから離れ、しばらく歩いて、道路沿いの広々とした造成地に出ていた。辺りには人の気配がなく、ブルドーザーが二台、中途半端《はんぱ》にシャベルをもたげて止まっていた。空気には雨と泥《どろ》の匂《にお》いが混じっていた。

慎司は無言で私の先に立って歩き、「ここならいいな」と言って、ビニールシートをかけられた建築用材のなだらかな山の端に腰をおろした。そして、手を貸してくれと言ったのだった。

「もちろん、貸すさ。俺にしてあげられることがあるなら」私は答え、ズボンのポケットに両手をつっこんで、彼を見おろした。

彼は苦笑した。「そうじゃないんだ。うん、手伝ってもらいたいんだけど、今はそうじゃなくて、本当に言葉どおり手を貸してほしいんです。手を出して、と言えばいいのかな」

私にはまだ意味がつかめなかった。すると慎司は、少し困ったように間を置いてから、

「こう言えばいいんだ。高坂さんの手を握らせて」

さすがに、私は少しひるんだ。慎司は笑みを浮かべているが、冗談を言っているようには見えなかった。目は真剣だった。

「俺の手を?」

「そうです」

私はポケットから右手を出し、手のひらを広げ、ちょっと見つめてから、彼の方に差し伸べた。「女の子を口説《くど》くときは、もうちょっとましな台詞《せりふ》を考えた方がいいぞ」

慎司はゆっくりと私の手を握った。握手するような形で。彼の手の方が小さく、女の子の手のように暖かく、すべすべしていた。

そのまま、彼は私から視線をそらし、造成地全体を見回すかのように遠い目をして、くちびるを結んだ。肩が一度大きく上下し、息がもれ、そして私は、彼がそこから——

そこからいなくなったように感じた。

すぐ目の前に座っているのに、彼の発している人の気配、体温、息遣いがすべて消えたように感じた。あとになってこの時のことを思い出し、うまい表現を見つけようとしてみても、それしか浮かばなかった。慎司はそこからするりと抜け出して、私の立っているこの場所とは座標のずれたところへ消えてしまったかのようだった。

同時に、私自身は——小さくなったような感じがした。足元にあるはずの地面の感触も、顔を撫《な》でてゆく台風の名残《なごり》の風も、ひどく鈍く、離れたところにあるもののように感じられ、しかもまだぐんぐん遠ざかってゆく。まるで、表皮のすぐ下の神経の末端だけを残して、自分の実体が自分の内側にすうっと吸いこまれてゆくかのように。

遠く、かすかに、車の行き交う音が聞こえてくる。どこかで水が流れている。

(道路が近いんだ。まいったな誰か通りかかったら)

カン高い子供の笑い声が響き、すぐ消えて、誰かが車のドアをポンと閉める音がする。

(どんなふうに見えることやらどんなふうに)

慎司が口を開き、私の知らない歌をうたって聴かせようとしているかのように、軽く抑揚をつけて、言い始めた。

「子供の時に――」

「子供――十歳――十一歳かな……学校で決められた肩掛け式の白いカバンを下げてる……でも中学生じゃない……そのころ、交通事故に遭ったでしょう……」

ぎくりとして、私は目を見開いた。足元がしっかりして、慎司の声と一緒に、周囲の雑音も現実の距離に戻ってきた。

だが、彼はまださっきと同じように、半ば醒《さ》め、半ば夢見ているように視線を浮かして、私の手を握っていた。少し長めの前髪が風に乱されて額にかかり、急に子供っぽい顔に見えて――

「トラック――ダークグリーンのトラックだ。二トン積みの。材木を積んでる。四つに割られた材木で、まだ木の皮がはがしてなくて、切り口から脂《やに》が垂れて固まってる。細い道で――三叉路《さんさろ》で――友達と一緒で――赤いTシャツ――巻き込まれるなんて思ってなかった。離れて立ってたから――立って眺《なが》めてたんだけど、だけど――」

私の首筋に鳥肌《とりはだ》がたった。今の慎司の様子にいちばん近いものは、覚醒剤《かくせいざい》中毒患者がラリッているとき——「ブッ飛んでいる」とき——薬の与えてくれる柔らかな銀色の幻のなかにひたりこんでいるときの、あの顔。

本能が危険を報《しら》せ、私は手を引っ込めかけた。が、信じられないほど強く握られていて、びくともしなかった。さながら接続されたかのように。

不意に慎司の声のトーンが高くなり、たしなめるような調子の、いくぶん震えたものへと変わった。

「だから言ったでしょう? 大きなトラックに近づいちゃいけないって。巻き込まれるから。後輪は前輪よりずっと大きな軌道を描いて回るんだからだから言ったでしょうあれほどあれほど——」

信じられなかったが、それは私の記憶の底にある母親の声に似ていた。私が十歳のときの母。今より二十年以上も昔の、まだ毎日きちんと薄化粧をしていたころの母。その母の声が慎司の声になり、私の頭のなかで聞こえている母の声と共鳴して——

「だけどそれほどひどい怪我《けが》じゃなかった」慎司は彼の声に戻って続けた。「入院だって一ヵ月ぐらいで済んだ。どうしてかって言ったら子供の骨は——やわらかいから。やわらかいんだよまるでチーズみたい」

そう言って、彼は軽く舌打ちをした。確かどこかで誰かがこんな癖を持っていた。もうずいぶん昔に、覚えていないほど昔に見た記憶があった。慎司はその誰かが我々二人の共通の知り合いであるかのように、その誰かの仕草を真似して私を笑わせようとしているかのように、いとも気やすい調子で舌打ちをした。

「でもいまだにトラックは苦手だし、道路で並んだりすると避けちゃうんだ。折れたのは左足の脛《すね》だけど、グリーンのトラックを見るとそれが勝手に逃げだすって——言ったことがあるでしょ誰かに——誰かに——その人は——サエコ——」

そこで慎司は唐突に私の手を離した。ほとんど振り払うような激しい動作で、はずみでビニールシートの上からずり落ちそうになった。

ただその場にじっと立っていただけなのに、我々は二人とも息を切らしていた。用意どんでどこかへ走り、どちらが早くここへ戻ってこられるか競走していたかのように。日頃《ひごろ》はどこにあるか意識することさえない心臓がにわかに自己主張を始め、胸の内側を乱打していた。

「いったい——」

私は左手の甲を押しあて、顎《あご》の震えを押さえて言った。「いったい、今のは何の手品だ?」

慎司はようやく座りなおし、何度か唾《つば》を飲みこみ、辛《つら》そうに空咳《からせき》をした。

「僕もびっくりした」私の手を握っていた右手を見つめ、「火傷《やけど》したみたいだった。こんなこと、初めてですよ。今日は初めてがいっぱいだ」

「初めて——」

「過負荷になったのかな……。僕が踏み込みすぎたのかもしれないけど……」

私は一歩踏みだした。相手がこれほど華奢《きゃしゃ》な少年でなければ、襟首《えりくび》をつかんでしめあげているところだった。

「いったい何を言ってるんだよ？」

慎司は落ち着きを取り戻し、邪気のない目で私を見上げた。

「今僕の言ったこと、当たってたでしょう？」

「何を――」

「教えてください。当たってたでしょう？」

妥協を許さない質問だった。妥協のしようがなかった。当たっていたから。

私は頷《うなず》いた。「たしかに、俺は子供の頃にトラックに轢《ひ》かれたことがある。バックしてくる後輪に巻き込まれたんだ。学校の帰りに、家の近くの三叉路で。自分ではよく覚えてないけど、材木を積んだトラックだったって、あとで聞いたよ」

「そのときは、荷台の材木をちゃんと見てたはずですよ。残ってたもの」

「残ってた？」

「高坂さんの記憶のなかに」

私は一瞬言葉を失《な》くし、なんということもなく両手を広げた。「俺の？」

「そう」

「俺の記憶に？」

「僕が読んだんです。ちょうど――フロッピーから情報を読み出すみたいにね」

私は声をあげて短く笑った。まるで笑い声に聞こえなかった。

「まさか」

「できるんです、僕には」

　慎司は立ち上がった。私は無意識に一歩あとずさった。すると、彼は両手を背中に隠した。

「もうやりません。だから大丈夫ですよ。僕だって、こんなにまともにやってみたことはあんまりないんだ」

「やってみるって、何を？」

「今みたいなことを。僕はそれを『スキャン』って呼んでる。CTスキャンの、あのスキャンですけど」

　小さくため息をついて──

「めったにやらない。すごく辛いし、嫌《いや》らしいことだから。でも今はしょうがなかったんです。こうでもしなきゃ、信じてもらえないだろうから」

「何を信じてもらいたいんだ？」

　ふらふらっと二、三歩私から離れて、慎司は意を決したように振り向いた。

「高坂さん、超常能力者《サイキック》って言葉を聞いたことがありますか？」

　私は棒立ちになっているだけだった。

「言葉は知らなくてもいいんだ。僕を知ってもらえればいいんだもんね。だって──」

　慎司はわずかに哀れむような目をした。

「僕がそうなんだから」

あとあとになって、慎司と二人きりで話す機会に恵まれたとき、彼の目に、この時の私がどれほど馬鹿みたいに見えたかを尋ねてみた。すると彼は笑って答えた。

「そうだな……たとえるとね、お医者さんに『あなたは妊娠してます』って宣告されたみたいな顔をしてましたよ」

その表現は当たっているかもしれない。だが、ただ妊娠を告げられただけでなく、ちゃんと悪阻《つわり》まで感じているような顔だったと言った方が、より正確だろう。笑ってごまかして「冗談だろう?」と言いながらも、身体《からだ》では――本能に忠実なごまかしの効かない部分では、無視しようのないものをつかんでいたのだった。

だがあの時、その場では、その感情は無意識の下に隠れていた。意識の上では、私が驚いたのは、いきなり「小枝子《さえこ》」という名前が出てきたことに対してだった。忘れようとしており、忘れたつもりになっており、時間的にも距離的にも遠く離れてしまっている彼女の名前が、まったく彼女を知るはずのない、通りすがりの少年の口から出てきたことにだった。

彼が自分をサイキックだと言ったことを、まともに信じたから驚いたのではない。あるはずのないところからあるはずのないものが出てきたから、単純に驚いたのだ。そして当然の成り行きで、私はその裏を読もうとし始めていた。

驚愕《きようがく》から立ち直って最初に耳に入ったのは、「座ります?」という慎司の声だった。

「そうした方がよさそうな顔してる」

「いや、いいよ」私は首を振った。なにがなし意地になっていたのかもしれない。「大丈夫だから」

「そう。じゃ、僕が座ります」慎司はそうして、またビニールシートの上に腰をおろした。

「膝《ひざ》がくがくするんだ」

そうしてしばらく私を見上げていた。我々のどちらも、どう話を始めたらいいのか途方にくれていたのだろうと思う。私は大人の——常識人の分別を取り戻そうとしてもがいており、慎司は黙ってそれを見ていた。

やがて、彼は泣きだしそうな表情になった。

「ごめんなさい」両手で目を押さえた。「本当にごめんなさい。凄《すご》く痛いところを突いちゃったんだね？」

「何が……？」

「サエコって人の名前でしょ？　高坂さんをそんなに動揺させたのは」

ややあって、私は深いため息をついた。「それは、べつにサイキックでなくてもわかることだろうな。これだけ顔に出てちゃ」

笑ってみせた。なんとか冷静に、面目にかけて冷静にならなければならない。そう思った。相手はたかが子供じゃないか。

「古い知り合いの名前だよ」と、私は言った。「もう昔の話だ。いきなり出てきたからびっくりしたけど」

「知り合い……」

るのだった。

慎司は意味ありげに繰り返したが、あとを続けようとはしなかった。明らかに遠慮していた。

こちらも手の内を見せなければ、インチキを暴《あば》くことはできない。その時の私はそう考えた。だから強がりを捨て、正直になろうと思った。そうすることでもっと強がっていたのかもしれないが。

「別れた恋人の名前だ。婚約してた。でも、事情があって破談になってね。今は別の男と結婚してるはずだ。子供もいるんじゃないかな。当然だけど、居所は知らない」

「わかりました」慎司は頭を抱えるようにして頷いた。「もう二度と訊《き》いたりしません。約束します。絶対、絶対」

あまりにも厳粛なその誓いには、かえって私をひるませるものがあった。俺《おれ》はそれほど彼女に未練を残しているんだろうか？　まだ忘れられないでいるのだろうか？　不用意に彼女の名前を口に出した少年を、これほど深く後悔させるほどに？

ひどく情けなく、惨《みじ》めな気がした。だから言葉が荒くなった。

「なぜ彼女の名前を知ってた？　遠縁の親戚《しんせき》だって白状するなら、早い方がいいぞ」

慎司は顔を上げ、充血した目で私を見た。「そんな馬鹿《ばか》なことがあるはずないでしょう？」

「どうかな。もし君が彼女を知ってるんなら、俺の子供のころの思い出を言いあてることぐらい簡単だろ？　彼女にはいろいろ話したからね」

記憶のひとつが不愉快な勢いで浮上してきて、脳裏を横切った。あやうく口に出してしま

いそうになるほどくっきりと。（そうだよ初めて彼女と寝たときに左足の脛の傷跡はなんだと訊かれたから教えたんだ）

「話せよ」と、私は低く言った。腹立ち始めていた。

「言えよ。どういうペテンだ？　なんの目的で俺に近づいてきた？」

つかのま、慎司の顔から表情が消えた。

「ペ、ペテン？」

「そうさ」

「どうして僕があなたをペテンにかけるんです？」

「だからその理由を聞かせろって言ってるじゃないか」

私ははっきりと怒気を表わし、意地悪にさえなっていた。だが彼は挑発《ちょうはつ》に乗らず、座ったまま平べったい声で言った。

「ペテンなんかじゃない。僕が好きこのんでこんなことをやってるんだと思ってるんなら、あんたこそ石頭の大馬鹿だ」

「なんだと？」

驚かされたことの反動で、頭に血が昇った。踏み込んで慎司の胸ぐらをつかみかけたが、ぎりぎりのところで自制できたのは、彼の口の端に薄い冷笑が浮かぶのを見たからだった。

「僕に触らない方がいいよ」尻込《しりご》みしながらも、慎司はゆるゆると首を振った。「またスキャンされたくないなら」

この時の彼の顔を、今でもよく覚えている。抑えても抑えても、意図しなくてもにじみ出る優越感。上から見おろしているような、勝ち誇った表情。それこそが、彼らと我々のあいだを隔てているぶ厚い壁なのだと、今ならわかる。

「そんなもの信じられないね」吐き捨てて、私は慎司に背を向けた。

「じゃ、話を聞いてください。それから信じる信じないを決めればいい。あなたはジャーナリストなんだ。欠席裁判はするべきじゃない」

「生意気な……」

「そうですよ。僕は生意気だ。だけどペテン師なんかじゃない！」

初めて慎司は声を張り上げた。私は奥歯を噛《か》みしめながら振り向いた。

慎司はまた弱々しくなり、十六歳よりもっと年少の子供に戻ってしまったかのように、小さく見えた。

「聞いてください」

「僕自身、どうしてこんな力を持って生まれてきたのかわからない。はっきりと、自分には人の心を読むことができるんだって意識したのは、小学校の五年生くらいのときでした。先生が次に誰をあてるのか、いっつも知ることができたからね」

私は鼻で笑った。「それぐらい、子供ならみんなできるよ。緊張してるからな。第六感ってやつだ。誰だって持ってる」

「第六感で、先生が夏休みに休暇をとってどこに旅行するかもわかりますか？　誰と行くのかも？ 生徒の父親の一人とこっそりデートしたことがあって、それをすごくうしろめたく思ってることもわかりますか？ 僕たちに掛け算を教えながら、頭のなかでは、給料がもうちょっと高ければ先週見てきた建売住宅を買うことができるのに残念だって、せめてあと三百万頭金を上乗せできればいいのにって思ってるって、わかるんですか？」

沈黙が落ちた。どこか遠くで、クラクションがせっかちに二度鳴った。

「そうなんだ」慎司は頷いた。「僕にはわかった。全部わかった。見えたんです。それに、そんなふうにいろいろわかることが、普通じゃないってこともわかってた。だから凄く怖かった。子供の頃の僕はね、よく教室でおしっこをもらしたり、授業中にトイレに行きたくなって、友達に笑われたんです。それもみんな、怖かったからなんだ。人の考えていることが、言葉で告げられてるみたいにはっきりわかることがね」

ほかにどうすることもなく、私は先を促した。「それで？」

「それで――」慎司はくちびるをなめ、気持ちを集中させるように、目を閉じた。「ある時、もう怖くてどうしようもなくて、父さんに打ち明けた。きっと怒られるだろうって思ってた。だってこれは普通じゃないことだし、子供にとっては普通じゃないことはみんな悪いことなんだから。だけど父さんは怒らなかった。黙って僕の話を聞いて、翌日僕に学校を休ませて、今まで会ったことのない親戚の家に連れて行ってくれたんです」

それは慎司の父の叔母の家だったという。彼女は当時七十二歳で、身寄りもなく一人暮らしをしていた。

「あの時のことは忘れられない。父さんはその叔母さんに、挨拶《あいさつ》も抜きで、いきなりこう言ったんです。『明子叔母さん、どうやらうちの慎司は叔母さんと同じらしい』ってね」

慎司は目を上げた。「叔母さんは僕を家にあげてくれて、しばらくのあいだ僕の顔を見てた。それでわかったんだ。この力は僕だけのものじゃない、ほかにも持ってる人がいる――。どうしてかっていうとね、叔母さんは一言も口をきいてないのに、僕と話ができたからなんだ。『可哀相《かわいそう》に。いつから始まったんだい？』。そう言ってた。可哀相にって。僕がどれだけホッとしたか、言葉じゃ言い表わせない。叔母さんがいてくれなかったら、僕は今日まで生き延びられなかったよ」

「――生き延びる？」

「そうです」大きく頷く。「僕、思うんだけど、この力を持って生まれてくる子供は、世間の人が考えてるよりも、ずっと多くいるんだ。もちろん絶対数はものすごく少ないけど、それでも、男の子と女の子の双子が生まれてくる確率よりはちょっと下ぐらいの率で存在してるんだと思う。ただ、育つことができないんだ。力に押し潰《つぶ》されちゃうから」

「聞いたこともない学説だな」

私は笑ったが、慎司はかまわなかった。真剣そのものだった。

「いえ、力を持って生まれてくる――というのは正確な表現じゃないな。力は誰でも持ってる。潜在的にはね。ただ、たいていの人には、それを表に出す能力が欠けてるんだ。表に出す能力も一緒に持って生まれてくる子供が少ない、と訂正しますよ。そして、両方を併せ持っているのがサイキックなんだ。

「そしてね、僕の場合もそうだったように、サイキックの能力が加速してくるのは、十一、二歳ごろからしい。第二次性徴期っていうのかな。ほかの能力と同じですよ。芸術的な才能とか、運動能力とかね。それぐらいの歳《とし》になると、子供本人もわかってくる。ああ、僕は人よりも上手にスケッチができるな。駆けっこでは誰にも負けたことがないな。みんなが何度も練習しなくちゃできないことを、一度でうまくやってのけることができるなって。それが才能でしょう? 大人はよくそういうじゃないですか。『この子には絵心がある。親戚の誰誰と同じだ。きっと才能があるんだ、やっぱり遺伝だねえ』なんて」

「おい、ちょっと待てよ――」

「それと同じなんだ」慎司は私を遮《さえぎ》って続けた。「サイキックの能力も、ほかの才能と同じなんです。持ってる人もいれば持ってない人もいる。持ってる人でも、稽古《けいこ》しなければその才能は眠ってしまう。稽古すればうまくなる。たいていはね。

「そして、あるサイキックが持っている能力が小さいものなら、本人が気味悪がったり、周囲の環境が悪かったりして、その力を眠らせてしまったとしても、ちっとも困らない。世界的な画家になれるほど大きな絵の才能を持って生まれてきた人でも、本人がその気にならなければ、一生に一枚も絵を描《か》かないで、平和に幸せに暮らせるでしょう? だけど、あるサイキックが持って生まれた能力が、そんなふうに静かに眠っていてくれないほど大きなものであった場合だけは、そうじゃない。そんなふうに簡単にはいかないんです。本人が必死で努力してそれをコントロールできるように稽古しなくっちゃ、命取りになっちゃうんだ！」

私は呆《あき》れていた。とにかく最後までしゃべらせるしか手がないだろうとも考えた。だから黙って慎司の顔を見つめていたのだが、少年はひどく苛立《いらだ》って、口の端がひくひくしていた。

「僕は明子叔母さんのおかげで生き延びてきたけど、決して楽な道じゃなかった。叔母さんは僕に力をコントロールすることを教えてくれたけど、それだって書き取りを教わるのとはわけが違うんだから、最後には僕自身しか頼りにならないんです」

「コントロールって、具体的にはどうするんだい？」話の方向をしぼるつもりで、質問した。

「背中にスイッチでもつけるか？」

「自分が信じられないことにぶつかると、すぐそうやって冗談でごまかすんだ」

私は肩をすくめた。「悪かった」

「明子叔母さんは、僕をKDDの本社に連れていってくれたことがあったんです。パラボラアンテナを見せにね。『慎ちゃん、あんたは頭のなかにこれを持ってるんだよ』って」

指先でこめかみを軽く叩《たた》いて、

「つまり、僕は受信機なんだ。でっかい受信機。だから、そう、コントロールすることを覚えるってことは、スイッチをつくることですよ。必要に応じて切ったり入れたりすることのできるやつ。気持ちを集中することで、それをやるんです。わかってもらえますか？」

私は足元の泥《どろ》を見つめ、しばらく考えてから、ゆっくりと言った。

「一度、うちで盗聴の特集を組んだとき……」

「ええ」

「自動車電話やコードレスホンは、盗聴のいい標的だって記事を書いたことがある。それを趣味にしてるマニアから取材してね。彼も、電波という電波はみんな拾えると豪語してたし、現実に、まるですぐ隣で会話しているみたいにはっきりと聞き取ることができるんだな」

すべて今なら常識のことだが、そのころはまだコードレスホンが出始めたばかりだったし、私自身、電波関係にはまるで暗い方だから、かなり驚かされたものだった。

「たとえるなら、それみたいなものかな？　周波数さえ見つければ、なんでも聞き取ることができる」

「周波数が合わなくても」慎司は訂正した。「僕が自分のスイッチを入れれば。ただ、発信元の力の強弱で、はっきり聞こえたり霞《かす》んでしまったりすることはあるけど」

「さっき俺にやって見せてくれたみたいに、相手に触らないと読み取れないんじゃないのか？」

慎司は首を振った。「そうでもないんです。どこかに触れた方が確実ではあるけど、そばに立ってるだけでも読み取れることがあります。電車のなかで前に座ってる中年の男の人が、英字新聞を読みながら、頭ではすごく嫌らしいことを考えてるってわかったりね」

「愉快だな」

「たまにはね。たまには」ちょっと笑って、「さっきのウエイトレスさんもそうでした。あの時は僕、オープンになりかけてたから、彼女の考えていることも、すぐわかったんです」

（あたしをグラビアに使ってくれない？）

「その『オープン』てのは？　どういうことだい？」

「あれはね」慎司はまだ少しおののいているかのように、くちびるを震わせた。「すごく恐ろしいことです。舵《かじ》をとれなくなっちゃうことだから。スイッチがきかなくなって、なんていうのかな、『来るものは拒まず』になっちゃうんです。なんでもかんでも全部聞こえてくる。まるで津波ですよ」

「どういうときにそうなる？」

「僕は今日が初めてだったけど……動転したり、身体《からだ》が弱ってたり……」首をかしげて、「よくわからないな。とにかく、能力が暴走しちゃうんです。制御がきかなくなる」

私は、さっきのレストランでの状況を思い浮べた。

「それは、肉体的にも辛《つら》い？」

「ええ。そりゃもう。いちばん負担がかかるのは心臓かな」

「じゃ、『オープン』でなくても、あんまりしばしばスイッチを入れてると――」

慎司はちょっと笑った。「自殺したくなったら、そうするでしょうね」

その口調には、芝居じみたものが感じられないでもなかった。どうしても、巧妙に仕組まれたペテンにかけられているような気がしてならない――いや、なぜ俺をこんなペテンにかけるんだろう？　というふうにしか考えられなかった。

だが、非常によくできている。非常に。

「ひとつ訊くけど、君はさっき、フロッピーから情報を読み出すように人の記憶を読む、と言ったろ?」

「言いました」慎司は座り直した。

「『人の記憶』なのか? 感情とか思念じゃなくて」

「そうです」

「じゃ、いわゆるテレパシーとは違うのかい? 人の心を読む能力ってのを、テレパシーと呼ぶんだとばっかり思ってたんだけどね」

唐突に、慎司は訊いた。「高坂さん、今何を考えてます?」

「え?」

「今、何を考えていますか?」

私は鼻白んだ。「何って——君に質問したのと同じことを考えてたんだろうな。そうでなきゃ口に出せない」

「そうじゃない」慎司はかぶりを振った。「そうじゃないんです。脳はそんなにキャパシティの狭いものじゃないからね。たしかに、僕に質問したことも考えてたけど、それと同時に、数えきれないほどいろんなことを考えてた。ちょっと寒気がするのは風邪をひいたからかなとか、やっと青空が見えてきたとか、望月大輔は見つかっただろうかとか、稲村慎司なんか拾ってやらなければよかったとか。ただ意識してなかっただけで、すべて同時に考えてるんです。しかもそのあいだじゅう、過去の記憶をひっくり返しほっくり返している。過去の経験ていう、比べる対象がなかったら、そもそも『考える』なんてできませんからね。そういう意味では、脳には『今』なんていう時間はないんです」

「──そんなこと、どこで習った？」

「習ってませんよ。誰も正統な学問にはしてくれてないことだもの。いくつか本は読みましたけどね。でも大半は、僕が自分で経験したからそうだと思ってるんです。心を読むっていうことは、すなわち記憶を読むってことです。僕が高坂さんをスキャンすると、四度目の禁煙をして二ヵ月目だってことも、子供のころの事故のことも、昨夜《ゆうべ》誰か家の人とこっぴどく喧嘩《けんか》してすごく腹をたてたことも、ごっちゃになって見えてくる。さっきの僕は、そのなかで、いちばん捕まえやすかったものを捕まえただけなんだ。だから、十歳のときの事故の話と、大人になってからその傷跡を恋人に見せたときの話とが、くっついて出てきたでしょう？　高坂さんのなかでは、そのふたつは同じ仕切り棚《だな》の上に並んで載せてあるようなものなんです。時間的には、二十年以上も離れて起きた出来事なのにね」

私は黙って頷《うなず》いた。道端で大脳生理学の講義を聞かされるとは。しかも、自分の半分の年齢の「ガキ」に。

「だから、僕のできることは、テレパシーとはちょっと違う。いえ、テレパシーもあるんだろうとは思いますよ。同じ力を持っている人間となら、通信できるでしょうね」

そう言って、ちょっと黙った。誰かの顔を思い出しているかのようで、私から注意がそれていた。

「ほかにも、君みたいな人間を知ってるのか?」

「いいえ」あわてて首を振る。

「いませんよ」

妙にせわしい否定の仕方に、私はちょっと引っかかった。慎司は続けた。

「だから僕は、ただ『スキャン』と呼んでる。真面目《まじめ》にこの分野の研究をしている学者さんたちのなかには、『サイコメトリー』と名付けている人もいますけどね」

軽く肩をゆすって、「また別の意味で、『透視』と呼ぶ人もいます。それも当たってるのかな。あのね、僕がスキャンできるのは、人間だけじゃないんです。物も——物質もね」

「物に記憶がある?」

「ありますとも。ちゃんと残ってる。持ち主の感情や記憶がね。全部、場面になってよみがえってくるんです。記憶って、映像ですよ。混沌《こんとん》としてはいるけど、すごく鮮明だ」

記憶は映像だ。それは——それだけは、理解できる気がした。

「物に触れると——そうだな、ちょうど、ほんの今さっきまで人が座っていた椅子《いす》に体温が残ってるのを感じるみたいに、見えるんです。ただ、選ぶのは難しいけど」

「選ぶって、何を?」

「その椅子を作った人の残している記憶、運んだ人の記憶、たった今まで座っていた人の記憶。いろいろあるでしょう? そのどれにするか、僕が選ぶことはすごく難しい。いちばん強いものが、勝手に出てきちゃうから」

慎司は口をつぐみ、(ほかに何かありますか?)という顔で私を見上げている。できの悪い生徒が先生に諭されているようなものだった。

「なるほどね」

私は腕組みをして彼を見おろした。

「それで? 弁護側の冒頭陳述は終わりか? それとも君が検察側かな。どっちでもいいよ。いったい俺《おれ》に何をさせたい? なんでこんな手品を見せてくれて、演説まで聞かせてくれたんだ」

「信じてくれないんですか?」

「悪いけど、無理だね。俺はテレビ屋じゃないし」

慎司の表情が引き締まった。ぐいと顎《あご》をあげ、こう言った。

「赤のポルシェ」

「え?」

「赤のポルシェ911。川崎ナンバーです。プレートは全部見えなかったけど、運転者は脇《わき》にブルーのラインの入ったスニーカーを履いてる。若い男です。二人組。一人はフードつきの赤いパーカを着てて、二人ともとっても急いでた」

私はまじまじと彼を見つめた。彼は視線をそらさず、まばたきさえせずに頷いた。

「そうです。悪戯《いたずら》にマンホールの蓋《ふた》を開けておいた奴《やつ》らです。あの子を殺した連中です。あなたなら、彼らを探しだすノウハウを知ってるはずだ。記者なんだから。だから、手を貸してほしいんです」

5

子供の頃《ころ》、「吸血鬼」という小説を読んだことがある。

クリストファー・リーを世界的に有名にし、同時に映画俳優としては二流に留《とど》めてしまったあの「ドラキュラ」ではない。シャーロック・ホームズものの一編だった。詳しいストーリーは忘れてしまったが、ある若い母親が、夜な夜な自分の赤ん坊の生き血を吸っている――というのが発端で、最後にはきちんと合理的解決がついていた。ワトソン君、ブラム・ストーカーに騙《だま》されてはいけないよ、というわけだ。

だが私は、子供心に、やっぱりこの女の人は吸血鬼だったんじゃないかなとも考えたものだった。登場人物の誰一人として、ホームズの推理に疑いをさしはさまないことが不満でもあった。解釈次第でどうにでもなるのに。

現実と非現実、合理と非合理は、それとよく似た形で共存している。永遠に交わることのない二本のレールだ。我々はその両方に車輪を乗せて走っている。だから、岩のように現実的であるはずの政治家が巫女《みこ》の御託宣に頼り、現世を超越しているはずの宗教家が税金対策に頭を悩まし、インテリジェント・ビルの建設予定地で恭《うやうや》しく地鎮祭を執り行なう。合理のレールに傾きすぎれば冷血漢になり、非合理のレールだけで走ろうとすれば狂信者と呼ばれる。そして、どのみちどこかで脱線するだけだ。

あの時の私にとって、稲村慎司の言葉を全面的に信じることも、全否定することも、どちらも一本のレールだけで走ろうとすることだった。絶対に信じられないが、信じなければ割り切れないこともある。だから、逃げを打った。

「買い被《かぶ》ってるよ」そう言った。

「なんですって?」

「俺を買い被ってる。いや、〈アロー〉を買い被ってる。たとえ君の言うとおりだったとしても——君の言うことを信じるとしてもだ、川崎ナンバーの赤のポルシェ911を、日本中の自家用車のなかからどうやって探しだせると思ってるんだ? できっこない。無理だよ」

慎司は納得しなかった。「あの車はトヨタカローラとは違う。輸入元は限られてる。代理店に照会すれば、持ち主を調べて詰めていくことはできるんじゃないですか? 川崎ナンバーだってことだけで充分なはずです。そんな言い訳なんか通用しない」

頑固《がんこ》なガキだ。おまけに頭も悪くない。

「仮にそれができたとしても……」私はべつの退路を探した。「問題の車を見つけ、ブルーのラインのスニーカーを履いたあんちゃんを見つけたとしても、だ。それからどうしようっていうんだい? 証拠は何もないんだぞ。さっきみたいなデモンストレーションをやってみせて、『おまえがやったんだろう』と言えば、はい恐れ入りましたと白状するとでも思ってるのか?」

「それは……」慎司は言い淀《よど》んだ。「突き止めてみてから心配すればいいことじゃないですか。話してみればわかってくれるかも――」

「甘いね。世の中そんなに簡単じゃない」

「じゃ放《ほう》っておけって言うんですか？」慎司は素早く立ち上がった。「信じられないな。七歳の子が一人死んでるんですよ。頭にこないの？」

「頭にきてるさ。放っておけないとも思う。だが、それは警察の仕事だ。俺の仕事でも君の仕事でもない。いいか？　誰だって、この世で起こってること全部に責任を持つわけにはいかないんだよ。役割分担があるんだ。余計なことをすればかえって邪魔になる。その程度のこともわからないほどガキじゃないだろう？」

「逃げてるよ」

きっぱりとそう言われた。平手打ちだった。

「警察がどうやって見つけるんです？　手がかりなんか一つもないのに。通り魔より始末が悪いことなんだ。警察につかまえられっこないってことは、よくわかってるくせに」

そう。よくわかっていた。

「逃げてるよ。責任回避だ。迷惑かもしれないけど、でもね高坂さん、あなたは僕と知り合っちゃったんだし、子供が死んだことも知ってる。そして僕は、あんなちっちゃい子がひどい死に方をしなきゃならなかった原因をつくったヤツを探しだせるヒントを持ってる。なのにあなたは逃げようとしてる。恥ずかしくないんですか？」

「おおいに恥ずかしいよ。申し訳ありませんね」私は精一杯の皮肉を利《き》かせて言った。「恥ずかしいついでに君のことはうっちゃっていくことに決めた。一人で帰ってくれ。俺に頼るのもやめてくれ。君の力とやらにそんなに自信があるのなら、まっすぐ警察へ行けばいい。行ってヒントとやらを与えてやれよ。俺よりは真面目に聞いてくれる警官がいるかもしれないからな」

回れ右をして歩きだそうと——逃げだそうとしたとき、いちばん効果のある一撃を思いついた。私は十六歳のガキを相手にとことん大人げなくなっており、裾《すそ》ばらいでも小股《こまた》すくいでもなんでもいいから、勝って土俵を出ていきたかった。

「ひとつ忠告しておくがね。子供は死んじゃいないかもしれない。傘《かさ》を失《な》くして迷子になってるだけかもしれない。その可能性だってあるんだ。警察へ行くなら、君がもっともらしい説を並べているとき、あの子がどこかの交番で無事に保護されてるって報《しら》せが入らないように祈ってた方がいい。じゃあな」

大股で造成地を横切り、道路まで出たとき、ほとんど叫ぶような慎司の声が追いついてきた。

「傘に触っ、い、い、たんだ」

私は足を止めた。

「僕、傘に触ったんだ。覚えてるでしょう?」

望月雄輔を車に乗せ、慎司を残して走り去ったときのことだ。慎司に傘を預けた。すると彼は息が止まったような顔をした。

（物に残った記憶が見える。さっきまで椅子に座っていた人の体温を感じるように）

ゆっくりと肩ごしに振り向くと、慎司は両手をだらりと垂らし、疲れ切ったように肩を落として立っていた。

「あの子の黄色い傘に触ったとき、見えたんです。あの子がマンホールに落ちていくのがね。滑って――急に真っ暗になって――。僕は再体験するんですよ。記憶を見るときね。その場に立って、あの子と同じ目に遭うんです。あの子――落ちていくとき、マンホールの縁で頭を打ってる。頭のこの辺りを」

慎司は手のひらで左耳のうしろを押さえた。

「だから、大して苦しんではいない。でも、冷たいって……冷たいって感じた。冷たい、怖い。それきりです。そこでぷっつり。あの子は死んでるんだよ高坂さん！」

わななきながら、慎司は続けた。

「だから僕は、今朝、自転車を取りに行くって言って、現場へ戻ってみたんです。見張りの人の隙《すき》を見つけて、マンホールの蓋に触りに行ったんだ。怖かった。僕だって、自分の力をこんなふうに使うのは初めてなんだから。そしたら赤のポルシェが見えて、二人の男が笑いながら蓋を動かしてるのが見えた。笑いながら。だから放っておけないんだ」

（ときどき人は致命的に無責任になる。悪意があってやったことならまだいいが）

「お願いです」

ほとんど懇願だった。

「お願いします。信じてくれなくてもいい。手を貸して。警察なんかへ行ったって何にもならないことは、あなたがいちばんよく知ってるはずです。警察は組織なんだ。一人二人は珍しがって聞いてくれても、組織は僕の言葉なんかじゃ動いてくれない。僕は追い返されるか、せいぜい病院に連れていかれるのが関の山です。あなただから、あなたを信用できると思ったから頼んでるんだ」

自分のなかで何かが動くのがわかったが、私はそれを無視した。頑《かたく》なに。

慎司は片手で額を押さえ、わずかに身体を屈《かが》めて、絞りだすように言った。

「彼らは笑ってた。水を——きれいに流してしまうんだって。新品の車のエンジンに水がかぶったらことだから。ぐずぐずしてられない、今夜中にはハイ——ハイアライに行かなきゃならない。約束なんだから。だから急いで近道を——」

「ハ、ハイアライ?」

どきりとした。

「今、ハイアライって言ったのか?」

慎司は頷く。「知ってるんですか?」

「たしかにハイアライか? 別の言葉じゃなく?」

「そう……聞こえた。赤いパーカを着た方の男が言ってたんです」少し生気を取り戻したような顔になった。「知ってるんですか? ハイアライってなんです?」

口を開くまで、何度か深呼吸しなければならなかった。慎司はじっと私の顔に目を据《す》えて待っていた。

「俺の実家の近くに、そういう変わった名前のパブがある」

慎司は「ああ」と声を出した。

「オーナーは地元の人間で、店は一軒だけじゃない。チェーン経営してるんだ。ひょっとしたら――この辺りにも――」

慎司の目が晴れ、首が起きた。「この辺りにも一軒あるのかもしれない」

私は折れた。もう退路はどこにも失くなっていた。

「いいか、一度だけだ。一回こっきりだぞ。ハイアライを探してみる。必要なら支店を全部。そして、そのどこの駐車場にも赤いポルシェがなかったら、そんなものを見かけたことさえないと言われたら、そこで終わりだ。いいな？」

「充分です」慎司の声は震えていた。「ありがとう」

6

パブ「ハイアライ」の支店は三軒あった。本店の番号を調べて電話すると、がらがら声の男が出て教えてくれた。そのうちの一軒は、成田街道の北側にあるという。

「近くにあるんですね？」

私が電話を切ると、慎司が詰め寄るようにして訊《き》いてきた。

「口で言わなくてもわかるんだろ？　また俺の頭のなかを読んでみたらどうだ」

「怒らないでください」

「怒っちゃいないよ。行くぞ」

腹が立つことに、車のエンジンは一発で始動した。


事故処理が済んだのか、成田街道の封鎖は解けていた。車はスムーズに行き来しており、台風の名残《なごり》といえば、どこかのゴミ溜《た》めからふっ飛ばされたのだろう、道路のそこここに散っている見苦しい紙屑《かみくず》だけだった。

西の方から、目に染《し》みるほど青い空が広がってきていた。上空の雲の流れは迅《はや》い。昨夜の大雨もその下で起こったこともすべて消去して、この天気を持ったまま昨日に戻り、すべてをやりなおしたくなった。

「猫《ねこ》がいなくなったのが今日みたいな天気の日だったらよかったのに」

横で慎司がつぶやいた。それがごくまっとうな感想を述べただけのものなのか、それとも私の心を読んだ上での相づちなのかがわからないのは、ひどく戸惑うことだった。

矛盾だらけだった。信じていないくせに、（あなたの頭のなかをのぞけますよ）と言う少年がそばにいることで、裸にされたような気分になっていた。彼が本当にその力とやらを持っているのなら、それを行使しているときには、外見からそうとわかるような変化が表れてくれればいいのにと思っていた。

「質問があるんだけどね」

「なんですか？」

「他人の身体《からだ》に触れると、君がそうしようと思ってなくても、心を読み取ることができるのか？」

彼はしばらく考えた。言葉を探しているようだった。「難しいな……。意図してなくても読めるときもあるし、読めないときもある。でも、普通は、意図してなければ読めないことの方が多いです。僕自身、無意識のうちに軽い安全装置をかけてるのかもしれない。そうでないと、へとへとになっちゃうもんね。だから、その安全装置をふっとばすくらい強い感情が流れてなければ、普通は大丈夫です」

そして、ふっと笑った。「だから、車が揺れた拍子に僕に触っちゃっても大丈夫ですよ。安心してください」

「おおきにありがとうよ」

教えられた所番地をたどるために、ときどき車を停《と》めて住居表示を確かめた。客商売である以上、住宅地や雑木林のど真ん中で営業しているはずもなく、道路からひどく離れていることもないだろう。ひとつ角を曲がり、ひとつ番地を確認するたびに、ここか、ここかと気がもめた。行きずりに人を殺し、闇《やみ》にまぎれて土地鑑のない場所へ死体をうち捨てた人間が、現場検証のためにもう一度そこへ引っ立てて行かれるとき、こんな思いをするのかもしれなかった。ひょっとしたら、そんな場所は最初から存在してなかったのではないか、二度とたどりつくことはあり得ないのではないかと考えて。

だが、「ハイアライ」は見つかった。

三階建てのビルの二階で、一階には喫茶店が入っている。どちらも同じように見栄《みば》えのしない看板をあげ、どちらがより効果的にこのビルのステイタスを下げることができるか張り合っているように見えた。

「ひどい店」車から降りながら、慎司が言った。「こんなとこに来るお客がいるのかな」

ビルのぐるりを歩いてみても、駐車場らしきものは見当らなかった。すぐ近くにトラック運転手の溜《たま》り場になっていそうな大きな定食屋があり、フェンダーに泥《どろ》をいっぱいつけた軽トラックが停めてあったが、ほかに車は見当らなかった。どこか近くに、もっと適当な駐車スペースがあるのかもしれない。

私が以前から知っている方の「ハイアライ」には、専用駐車場がある。考えてみればおかしな話だった。パブに駐車場。飲酒運転を奨励しているようなものだ。

「店に入ってみる。君はここにいろ」

「どうして？　僕も行きます」

「かえって面倒になるから駄目《だめ》だよ」

「イヤです。止めたって無駄ですよ」

私を追い越すようにして、急な階段をあがってゆこうとする。追いついて腕をつかまえた。

「じゃ、約束しろ。話は俺《おれ》がする。君は一言もしゃべらない。いいな？」

慎司は険しい顔をしたが、私が引き下がらないのを悟ると、ひとつ頷《うなず》いた。

階段をあがった。あがりきったところに狭い踊り場があり、左手にくすんだ寄木細工のドアがあった。不可解な崩し字で「ハイアライ」という店名が描《か》いてあり、その下に「準備中」の札がさがっている。だが、ノブに手をかけてみると、鍵《かぎ》はかかっておらず、ドアは手前に開いた。この踊り場にこのドアでは、外に出ようとした客が勢いよくドアを開けると、店に入ろうとしている客を階段の下まではたき落としてしまう。もっとも、そんなアクシデントに恵まれるほど混雑することがないのかもしれないが。

手狭な店だった。ドアの正面に一枚板のカウンターがある。奇っ怪な形のスツールがいくつか見える。まるで奇形の火星人が並んでいるようだった。ドアから身を乗り出してのぞいて見ると、部屋のこちらがわには六人掛けのボックスが一つあり、そこのテーブルも、その脇《わき》に置かれているフロアランプの脚も、大火事の焼け跡から拾ってきた排水パイプなみにねじくれていた。

「君好みの店じゃないか？」慎司に訊いた。

「どうして？」

「座って酒を飲むというよりは、新興宗教の集会に向いてそうなインテリアだ。皆で宇宙からの声を聞きましょうとか言ってさ」

慎司は素っ気なかった。「ヘンなものに興味があるんですね」

カーテンが開いているので、なかは明るかった。左手奥にけばけばしい玉簾《たますだれ》が下げてあり、その向こうに小さなコンロと蛇口《じゃぐち》が見える。どこかでラジオが――それとも有線放送かが、聞き覚えのない歌謡曲を流している。人の気配はなかった。

「ごめんください」慎司が大声を出した。「どなたかいませんか?」

足音がした。玉簾が動き、髭面《ひげづら》の男が顔を出して、こちらを見た。

「はあい」と、意外に愛想のいい声を出した。「まだやってないよ」

「お客じゃないんです、すみません」慎司が軽く頭をさげる。

男は丸い目をぱちぱちさせて、私と慎司を見比べている。私は右手の壁に貼《は》ってある防火責任者の名札を見つけた。「今市芳文《いまいちよしぶみ》」とあった。

「おたく、今市さん?」

「そうだけど」

「店長さんですか」

「まあそうね。何か?」

「人を探してるんですが」

今市はやっと玉簾からこちらへ出てきた。大男だった。私より頭ひとつ背が高く、私と慎司の体重を合わせても、まだ彼の方が重そうだった。Tシャツの胸元がぱんぱんにはっている。

「申し訳ない。昨夜《ゆうべ》のことなんですが、台風の最中《さなか》に、こちらに若い男の二人組が訪ねてきませんでしたか？　赤のポルシェに乗ってたはずなんだけど」

今市は顎鬚《あごひげ》をひっぱりながら首をかしげた。「どなたさん？」

できることなら名刺を出したくなかったし、それなりの口実は考えてあった。が、私を押《お》し退《の》けるようにして、慎司が言った。「雑誌の『アロー』の編集部のものです」

蹴飛《けと》ばしてやろうかと思った。

私は口の片側だけを使ってしゃべった。「口を出さないという約束だぞ」

「わかってます」

今市は「へえ、『アロー』ねえ」と繰り返した。「なんでまた？　なんの取材？」

「それはちょっとね」

「これに目をつけて来てくれたんなら、うれしいけどね」太い腕で店内をぐるりと示した。

「どう？　ちょっとしたもんでしょう」

「なんですか、これは」

大男は気の良さそうな笑みを浮かべた。「ご挨拶《あいさつ》だなあ。オブジェだよ。家具であると同時に芸術品」

「あなたが造った？」

「とんでもない。俺にはそんな才能はないからね」

なくて幸せだ。

「俺、こういうの好きなわけよ。だから、オーナーに内装を変えてもいいって言われたとき、まっさきに思いついてね。友達の作品なんだ。今に有名人になるやつだよ」

「昨夜、お客は来たんですか、来なかったんですか?」しびれを切らしたように、慎司が言った。「若い男の人です。一人はブルーのラインの入ったスニーカーを履いて、もう一人はフードつきの赤いパーカを着てました」

慎司の語調に、今市は驚いたようだった。「ずいぶんヘンな話だね。あんた、ホントに記者なの?」

私は慎司の頭を手で押さえた。「こいつはまだ見習いでね。アルバイトなんだ」

「なんだ。どうりで若いと思った。ああ、昨夜なら、人が来てたよ。二人じゃなくて、もっと大勢。ハリケーン・パーティをやってたからね」

「みなさん普通の客ですか? あなたと個人的な約束があって来た人はいませんでしたか?」

「約束? ああ、約束ね。ありましたよ。絵を持ち込んでくることになってたんだ」

黄ばんだ壁を見上げて、「ここに絵をかけるんですよ。このインテリアに調和するような作品をね。友達の友達のまた友達って感じのやつで、ぴったりのを描いてるのがいたから、持ってきてもらうことになってたんだ。喜んでてさ。自分の作品を展示できるんだからね。ましてここは、これから新進芸術家の溜り場になる店だしね」

「それが若い男の二人組ですか?」

「うん。でも、二人で描いてるわけじゃないよ。一人一点ずつ持ってくることになってたんだ。それが昨夜はあんな天気だろ？　大事な絵に万が一のことがあっちゃいけないから、無理しないでいいって言ってやったんだけど、二人ともどうしてもパーティが終わるまでに持ってくるって言ってきかなかったんだ。昨夜のパーティには、ポップアートの方じゃちょっと名の知れた評論家が顔を出してたからだろうな。あんたも知ってんじゃないかな、そいつのこと」

大男は私が全然知らない人間の名前をあげ、「俺の友達なんだ」と付け加えた。

「それで？　絵を持ってきた二人組は、どんな格好をしてました？」

「どんなって……」

「スニーカーは履いてた？」

「二人とも、ここへあがってきたときは裸足《はだし》だったよ。トレーナーだったかな、着てたものは。厳重に梱包《こんぽう》した絵を抱いて、頭からビニールシートみたいなのをかぶって入ってきたから、パーカを着てたかどうか……」

ずぶ濡《ぬ》れになったので、靴《くつ》もパーカも脱いでしまったのかもしれない――と考え、自分で自分が可笑《おか》しくなった。いったい、慎司の味方をしているのか、敵にまわっているのか。

「彼らの車は？　見ましたか？」

「いいや。あの天気だもの、俺は外へは出なかったしね」そう言って、今市はのんびりと笑った。「どっちにしろ、もうすぐ本人たちが帰ってくるから、そしたらじかに訊いてみたらいいじゃないの」

「本人たち？」慎司が上擦った声で言った。「いるんですか？」

「うん。昨夜絵を壁にかけようと思っても、俺の用意したフックがやわすぎて、もたなかったんだ。だから今、二人で買いに出かけてる。おっつけ帰ってくるよ。車で行ったみたいだから」

「待たせてもらっていいですか？」

「いいとも。なんならコーヒーでもどう？　あいつらのこと、書いてやってくれるとうれしいんだけどなあ」

どうも左腕が痛むと思ったら、慎司が凄《すご》い力でつかまっているのだった。目を見開いている。肘《ひじ》で小突くと、はっとびっくりしたように手を離した。

「ごめん」本当にあわてていた。「今は何もしてませんでしたから」

今市は奥に引っ込み、すぐにコーヒーミルで豆を挽《ひ》く音が聞こえてきた。

私と慎司は、判決を待つようにして待った。慎司は壁際《かべぎわ》に立ち、丸めた拳《こぶし》を口にあてている。私は窓際に寄り、道路を見おろしながら、車のエンジン音に耳を澄ませた。

「あいつらの作品、見てみない？」今市が顔をのぞかせ、のどかに笑った。「きっと気に入ると思うんだ」

肘掛窓一枚分くらいありそうな大きな額を、両脇にひとつずつ抱えて戻ってくる。ちゃんと採光を考えているのか、壁にたてかけてからあちこち位置を調節し、髭をひねりながら
「どう？」と言った。

向かって左側の一枚は、私の目には、どう逆立ちしてもただの格子縞《こうしじま》にしか見えなかった。奇抜なチェッカーフラッグというところだ。

「左側のはモンドリアンみたい」と、慎司が言った。

「そうじゃないよ。これはね、街の象徴なんだ。そのなかで人間が押し潰《つぶ》されて、みんな直線になっている」今市が真顔で講釈をつけた。

右側の絵は、海を思わせるブルー一色を背景に、ありふれた信号機を描いたものだった。信号は赤になっている。私がそれに見入っているのに気づくと、今市は張り切った。

「これ、いいでしょう。『警告』っていう題だよ」

画面いっぱいの赤信号には、たしかに無視できないほどの迫力があった。意味はないはずなのに、緊張感を呼び寄せるものがあった。これを描いた画家は、このイメージをどこからつかんだのだろう。大勢の死傷者を出した交通事故の現場だろうか。惨事の現場に飛び散った感情の残渣《ざんさ》、空気のなかに放電された見えない悲鳴や叫びを拾い集め、このイメージをつくりあげたのか。

残された感情を集めて再構成、再体験する――それは慎司が説明してくれたことと同じだった。

(サイキックの能力も稽古《けいこ》すれば強くなる。芸術的な才能と同じ)

警告。赤信号。

どうかしてる――と思いながら頭を振り、窓の方へ顔を向けて、私は息を止めた。真下の道路に深紅のポルシェが停《と》まっていた。

7

ドアを開けて入ってきた二人の若者を、私は一瞬、兄弟かと思った。明らかに体格が異なっているし、よく見れば目鼻立ちも違うとわかるが、全体から受ける印象が似ていたからだ。同じように不可解な絵を描いている同好の士であるから、醸《かも》し出す雰囲気《ふんいき》が似てくるのかもしれなかった。

おまけに、服装も似ていた。ジーンズにポロシャツ、白いスニーカー。ただの白いスニーカーだ。赤いパーカも見当らない。

今市が進み出て、彼らに我々を紹介しているあいだ、私は窓枠《まどわく》に背をつけて、両手をズボンのポケットに入れ、そこで拳を握り締めていた。そうしていないと、いきなりとんでもないことをしゃべり出してしまいそうな気がした。慎司はさっきまでと同じ場所に立ちすくみ、異形のスツールのひとつに手を置いて、身体《からだ》を支えていた。

今市は、自分の希望的観測を前面に押し出し、私が二人の絵に興味を持って訪ねてきたのだ、というふうに脚色して話した。若者たちは彼と私の顔を見比べていたが、あまり得心がいった様子もなく、顔を見合わせている。

「僕らなんかのこと、どこで聞いてきたんですか？」と、一人が質問した。二人のうちの背の高い方で、右手首にチタンの腕時計をはめていた。

「ちょっとツテがあって」と、私は答えた。「ただ、絵のことだけで来たんじゃないんだ。すまないね」

「そうだろうと思った」若者たちは笑った。気持ちのいい笑顔だった。

「そんなうまい話が転がってるわけないもんね」

「すいません、お名前は？」と、背の小さい方の若者が訊《き》いた。小さいと言っても、傍《かたわ》らの相棒と比べての話で、私と大して差があるわけではない。

私が名乗ると、背の高い方が頷いて、「僕は垣田俊平《かきたしゅんぺい》、こっちは宮永聡《みやながさとし》」

「信号機の絵を描いたのはどっち？」

「僕です」宮永聡が答えた。

「気に入りました？」

「うん」

「うれしいな。自分でも好きな作品だから」

「おまえは自分の描くものはみんな好きなんじゃないか」垣田俊平がまぜかえした。

「そうだよ。そうでなきゃ描けないさ」

慎司がじっと私を見つめている。気づかないふりをした。

「君ら、二人とも大学生？」

「ええ、そうですよ」

「芸大かな」

「違います」二人とも照れ臭そうに笑う。

「とてもとても」

「敷居が高くて」

「門前払いでした」

「二人とも教養学部にいるんです。マスコミ関係になんか絶対採用してもらえないマイナーな大学ですよ」

「昔からの友達？」

「ええ。絵を描き始めたころに知り合ったんだけど……」ようやく、垣田の顔に不審そうな表情が浮かんだ。「あの、用件はなんです？　なんだか身元調べされてるみたいだな」

「おい、よせよ」と、宮永が相棒をつつく。「失礼だぞ」

「いや、いいんだ。こっちこそ失礼だった。実はね、ちょっと訊きたいことがあって」

二人の若者はちらっと視線を交わしあった。

私は肩ごしに窓の方をさした。「今、下に停めてある赤のポルシェ、君たちの車か？」

ワンクッションあって、宮永が答えた。「そうです。僕の……」

「凄いね。高価《たか》かったろ」

「実は兄貴のなんです。昨夜、黙って借りてきちゃったんだ。ここまで作品を運んでくるのに、どうしても必要だったから」

「タクシーが拾えなかったもんで」と、垣田が補足する。

「そう。昨夜は何時ごろここへ着いたのかな」

二人よりも先に、じっと黙ってやりとりを聞いていた今市が答えた。

「真夜中すぎでしたよ。十二時をまわってたかな」不安そうだった。「それがどうかしましたか？」

慎司が何か言いたそうな顔で乗り出したので、私は目で制した。

「ここへ来るには、成田街道を通ったんだろ？　いちばんわかりやすいもんな」

「いいえ、東関東道を通ってきたんです。うちからだと、その方が速くて」

「そうすると、四街道《よつかいどう》インターで降りて、すぐ北へ向かったわけだ」

それなら、あの現場を通ることはない。どう迷ってもあの場所にはさしかからない。彼らが「ええ、そうです」と言えば、それで可能性の目盛りが大きく減ることになる。

だが、宮永はこう答えた。「いいえ、佐倉まで行って、降りました。その方が、北へ向かう距離が短くて済みそうだったから。それでも結局迷っちゃったけどね。僕ら、この辺にきたのは初めてだったんです」

「俺もおおまかな道順しか教えなかったしなあ」今市が口をはさんだ。

じりじりと輪がすぼまってくる。息が詰まるような気がして、ありもしないネクタイをゆるめようと、衿《えり》の辺りに手をあげた。

「道に迷った？」

「はい」二人は頷《うなず》く。

「佐倉工業団地の近くを通ったかどうか、覚えてる?」

「さあ……」垣田が首をかしげ、相棒を見やった。

「運転してたのは僕だけど」宮永は私を見ていた。

「あの天気でしょう。周りの景色なんてわからないし、土地鑑もないし、だから迷っちゃったんですから、わかりません」

二人とも不安そうに足をもじもじさせている。困惑しているようだった。

素早く考えて、私は確信した。たとえ――たとえ彼らがマンホールの蓋《ふた》を開けておいた張本人なのだとしても、それが危険なことだったという意識は持っていないのだ。つまり、それによって子供が一人行方不明になったという事件については、まだ知らないでいるのだ。だから困惑しているのだし、「佐倉」という地名が出てきても、ひるむ様子も見せないのだ。ひっかかりさえしないのだ。

もしも彼らが犯人で、事件について知っているのなら、最初から、誰か訪ねてきたというだけで警戒しているはずだった。そして、もっと平気な顔をしているはずだった。なんでもないように振る舞い、「佐倉工業団地? ええ、通りましたよ」とでも答えているだろう。彼らの方から「昨夜《ゆうべ》ひどい事件のあったところですよねえ」とさえ言い出しているかもしれない。

やっかいなことになった。すべて知っていて、しらを切っていてくれる方がまだやりやすい。言葉を選んで慎重に質《ただ》さなければ――

私は笑みを浮かべた。「そうか。妙なことを訊いて悪かったね――」

なんでもいいからうまく話をつくり、彼らがマンホールの蓋を開けたかどうかだけを、まず聞き出そうと決めていた。ショックを与えるのはそれからでもいい。たとえ本当に彼らがやったのだとしても、たぶん、悪気があってのことではない。過失だったのだ。

だがそのとき、慎司が不意に声を出して、私を遮り、彼らの注意をひきつけた。

「昨夜ね、あの辺りで、小さい子が蓋の開けてあったマンホールに落ちて死んだんです」

気をつけて、神経を使って組み立てているカードの家を、いきなり吹き倒されたようなものだった。私は一瞬言葉を失《な》くし、空《くう》を嚙《か》んだ。

啞《あ》然《ぜん》としているのは、若い画家のたまごたちも同じだった。二人ともなかば口を開き、慎司の顔に目を据《す》えている。

「ホントかい、それ?」今市もびっくりしている。「知らなかったなあ。ニュースでやってる? 俺《おれ》たち、昨夜っからテレビなんて全然観《み》てないから――」

語尾をもぐもぐと吞《の》み込んで、今市は黙った。垣田と宮永の驚きが、自分のそれとは種類が違うのだと気づいたのだ。

私も気づいた。やったのは彼らだ。

あの動転ぶり。間違いない。だが同時に、彼らから素直に「僕たちがやったんです」という言葉を聞き出すことのできる可能性も、針の先ほどに小さくなってしまった。

「マンホールの蓋を開けたの、あんたたちだろ？」慎司は彼らを睨《にら》みすえた。「あんたたち、だろ？」

狭い店内の空気が重くなった。沈黙の重さだった。

びくりと手を動かして、宮永が何か言おうとした。だが、その彼をかばうように肩を乗り出して、垣田が先に口を開いた。

「なんのことだかわからない」

衝撃で抑揚を欠いたその声、表情の消えたその顔の裏側で、精密な機械が音もなく回りだし、計算を始めたことがわかった。身を守れ。うっかりしたことを言うんじゃないぞ。まだ事態を把握《はあく》しきってないんだから。

「ウソだ。やったのはあんたたちだよ。車のエンジンが水をかぶると困るから、マンホールを開けて道路に溜《た》まってた水を流したんだ。そのあと蓋を開けっぱなしにしていったんだ。昨夜あんたは赤いパーカを着てた。そっちの人は、ブルーのラインの入ったスニーカーを履いてた。二人で笑いながらマンホールの蓋を開けたんだ」

慎司は言いつのる。そして垣田は、私が予想していたとおりに答えた。

「どうして俺たちが？　なんで俺たちだってわかるんだ？」

慎司は私を見た。それに引っ張られて、ほかの三人も私を見た。この短兵急な少年は、勝手に突っ走っておいて、危ないところだけ私に押しつけているのだった。

私は黙って垣田の顔を見返していた。それしか方法がなかったし、それがいちばん効果的だった。

「俺たち――」宮永がおずおずと口を開きかけた。

「おまえは黙ってろ」垣田は彼の方を見もせずにぴじゃりとさえぎり、私を睨んでいる。

今や我々は、微妙な縁に立っていた。余計な説明も理屈も要らないが、ショックを受けている彼ら二人に、退路を開けてやることも考えてやらねばならなかった。彼らのしたことが重大な事故を引き起こしたと認識させると同時に、まだ最悪の事態ではないと思わせてやらねばならなかった。

「まだ、子供がマンホールに落ちたと決まったわけじゃない」私はゆっくりと言った。「ただ行方不明になってるんだ。昨夜からずっと。そこにたまたまマンホールが開いているのが発見されたから、そこへ落ちたんじゃないかと思われるだけでね」

「高坂さん?」慎司の声が裏返った。「何を寝ごと言ってるんです!」

「黙ってろ」

「そうはいかないよ! あなただって――」

「黙ってろと言ったんだ聞こえないか?」

歯噛みする思いだった。慎司を連れてくるのではなかった。表で待たせておけばよかったのだ。

駄目《だめ》を承知で、私はもう一度言った。「子供は死んでないかもしれない。ただ行方がわからないだけなんだから。マンホールの件とは無関係かもしれない」

垣田は表情を動かさず、私と睨みあっていたが、立ちすくんでいる宮永の目の周りや頬《ほお》からは血の気が引いていた。そこだけ皮膚が死んでいくようだった。折れやすい杭《くい》は彼の方だった。だから私は宮永に話しかけた。

「マンホールの蓋を開けたのは君たちか？　もしそうなら、言ってくれ。早い方がいい。行方不明の子供が家を出た時刻ははっきりしてる。だから、君たちがあそこへ通りかかって蓋を開けた時刻がわかれば、ふたつを照らし合わせて、子供がそこへ落ちるはずがなかったとわかることだってあり得るんだ。そうすりゃ、警察だって余計な捜索をしないですむ。下水に潜るのをやめて、子供を連れ去る変質者を探したり、増水した川の底をさらうことを始めるさ。それが結局、子供を救《たす》けることにだってつながるかもしれないんだ」

そんなことがあり得ないのはわかっている。私はこの目で黄色い傘《かさ》を見ているのだから。だが、彼らが事件のことをまったく知らない以上、これはやってみる値打ちのある賭《か》けだった。

宮永は動き始めていた。何度かまばたきし、喉仏《のどぼとけ》を上下させた。私の手は、溺《おぼ》れかかっている彼の手に触れていた。つかんでたぐり寄せるには、あと少し、ほんの少しだけ頑張《がんば》ればよかった。

「言ってくれ。頼む。今こうしているあいだにも、警察がマンホールに気をとられてるうちに、子供は全然別の場所で死にかけてるのかもしれない」

私は宮永に意識を集中していた。あと一歩だった。だから、垣田が手をのばして宮永の肩をつかむまで、彼の存在を忘れかけていた。

垣田は私を見ていなかった。慎司の顔を見ていた。そして慎司は私を見ていた。慎司の表情は、私が慎重に言葉を弄《ろう》して事実をねじ曲げていることを、はっきりと物語っていた。

このときだけは、私もサイキックになったのかもしれなかった。宮永の肩に置かれた垣田の手から、(口車に乗るな。騙《だま》されるな)という警告が伝えられてゆくのを、まのあたりに見たような気がしたから。

「頼む。話してくれ」私は繰り返した。

だが、手遅れだった。宮永はゆっくりとかぶりを振った。「僕たちは何もしてない」「何も知らないよ」と、垣田が言葉を添えた。「なんにも」

そのとき、慎司が壁際からはじかれたように身体を離し、垣田に飛びかかった。

止める間もなかった。二人はもんどりうって床に転がり、スツールをいくつか道連れにした。体格ではるかに勝っている垣田は、驚きながらも簡単に慎司をねじふせ、馬乗りになった。私と今市が両側から飛び付き、彼と慎司を引き離した。だが、慎司の右手は頑固に吸い付くように垣田の腕を握って離さない。ほんの一瞬だが、私は総毛立った。

「慎司、やめろ」そう呼びかけた自分の声が、遠く聞こえた。

慎司は床に尻餅《しりもち》をつき、背後から今市に抱きかかえられながら、それでも垣田の腕を離さないでいた。目が据わり、こめかみに青い血管が浮き出ていた。くちびるの端が切れて、食いしばった歯を赤く濡《ぬ》らしていた。

「いったい——」

垣田がつぶやく。慎司から目を離すことも、腕を振り払うこともできず、彼をはがいじめにしている私は、彼の全身が電撃でも受けたかのように強《こわ》ばるのを感じた。

造成地での私もこうだったのかもしれない。慎司が私の手をつかんだとき、自分が縮んで失くなってしまったように感じ、動けなくなった。そして、口では「やめろ」と言いながらも、私は慎司の腕をつかみ、垣田から引き離すことができなかった。恐ろしかったから。

慎司に触りたくなかった。

「エンジン——エンジン」不可解な連禱《れんとう》のように、慎司はつぶやいた。「エンジンが心配だ。水をかぶったら使いものに——ならなくなる。簡単だよ。ちょっと——蓋をあげて水を流せば——近所の人だってこれじゃ困るだろうから——こんなに水が溜まってちゃ——簡単だ、こうしておけばいい——きっと——きっと——みんな喜んでくれる」

自分の膝《ひざ》から力が抜けるのがわかった。つかのま、慎司の声が、口の開き方さえが、垣田のそれと似て感じられた。

「やってない！」垣田が叫び、私を跳ね飛ばすような勢いで身もがいた。はずみで慎司の腕が離れた。

「やってない！　そんなことやってない！　嘘《うそ》だ！」

彼は激しく暴れ、私と一緒にカウンターの下の壁にしたたかぶつかった。がつんという音がして一瞬目の前に閃光《せんこう》が走り、気がつくと私は垣田を抱えるようにして床に腰を落としていた。

慎司はだらりと腕をのばし、呼吸困難に陥ったようにあえいでいた。背後にいて彼をつかまえていた今市が、少しずつ、少しずつ身を引いて、気味悪そうに彼から離れた。

「大丈夫か?」

声をかけても、垣田は放心していた。震えていた。

「こいつ――いったい何なんだ」

ようやくそう言うと、彼は這《は》うようにして私から離れ、宮永にすがって立ち上がった。二人は叱《しか》られた子供のように寄り添っていた。窓を背にしてその顔は暗く、ただ激しい息遣いが聞こえるだけだった。

「気が違ってるんだ」と、今市がつぶやいた。

私は立ち上がり、ためらいを感じながらも、胸のむかつくような思いをこらえて、慎司の腕をつかみ、立ち上がらせようとした。彼はぼんやりと私を見上げ、首を横に振った。自力で起き上がったが、ふらふらしていた。

「帰ってくれよ」

今市に促されるまでもなく、私の足はドアへ向いていた。慎司の背に手をかけてドアへ押しやり、店に残る三人を肩ごしに見て、「すまなかったね」と言った。彼らは何も言わなかった。

急な階段を降りていると、背後で、私が閉めたドアをもう一度音高く閉め直すのが聞こえた。私と慎司がそこへ運んでいった空気をまとめてつまみ出し、はたき落としたのかもしれなかった。

車に戻ってから、しばらくは何も話せなかった。東京へ向かう道は混《こ》んでおり、車はたびたび停止した。気温があがっていた。私は途中で上着を脱ぎ、後部座席へ放《ほう》り出した。そのあいだにも、決して慎司と視線を合わそうとはしなかった。

都内に入ってから、やっと彼が口を開いた。窓に頭をもたせかけていた。

「ごめんなさい」

消えいるような声だったが、私は黙っていた。次の信号で停車したとき、彼はまた言った。

「悪かったと思ってる」

私はため息をついた。「どうして黙っていられなかった?」

「我慢できなかったんだ」

「まずいやり方だと思わなかったのか?」ハンドルを両手で叩《たた》き、彼を見た。信号が青にかわり、後続車が気短そうにクラクションを鳴らした。

「彼らは子供の事故を知らなかった。知らせないままで話していけば、あっさり話してくれたかもしれないんだ。自分たちが蓋を開けました、エンジンを濡らしたくなかったし、そうやって道路に溜まった水を流しておけば、近所の人にも喜ばれると思ったから、と。あいつらに悪気はなかったんだ」

「悪気はなかった……」慎司はゆっくりと私の方を向いた。「そんなことがあると思う？ 大雨の降ってる夜中にマンホールの蓋を開けっぱなしにしておいたら危ないよ。そんなの常識じゃない。そんな常識のない大人がいるなんて……ましてあの人たちは大学生じゃない」

「いるんだ。そういう人間は。いるんだよ」

いや、誰でもそんなふうになる可能性があるのだ。エアポケットに落ち込んで。

「僕には理解できないよ……。だから……知ってて知らないふりをしてるんだと思った。だから、うんと強く出た方がいいと思ったんだ」

「それが逆効果だったんだ」

何度も慎司に脅かされたために――いや、脅かされたことを恥じていたために、私は必要以上に腹を立てていた。言葉を選ぶ心の余裕を失っていた。

「自分が何をやったかわかってるのか？ 彼らは自分たちがどんなことを引き起こしたか知らなかった。だが決して悪い人間じゃない。あのまま放っておいて、ニュースで子供の行方不明を知ったら、自分たちから名乗り出ていたかもしれない。かなり迂闊《うかつ》で、危険なくらい間の抜けた連中かもしれないが、悪質な犯罪者とは違うんだ」

慎司は膝の上に視線を落とした。

「それをあんなふうに追い詰めて、追い込んで、嘘をつかせた。いいか？ 彼らは自発的に嘘をついたんじゃない。俺たちが嘘をつかせたんだ。やってません、とな。あんなふうに追い込まれたら、俺だって嘘をつくさ。怖いから。彼らはきっと後悔してる。たぶん警察へ行くだろうな。だが、行かなかったとしても、俺には彼らを責められないし、もちろん警察に密告することもできない」

「どうして?」慎司は目を見開いた。「子供が行方不明になったって聞いたときのあの二人の顔、見たでしょう? サイキックじゃなくたってわかりますよ。彼らがやったんだ」

「この、大馬鹿野郎《おおばかやろう》」私は吐き捨てた。「まだわからないのか? 俺が彼らを密告できないのは、フェアじゃないからだ。汚いからだ。さっきも言ったろう? 事故のことを知ったら、彼らは自分から出頭していたかもしれない。あの場で、マンホールの蓋を開けたことだけ認めさせて、あとは放っておいたって、その可能性は充分あった。彼ら自身に悪意がなかったからこそ、悪意があってやったと思われるはずがないと思い込んでいたからこそ、びっくりして、あわてて、素直に名乗り出てたかもしれないんだ」

前方の信号が際《きわ》どいところで赤にかわり、私は急ブレーキを踏んだ。車はつんのめるようにして停《と》まった。

「それをあんなふうに脅かして、震えあがらせた。今じゃ彼らは、自分たちがやったことを知ってる。悪意がなかったと言っても信じてもらえないかもしれないと思い始めてる。だからこそ、警察には行かないかもしれない。人間はな、大人は、自分が知らないうちに悪いことをしたと気づいたとき、すぐに『スミマセン』と言えるほど単純じゃないんだ。悪いことをしたと気づいたからこそ、保身を考えることだってある。彼らをわざとそういうふうに仕向けてから、『さあ、悪い連中ですよ』と言わんばかりに警察に突き出すのは、反吐《へど》が出るほど汚いことだ」

慎司は震え始めていた。そして私は――今だから言えるが、彼をやりこめてやったことで気分が良かったのだ。これこそ反吐が出るような話だが。

「サイキックだかなんだか知らないが、当たり前の人間の気持ちを、当たり前に理解できる大人になるまでは、優等生面《づら》をひっこめて、そのでっかい口を閉じておくんだな。俺に言わせりゃ、おまえの方がよほど危険だ。何が人の心を読む、だ。人の心がどんなものかもわかっちゃいないくせに」

慎司は黙っていた。ほとんど死んだように黙り込んでいた。その脱力したような姿勢を横目に見ているうちに、次第に私の頭も冷えてきた。なんと言っても相手は子供なのだ。

「すまん」なんとか、そう言えた。「言い過ぎたよ」

「いいんです」慎司は小さく言った。「高坂さんの言うとおりだ」

私はまだ彼の家の場所を聞いていなかった。尋ねると、ためらっている。

「べつに親御さんにまで怒鳴り散らそうと思って訊《き》いてるわけじゃない。ちゃんと送り届けないと心配だからだよ」

「わかってます。でも、僕もしばらく頭を冷やしてから帰らないと、父さんや母さんに心配をかけちゃうから」

結局、「ここからなら家まで歩いてすぐだから」という、小さな児童公園のそばでおろした。荒川区と足立区の境目あたりで、そばに大きな橋が見え、抜けるような青空を頭に戴《いただ》いて、マンションがいくつも肩を並べて立っていた。

「頭を冷やしたくなると、よくここに来るんだ」

トランクから自転車を降ろし、組み立てているあいだも、慎司はずっと無言で、私の方を見ようとしなかった。こっぴどくやっつけておきながら、私はそれが気になった。どっちの方が大人げなかったか、今考えると赤面する。

「あの二人の画家のたまご、な」

私が言うと、やっと目をあげた。

「気をつけて様子を見るようにするよ。俺《おれ》も気になるから。ポルシェのナンバーを控えておいたから、住所もわかるだろうし」

慎司はこっくりした。「ありがとう」

別れるきっかけがつかめなくて、私も慎司もぐずぐずしていた。何か座りのいいことを言ってやって別れたかったが、どうにも思いつかなかった。

「じゃ、な」

結局そう言ってドアを閉めかけたとき、慎司が私を呼んだ。

「高坂さん」

見返すと、慎司は目を潤《うる》ませていた。

「バカやっちゃって、ごめんなさい」

「――もういいよ」

「力の使い方、気をつけなきゃいけないって身に沁《し》みた。よく覚えておくよ。二度とまちがわないように。でもね」

「でも？」

「僕も、好きでこんなふうに生まれてきたわけじゃないんだ」

　小さな声だった。

「自分でもどうしようもないんだ。見えるし、聞こえるから、どうにかしなくっちゃと思うんだ。それはわかってくれる？　僕の力を信じてくれなくてもいいから、でも、もしそういう力を持ってる人間がいたらどうだろうって、考えてくれる？」

　少し間をおいてから、私はちょっと頷《うなず》いた。

「信じてくれなくてもいい。でもね、もしも高坂さんが僕だったら、僕みたいなガキで、まだ世間のことなんかよくわからないのに、見たくもないし聞きたくもないものを知る力を持って生まれちゃったらどうする？　見えるんだよ？　聞こえるんだよ？　そしたら――そしたら、自分のできるかぎりのことをして、見たこと聞いたことをどうにかしなきゃって思わない？　高坂さんだったらどうする？　僕と似たようなことをやらないって言い切れる？」

　そのとき、嘘でもいいから、答えてやるべきだった。「俺も君と同じようにしたかもしれない」と。慎司はその答えを求めて訊いてきたのだし、そう言って慰めてもらいたがっていたのだから。その慰めさえ与えてやっていれば、あとに続く事件の形は、まったく違ったものになっていただろう。

だが、私はこう答えた。「わからないよ」

慎司は目を伏せた。そして、小さく「さよなら」と言うと、去っていった。彼の小さな背中を見送っていると、やっと、取り返しのつかないミスをしたような気がしてきたが、もう、呼んでも声が届かなかった。

第二章　波紋

1

一週間が過ぎても、望月大輔《だいすけ》の遺体は発見されなかった。誰かが「自分があのマンホールの蓋《ふた》を開けた」と名乗り出たという情報も、警察がそれらしき人物に目をつけているという噂《うわさ》も、まったく入ってこなかった。

道端のマンホールを、その気になれば誰でも開けることができる状態で放置しておくのは危険だというもっともな声が、あちこちからあがっていた。県の水道局はさっそく善処を約束したが、お偉方に代わって公的な声明を読み上げた局長補佐の肩書きを持つ人物は、「まさか開ける人がいるとは思いもしなかった」とコメントして、気の毒なことに、いささか顰《ひん》蹙《しゅく》をかってしまった。

一週間のあいだに、都内で二件、埼玉で一件、夜間に路上のマンホールの蓋が開けられるという事件が起こった。幸いどちらも実害はなかったが、千葉の事件を真似《まね》たものであることは明らかで、どうやら世間には、危険を認識する能力の少ない人間と、認識した危険を実行してみたがる人間とがあふれているようだった。

「アロー」では、その週のニュースをいくつか並べる「ヘッドライン」のページで、事件について取り上げた。私は記事を書き、カメラマンが現場へ行って、青空の下、ぴっちりと蓋が閉められているあのマンホールの写真を撮り、見出しの脇《わき》に掲げた。

そして個人的なレベルでは、あのポルシェのナンバーから持ち主である宮永聡《さとし》の兄の身元を調べた。彼は一流と言っていい証券会社の営業マンだが、まだ二十四歳だった。よくまあ一千万からの車を買ったもんだと呆《あき》れたが、代理店に問い合せてみると、ちょっといわくつきの事故車で、五年落ちだという。

「それでも是非というので、お売りしたんですよ」

宮永聡は「兄貴の車で、新車だ」と言っていた。兄から弟への小さな欺瞞《ぎまん》、ささやかな自慢というわけだ。そして弟は弟で、兄貴の大事な車をちゃっかりと荒天の夜に借りだしていたのだ。

台風の翌日、さぞや派手な喧嘩《けんか》をしたことだろう。それとも、聡の方がそれどころではなかったか。

宮永聡も垣田《かきた》俊平も、まだ名乗り出てこない。そして私にも、もう彼らに近づく気持ちはなかった。一度だけ、調べだした宮永家の電話番号にかけてみようと、受話器をあげたことはあるが、そこまでだった。

ただ、「ヘッドライン」の記事では、マンホールの蓋を開けておいた人物に対し、若干同情的な含みを持たせておいた。「悪意はなく、ただ迂闊《うかつ》だったのだろう」という程度ではあるが。

おかげで、雑誌の発売日には、少し落ち着かない気分を味わった。彼らのどちらかが、ひょっとしたら連絡してくるかもしれない。

だが、結果はノーだった。

酒の席で、冗談半分に、同僚の記者の一人に訊《き》いてみた。空からUFOが舞い降りてきて、鼻先にとまり、「今警察が手を焼いている事件の犯人はどこどこの誰々であるぞ」と教えてくれたとしたら、どうする？

「帰って寝る」というのが、同僚の答えだった。「で、翌朝目が覚めて、まだそんなことが現実にあったような気がしたら、入院する。きっと、点滴の壜《びん》のなかに金魚が泳いでいるのが見える」

私は笑った。同僚をではなく、自分を笑ったのだ。そして、あれほど真剣だった稲村慎司を、いきなりUFOに例えてしまうのだから、俺《おれ》だってやっぱり本気で彼を信じているわけじゃないんだなと気がついた。

その慎司からも、なんの音沙汰《おとさた》もなかった。私はルーティーン・ワークに戻った。退屈で騒々しいが、足元がしっかりした日常へ。

「アロー」は一応新聞社系の雑誌だが、銀行のロビーに置いてもらえるほど硬派ではない。イラクのクウェート侵攻について特集を組んでも、国際政治学者にはコメントを求めず、もっぱら国内物価と為替相場への影響ばかりを心配している。自衛隊派兵の問題が出てくれば、

「徴兵制復活か」などという刺激的な見出しを組んで、読者をどきりとさせようとする。要

するに、おしなべて「今世の中に起こっている出来事はあなたにとって損か得か」というテ

ーマでつくっているということだ。

新聞と違って、雑誌記者には厳密な「担当分野」というものはない。ただ、やはり人には

それぞれ得手不得手があり、取材しているうちにそれぞれ独自の情報網などもできてくるか

ら、「なんとなく専門」という程度の役割分担はできてくる。

私の場合、もとが社会部あがりで、いわゆる警察《サツ》まわりの時期が比較的長かったことと、

「アロー」へひっぱってくれたデスクが「社会ネタ」を得意にしている人だったことで、

もっぱら事件ものを担当することが多い。いちばん派手に見えるが、いちばん安易に流れや

すい部門でもある。

ただ、いかんせん人手不足の悲しさ、ほかの連載記事やコラムの方のピンチヒッターを頼

まれることもある。マンホールの事故から十日後、若手のカメラマンと一緒に銀座四丁目の

小綺麗《こぎれい》な喫茶店に出かけていくことになったのも、そちらの方の仕事だった。「ミス・コン

テストに反対し性の商品化に抗議する女性たちの会」の代表者にインタビューするというこ

とで、相手が女性だとは言え、喜んで飛んでいきたいという類《たぐい》のものではなかった。

「こっちも女が行った方がいいんじゃないの？　その方が話も盛り上がるだろうし」と言う

と、コピーの束を運んできた水野《みずの》佳菜子《かなこ》に睨《にら》みつけられた。

「いい機会だから少し啓蒙《けいもう》してもらってきたら？」と言う。

「そうですよ。高坂さん、編集部のなかでもいちばん頭が固いんだから」

「啓蒙ねえ」

「俺が？」

「そう。あたしのことなんか、お茶くみとコピーとりの機械だと思ってるでしょ？　女性差別者の典型ね。そのまんまじゃ、いくつになったって結婚できませんよ」

「へえ、そうか。じゃあずっと独身でいるかな。で、カコちゃんが三十すぎても売れ残ってたら、もらってやるよ」

「売れ残りだって！　そんな言葉を使う男は最低ね。コウサカのバカ」

勝手にぷりぷりして、「コウサカのバカって韻を踏んでるわ」などと言いながら行ってしまった。アルバイトの娘だが、正社員なみにしっかり働いてくれる。ただ、どうも言葉がよくない。

そろそろ出かける時刻になってから、彼女がまた近づいてきた。打ち合せをしていたカメラマンが気がついて、私をつついた。

振り向くと、佳菜子は郵便物の束を胸に抱いて、何か言いたそうな顔をしている。

「どうした？　ちゃんと啓蒙されに行ってくるよ」

「そうじゃないの」彼女はちらりとカメラマンを気にする。と、彼は破顔した。

「いいじゃない。そんなにオレが邪魔？」

「バカね。そんなんじゃないわよ」

そう言って、大真面目《おおまじめ》な表情で郵便物の束のなかから封書を一通抜き出すと、差し出した。

「これ、また来たの」

ひと目見ただけで、なんだかわかった。これで六通目だったから。

ありふれた白い長方形の封筒である。表書には「アロー」の編集部の住所と、私の名前。裏には何も書いてない。

そして過去の五通は、中身もなかった。真っ白な、何も書かれていない便箋《びんせん》が一枚入っているだけなのだ。

開けてみると、この六通目も同じだった。カメラマンがのぞきこんできて、

「なんです？　これ」

「白紙のラブレターかな。それとも俺の目が悪いのかな。なにか見える？」

「あぶりだしじゃないんですか？」カメラマンは便箋を取り上げ、窓の方へ向けた。「透かして見ると文章が見えるとか」

「笑うなよ。全部試してみたんだな、それ」

「やってみたんですか？　あぶりだしも？」

「いかにも。で、全然なんの反応もないんだ。つまりはただの白紙だってこと」

端の方の電話でさかんに相手を怒鳴りつけていたデスクが、目ざとく見つけて大声を出してきた。

「お、また来たか」

「また白紙ですよ」

デスクは大きな手をひらひらさせた。「だから言ったろう？　ツケを払ってやれ、ツケを。どこの店に入り浸ってんだ？」

「そんな身分じゃないですよ」

「わかった！」カメラマンが振り向いた。「これはね、『待ってるからお手紙ちょうだいね』という符丁ですよ」

「符丁！」私と同時に、向かいの机で同僚が声をあげた。「古いねえ」

「カコちゃん、フチョウって何のことかわかるか？　看護婦の親玉じゃないぞ」

佳菜子は眉《まゆ》をひそめた。「呑気《のんき》ね。気味悪くないんですか？」

「なんで？　べつに脅迫文が書いてあるわけじゃないよ」

「だって……」

カメラマンも少し真面目になった。「いつごろからのことです？」

「さあ……」

私の代わりに、佳菜子が素早く言った。「最初のが来たのは六月ごろよ」

「カコちゃん、気にしてんだなあ」カメラマンがにやっと笑った。「ねえ、高坂さん、身に覚えはないんですか？」

「身に覚え？」

「そう。まだ白紙のうちに、意味を察した方がいいと思うな。いきなり認知願いなんか送り付けられたらことですよぉ」

　これはぐさりときた。彼は何も知らないのだから無理はないのだが。

「あれ？　びっくりしましたね。怪しいなあ」

　誰かがはやすような口笛を吹き、「白状しろ！」と言いながらドアを出て行った。

「ちょっとした謎《なぞ》ですね、これは」うやうやしい手つきで便箋をたたみ、封筒におさめると、カメラマンは笑った。「どうオチがつくのかな」

　どんなオチもつくはずがないと思う。ただのイタズラの類だろう。マスコミ関係には、こういうことはよくあるのだ。形はいろいろだが。

　ただ、気になるのは名指しで来ていることだった。まだ署名記事を書いたことはないし、どんな形でも「アロー」の記者として名前の出るような行動をとった覚えもない。恨みを受けるようなことも、少なくとも自分ではしたつもりはない。長いスパンで考えれば、ひょっとして知らないうちに誰かを……ということもあるかもしれないが、白紙の手紙が届くようになったのは、ここ数ヵ月のことなのだ。

　じゃあ女かと問われても、これも返事のしようがない。小枝子《さえこ》と別れてから三年、後腐れのない形の関係を持った女はいても、辛抱強く手紙を――たとえ白紙でも――いや、白紙の方がむしろ辛抱と情熱が必要かもしれないが、それにしても――送って寄越すほど深く関《かか》わった女性など、いたらこっちが教えてほしいほどだ。

　だいたい、その手の女性には、こちらの商売さえ正確には教えなかった。たいがい、学校の教師だというと納得されたものだ。

「みんないい加減ね。本当に怖くないんですか？」ちょっと怒ったように言って、佳菜子は封筒に視線を落とした。「あたしは怖いわ。何か書いてあるより、ずっと怖い。消印だってみんなバラバラなのよ。どこから出してるか、絶対悟られないようにしてるみたい」

「心配するなよ」私は手をあげて、佳菜子の頭をぽんとたたいた。「嫌《いや》がらせだとしても、こんな手を使ってくるようなヤツは、それ以上のことはできないんだから」

「そうそう。そうだよ、カコちゃん」

「ツケだ。ツケ」と、デスクはまだ言っている。よほど悪い思い出があると見える。

「だけど、高坂さんだって、今まできた分を全部とっておいてるでしょ？　やっぱり気にしてるんじゃない？」

たしかに、まったく気にならないと言ったら嘘《うそ》になる。だから全部保存してある。それを佳菜子が知っていたとは意外だった。

「全部はとってないよ。一通失《な》くした」

「嘘ばっかり」

「ホントさ。秋吉のやつが、アンモニアで出るあぶりだしだとか言って、トイレに持っていったきりだ。さて、行くか」

カメラマンを促して外へ出た。彼は器材を担《かつ》いで歩きながらにやにやしている。

「なんだよ」

「いやいや、カコちゃんも可愛《かわい》いなあと思って」日焼けした顔をほころばせて、「純情だもんなあ。もう、ホント、可愛いね。いっぺん本気で口説《くど》いてやればいいのに」

「そっちこそ」

笑って言うと、カメラマンは大きく手を振った。

「ありますよ。何度かデートに誘ってみたけどね。てんでダメ。高坂さんの話ばっかりしたがるから。ねえねえ恋人いるのかしら？　前には婚約者がいたんでしょ？　なんで結婚しなかったの？　その女性どんな感じの人？　あたしより美人だった？　なんてね。まいっちゃった」

「へえ」私は素朴《そぼく》に驚いた。佳菜子は、つい昨日までセーラー服を着ていましたという感じの娘なのだ。彼女から見たら、こちらはもうおじさんの部類だ。だから安心してつっかかってくるのだろうと考えていた。

「だって彼女いくつだよ。十九かそこらだろ？」

「二十歳ですよ。立派な大人の女だって力んでましたけどね。結婚したくてしょうがないみたい」

「俺が彼女だったら、結婚相手は他所《よそ》で探すね。こんな商売やってる男とくっついたって、ロクなことはない」

「だから、そこは彼女も計算してるんですよ。どんなに見てくれが良くても金持ってても、俺みたいなフリーの連中や、契約記者なんかには目もくれないもん。高坂さんなら、ゆくゆくは出向を解かれて本紙へ帰るだろうっていう腹があるから一所懸命になるんです」

そう言ってから、ちょっと笑った。「ま、これは半分ひがみでもあるな」

「それじゃ、あんまりうれしい話じゃないね」

「そう言わないでよ。オレがカコちゃんに恨まれる。彼女本気なんですから。いい娘《こ》ですよ。その気ないんですか?」

ちょっと考えてから、返事はしないことにした。カメラマンは頭をかいた。

「オレ、まずいこと訊いたのかな。よっぽど昔のことがこたえてるんですね」

「何が?」

何気なく訊いたつもりだったが、カメラマンはあわてた。

「いや、すみません。なんでもないです。その——噂をね、ちょっと小耳にはさんだことがあるもんだから」

相馬《そうま》小枝子とのことは、「アロー」へ異動する前の出来事だった。というより、彼女とのことが原因に——少なくとも遠因になって、私は「アロー」へ出されたのだ。

この手のゴシップは、伝染病よりも早く広がるし、なかなか消えない。

「ま、他人のしゃべってることだから、あてにはできないですけどね」とりつくろうように笑って、カメラマンはそう付け加えた。

(ごめんなさい。凄《すご》く痛いところを突いちゃったんだね)

(二度と訊かない。絶対、絶対)

不用意に稲村慎司の顔を思い出し、自分でも驚くほどどきりとした。

長たらしい名前の会の代表者は、インタビューを受けにきたというよりは、バッティングセンターにでも来ているようなつもりでいるらしかった。こちらが投げる質問を、目の色を変えて打ち返してくる。

「どうせあなたたちマスコミの連中は、わたしたちのことを、嫉《ねた》みそねみだけで活動している不美人の団体だと思っているんでしょう？　でも、わたしたちは正当な人権を守るために頑張《がんば》っているんです。なんと言われようとかまわないわ」

本当になんと言われようとかまわないと思っている人間は、口に出してそんな台詞《せりふ》を吐いたりしないものだ。

容貌《ようぼう》の美醜は生まれついてのもので、個人の努力ではどうすることもできない。だからそれを物差しにして女性のランクを決めるのは不当である。ミス・コンテストを開くことによって、世の男たちは、男性社会に都合のいい女性だけがこんなふうにちやほやされるのだと宣伝して、すべての女性を鋳型《いがた》にはめこもうとしているのです——彼女は熱弁し、私とカメラマンがその「世の男ども」の代表であるかのようにつっかかってくる。たまに「どうです？」と意見を求めるような言葉も吐くが、こちらが口を開くよりも先に、「どうせこうなんでしょう」的な発言で封じられてしまうので、黙って拝聴しているしかなかった。

人間はみな平等、後天的な努力によって変えることのできないものでランクづけするのは間違っている——

「はあ、それはたしかに間違ってると思います」

私がだんまりを決め込んでいるので、カメラマンが発言した。

「でも、間違ってること全部をむきになって直さなきゃいけないってこともないでしょう。ミスコンぐらい、放《ほう》っておいたっていいと思うけどなあ。もうちょっとこう、おおらかになれませんか」

こういうのを火に油という。彼女はそれからも延々しゃべり続け、カメラマンは首を縮めて、それきり発言はしなかった。

彼女が再三繰り返す、生まれついてのものでどうしようもないという言葉が、頭の奥にひっかかった。

(僕も、好きでこんなふうに生まれてきたわけじゃないんだ)

演説を続ける女性を前に、私は考え始めていた。

もし——もし自分に、他人をスキャンする力があって、今それを使ってみたとしたらどうなるだろうか、と。彼女の心の奥底をのぞき、本人さえ気づいていない、あるいは気づいていながら押し隠している願望や、屈折したコンプレックスを目のあたりにすることができたら……

(めったにやらないよ。嫌らしいことだから)

目の前の女性が説いている理屈は正論であり、彼女の活動には意義があり、彼女の意見には耳を傾ける価値があるのだろう。だが、彼女にそれを言わしめている動機の、本当に深いところには、おそらく非常に個人的な、なりふりかまわぬ怒りが、復讐心《ふくしゅうしん》が、嫉妬心《しっとしん》が隠れているのだ。それが全て《すべ》ではないにしろ、彼女を動かしている歯車のひとつではあるのだ。ごく普通の人間である私にも、それを想像することはできる。今この場で、彼女の顔を見ているだけで。

だが、想像することと、心の触手をのばして彼女を探り、彼女自身の生の声で聞くこととは、まったく次元が別なのだ。

（見たくもないし聞きたくもないものを）

全て見る。全て聞く。

それは人間の尊厳を殺す。

突然、私は肌《はだ》が粟立《あわだ》つのを感じた。それまでまったく考えていなかった疑問が、初めて頭に浮かんできた。

慎司が本当に自称しているとおりのサイキックなのだとしたら、これから先生きてゆくこと自体が、ほとんど責め苦に近いのではないか。彼はどうやって生きてゆく？　どんな職業につき、どこで暮らし、どんな女性に恋をして、結婚生活を築いてゆくのか。

絶え間なく聞こえてくる、本音、本音、本音の洪水《こうずい》。そこから身を守るには、能力をコントロールすると同時に、自分の感情をも制御しなければならない。俗に「聞けば聞きっ腹《ぱら》で腹が立つ」というが、普通の人間は、他人が言葉に出したり態度に表したりしないかぎり、周囲に満ちている本当の本音を聞くことはない。それだから、多少ぎくしゃくすることがあっても生きていくことができるのだ。

それが全部聞こえるとしたら？　聞く能力を持っているとしたら？　聞かないほうが心の平和を保つことができると、理屈ではわかっていても、果たして好奇心を抑えきれるだろうか。

そして、本音を知ってしまってからも、何ひとつ変わったことなどないような態度で暮らし続けていくことができるだろうか。

誰かを信じるということができるだろうか。

（あなたを信用できると思ったから頼んでるんです）

慎司にしてみれば、あれは軽い台詞ではなかったのだ。

もっと優しい言葉をかけてやるべきだった――切実に、そう思った。そのときはもう、（彼が本当にサイキックだったなら）という但《ただ》し書《が》きを付けずに考えていた。彼の言葉を全て信じる立場に立っていたのだ。

まっすぐ社に戻り、彼に連絡してみようと考えながら編集部のドアを押すと、水野佳菜子が近寄ってきた。

「お帰りなさい。お客さまです。三時ごろからずっと待ってたのよ」

来客用の小さな応接室の方をさす。時刻は午後四時半になるところだった。

「誰？」

「それがね、若い男の子。名前を訊《き》いても教えてくれなくて」

「若いったって、カコちゃんより上か？　下か？」

「どっちかっていうと年下かなあ」

すぐ、慎司が来たんだなと思った。救われたような気がした。それが顔にも出たのか、佳菜子が私を見上げてにっこりした。

「待ち人だったんだ。そうでしょ？」

「うん」

だが、応接室のソファには、稲村慎司ではない青年が座っていた。私の「よく来たね」という台詞は宙ぶらりんになってしまった。

青年は私の顔を見つめたまま立ち上がった。少し青ざめ、少し緊張して、口を開く前に、なんということもなく右手をあげて耳たぶに触れた。

「高坂さんですね？」

それが織田直也《おだなおや》だった。のちに発生する事件のなかで、悔やんでも悔やみきれない形で死なせてしまうことになるこの青年と、私はこうして顔を合わせたのだ。

2

僕らは友達だった——いい仲間だったよ。この当時のことを尋ねると、稲村慎司はそう答える。

「だけど、意見は違ってた。だからあの時、直也は高坂さんに会いに行ったんだ」

「そう。あなたは騙《だま》されたってことです」

「嘘だって？」

織田直也は私に、稲村慎司の「サイキック」なるものはすべてトリックだと話しにきたというのだった。

彼はひどくせっかちになっていた。早口に自己紹介をして、フリーターだけど怪しい者じゃないと主張し、すぐ本題にとりかかろうとする。

「ちょっと——ちょっと待ってくれよ」

私は手をあげて彼を遮った。ちょうどそこへ佳菜子がコーヒーを持って入ってきたので、なんとか間がもった。

我々二人に興味深そうな視線を投げながら、やっと彼女が出ていくと、私と直也は同時に口を開いた。

「ちゃんと説明すれば——」

「そんなにあわてないで——」

我々は同時に黙り、また同時にしゃべりだそうとして、また口をつぐんだ。直也は笑いだし、骨張った肩をすくめると、「どうぞお先に」と言った。

「よく、わからないんだけどね」私はゆっくりと言葉を選びながら話した。「まず、君は稲村慎司君の――」

「従兄《いとこ》ですよ。母親同士が姉妹なんです」

「従兄ね。君の方が年上だろ？」

「ええ。俺《おれ》はもう成人です。今年二十歳になったから」

軽い笑みを浮かべて、てきぱきと答える。感じの悪い笑顔ではなかったが、首から上だけで笑っているという感じがした。

痩《や》せ形《がた》の青年だった。背丈は私と同じぐらいだが、ズボンのベルトの穴は、ひとつ――いや、ふたつ分ずれるだろう。全体に血色もよくない。ふと、あのレストランで気分が悪くなりトイレに駆け込んだときの慎司の顔を思い出した。

「ちょっとごめんよ。不躾《ぶしつけ》なことを訊くけど、君、最近なにか大きな病気でも患《わずら》った？」

直也は首を振った。「いいえ。どうしてですか？」

「顔色が悪いからさ」

「そうかな……」顎《あご》のあたりを撫《な》でながら、ちらっと歯をのぞかせて笑う。「二日酔いですよ、きっと。昨夜《ゆうべ》ビールを飲みすぎちゃって。まだ頭の上をアルコールが飛び回ってるって感じがする」

二日酔いの天使なら、他人の肩の上にとまっているところも、自分の頭の上に乗っているところも、何度も見たことがある。だが、今のこの青年の周囲には見当らない。嘘だな、という気がした。

「そう。まあそれならいいけど……。稲村君とは親しいの?」

「まあ親しいんじゃないかな。一度一緒にツーリングに行ったこともありますよ。俺もあちこち独りで旅するのが好きですし」

「ああ、そうか。つまり、趣味が一致してるんで、仲がよくなった?」

「そんなところです。まあ、兄弟みたいなものかな。俺たち、どっちもひとりっ子ですからね。兄弟ごっこをしてるんです。ときどき、本当の兄弟に間違えられることもありますしね」

二人並べて見ればまた違うのかもしれないが、顔立ちに似ているところはないように思えた。強《し》いて共通点をあげるとしたら、二人とも女の子にモテそうなきれいな目を持っているという程度だろうか。

「兄弟ごっこか。牧歌的だね」

「うるわしいでしょう?」

また笑顔を見せる。話し始めてからずっと、色褪《いろあ》せたジーンズに包まれた左膝《ひだりひざ》を小刻みに揺すっており、笑顔をつくるときだけその揺れが止まることに、私は気がついた。

「ああ、すみません」直也は自分の膝を見おろした。「悪い癖だってわかってるんですけど。貧乏ゆすりをする男は出世しないって、おふくろにいつも叱《しか》られてた」

ずいぶん敏感だ、と思った。従弟《いとこ》に関《かか》わることだというだけで、いきなり見ず知らずの他人を訪ねてきたのだから、緊張しているのは当然だが。

「自分でも嫌なんですけどね」

「貧乏ゆすり？ よくある癖だよ」

「いいえ、言いつけにきたことがですよ」

真顔に戻ると、目を伏せた。

「ただ、放っておいて事が大きくなってからじゃ、慎司も傷つくし、あなたにも迷惑がかかるだろうと思って」

「俺が何を迷惑するのかな」

「記事にするんでしょう？」

「何を？」

「慎司のこと。マンホールの事件の犯人を、あいつが見抜いたことですよ」

驚いた。「彼がそう言ったの？」

「言ってはいなかったけど――」左膝の揺れが激しくなる。「そう期待したからこそ、あなたを騙したんだろうから」

私は椅子《いす》の背にもたれた。「騙したとか騙されたとかの話はともかく、俺は彼のことを書くつもりはないよ」

考えてもみなかったことだ。だが、直也はひどく意外そうな顔をした。

「へえ……超能力はもう流行《はや》りじゃないですか」

「そうだね。それに、稲村君にそんな目的があったようには見えなかったし。彼から詳しい話は聞いたの？」

直也は頷《うなず》いた。「とんでもない馬鹿《ばか》なヤツです。あいつは」

「どうして？」

「あなたみたいな大人をペテンにかけるような真似《まね》をして」顔をあげると、それが理由のすべてだというように、強く言った。「あいつ、まだ子供なんです」

「そりゃまあ子供だけど……」

「目立ちたがってて、劇的なことに憧《あこが》れてるんです。あいつぐらいの歳《とし》のときって、みんなそんなもんでしょう？　なんかこう――自分はほかの人間とは違うんだって思いたくて。あいつの場合、それが超能力なんです。魅せられたみたいに夢中になってて、その話ばっかりしてる。あいつの部屋には、その関係の本ばっかりが山ほどありますよ。一応理屈の通った理論とか、びっくりするような実話の詰まった本がね」

「そうだろうね。俺にも説明してくれたから」

「やっぱり」直也は顔をしかめた。「どこまでバカなんだ、あいつは」

私はしばらく彼の顔を見つめていた。こめかみがひくひくしているのが見えた。どうやら本気で怒っているらしい。

「もし稲村君がやって見せてくれたことがペテンだったとしたら」

私が身を乗り出すと、直也は座り直した。

「――言っておくけど、最初は俺も完全にペテンだと思ったんだよ。超能力なんて、はいそうですか凄《すご》いですねと認められることじゃない。実際、一度は、稲村君がマンホールの蓋《ふた》を開けておいた張本人なんだろうとまで考えたんだから」

直也はせわしなく肯定する。「ええ、そうです。そうです。それがまともな判断です」

「ただ、彼の言うことを信じないと割り切れないことも出てきたから――」

私は直也に、台風の夜とその翌日に起こったことを、詳しく話して聞かせた。彼はじっと聞き入っていた。

「当たり前だけど、慎司から聞かされたのと同じ話です。呆《あき》れるなあ。あいつ、ホントにすばしっこい」

直也は肩をすくめてみせる。私は苦笑した。

「あれだけのことが全部偶然の一致だったり、仕掛けのあるペテンだったとしたら、そっちの方をこそ俺は記事にしたいね。実によくできてるから」

「じゃ、タネあかしをしましょうか」いささか挑戦《ちようせん》的な口調だった。「あいつのやったこと、全部合理的に説明がつくんですから」

私は彼を待たせておいて、メモとペンを取りに行った。すべて書き出して、どんな細かいことでも見逃さないつもりでいた。実際、思いがけない展開だったから。

「まず、マンホールの件ですけど」と、直也は始めた。「これは簡単ですよ。要するに、慎司は偶然見てたんです。赤いポルシェに乗った二人組がマンホールの蓋を開けるところをね。

二人の服装も、車のナンバーだって全部見てた。あなたに話すときは、それらしく聞こえるように『川崎ナンバーだった』って言っただけで。その方が本当らしいからね。もちろん、二人が『ハイアライ』ってところに行くんだってことも、聞いてたから知ってたんです」

「見てたんなら、なぜその場で咎《とが》めなかったのかな」

「これほど大事になると思わなかったからですよ。しかも、相手は自分よりもでかい男の二人組だ。普通、見て見ぬふりをしちゃうんじゃありませんか。あいつ一人の力じゃ、とてもじゃないけど蓋を元どおりにすることなんかできないし」

　私は頷いた。「それで？」

「二人が行ってしまったあと、慎司はあのひどい天気のなかでウロウロしてて、今度は行方不明になった子供さんが猫《ねこ》を呼んでるところに行き合ったってわけです。もちろん、そのときはまだ、その子がマンホールに落ちちゃうなんて思いもしなかったわけだけど」

　だから、「モニカ」という猫の名前も知っていた――そこまでは、私も一時は考えたことがあった。

「で、そのあと、あなたの車に拾ってもらった。偶然マンホールの蓋が開いている現場を通りかかった。それであいつ、思ったんですよ。『ああ、これはちょっと面白い超能力ごっこができるな』って」

「超能力ごっこ？」

「そうです。ただ『僕、見てました』っていうより、ずっと劇的で面白いでしょう？　さっきも言ったけど、あいつはサイキックに憧れてるから、これはそのふりをできるいい機会だって思ったんですよ。しかも、あなたは雑誌記者だ。この手の話題にはすぐ飛び付いてきて、騒いでくれるかもしれないぞってね」

「ひとつ訊いていいか？」

「はい」

「それ、稲村君がそう言ったの？ それとも君の考え？」

「すみません」直也はバツが悪そうな顔をした。「全部、慎司が俺に話したことですよ」

「彼が君に打ち明けた？」

「ええ」

「すごくうまく騙すことができたって？」

「そうです」

「いいよ、続けて」私は背もたれによりかかった。「興味がわいてきた」

直也は軽く空咳《からせき》をして、私の顔色をうかがうようなそぶりを見せてから、言った。「黄色い傘《かさ》を見つけたとき真っ青な顔をしたのは、皆さんと同じ、あそこに子供が落ちたんだってことにショックを受けたからですよ。なにも不思議なことじゃないでしょ？ べつに傘から子供が転落する場面をスキャンしなくたって、誰でも青くなりますよ。まして、あいつは一度その子を見かけてるんだからね」

私は頷いた。「当然だな。ただ、稲村君は俺に、落ちた子供は、マンホールの縁で後頭部を打ったと言ってる。それは?」

「そりゃ、どこか打ってるでしょうよ」直也は捨《す》て鉢《ばち》な感じで言い捨てた。「遺体はきっと、どこもかしこも打ち身だらけじゃないですか? その程度のことなら、すごく安全で誰でも言うことができますよ」

「そうだな。俺もそれを決め手にするつもりなんかないよ。というか、彼が、マンホールの蓋が開けられる現場を見ていたんだとしたら、その件について言ってることは全部除外して考えてる。ただ――」

「ホテルのフロント係と、隣のレストランのウエイトレスの件ですね」直也は先回りをして言った。「それも簡単。あなたが一晩中捜索現場に出ているあいだに、あのウエイトレスがフロント係のところにやってきて、二人で立ち話をしているのを、慎司が聞いてたってだけのことです」

「ヒバちゃんていうフロント係のあだ名のことも、二人がときどきホテルの102号室を使ってることも――」

「ウエイトレスがタレント志望だってことも」直也はちょっと笑った。「目に浮かんじゃいますよ。フロント係がね、『おい、アローの記者が来てるぞ。明日の朝はそっちで朝飯食うように勧めてみるからさ、おまえ、ちょっとサービスしてグラビアにでも載っけてもらえよ』なんて言ってるところがね」

たしかに、ありそうな話ではある。大いに。

それでも、そう考えることには抵抗を感じた。あの朝、稲村慎司が自分はサイキックだと言ったとき、信じられないと思ったのと同じぐらい強く。彼がすばしこく計算して行動するペテン師であるとは思いたくなかった。

（さよなら）と言ったときの、あのうちひしがれたような背中を思い出したからかもしれない。あるいは、どっちをどう信じようと、どのみち自分がまるっきり馬鹿に見えると思ったからかもしれない。

「彼を拾った晩、俺はちょっと不愉快なことがあって実家からアパートへ帰るところだったんだ」

私はゆっくりと言った。直也もゆっくりと頷いた。

「彼はそれも言いあてた。誰かと喧嘩《けんか》してこっぴどく腹を立ててたでしょう、と。それに、四度目の禁煙の最中だってことも。これはどうなる？」

「腹を立ててたってことは、出会ったときのあなたの態度がそうだったから、そう言っただけのことですよ。禁煙のことは――」

「どう？」

「車の灰皿はきれいになってたし、一緒にいるあいだあなたは一度も煙草《たばこ》を吸わなかったし、ダッシュボードの物入れのなかに、新しいガス注入式のライターが二個あったけど、どちらもガスが切れてた。それと、いわゆる禁煙飴《あめ》ってのが一個あった。そう言ってましたよ」

呆れた。

「まるでシャーロック・ホームズだな。だけど、禁煙の回数は？」

「本当に四度目ですか？　禁煙してやめられない人は、何度断念したか正確に覚えてますか？」直也は言って、小さく笑った。「ここで一緒に働いてる人に、『おい、今度の禁煙は三度目だぞ』って言われたら、ああそうかなと思うんじゃありませんか。慎司もそうだったんですよ。禁煙というところだけ当てれば、あとはあてずっぽうでも、かなりの確率であなたを納得させられると思ったから」

心理学かね、と思った。人を説得するにはどうすればいいかお教えしましょう。

「で、次が」直也はまっすぐ私を見て言った。「あなたの子供のころの交通事故の件」

「そう」私はつぶやいた。「あれがいちばん驚いた」

「俺も驚きましたよ。慎司の記憶力がいいことにね。『アロー』の今年の四月五日号を見てください。僕は慎司から話を聞いたあと、図書館でバックナンバーを調べてみたんだけど――」

彼が言い終えないうちに、私は席を立っていた。編集部の棚《たな》をさらって問題の号をつかむと、ページをめくりながら応接室に戻った。そうしながら、見当がついてきていた。

四回の分載で、「第二次交通大戦争」という特集を組んでいたのだ。私自身はタッチしていない。していないから忘れていたのだが、自分の事故の経験について、担当の記者と話したことがあった。雑談めいた形だったが、たしかに――

「四月五日号には、大型トラックにまつわる事故についての特集が載ってますよね」と、直也が言った。

そのとおりだった。深夜、路上駐車されている大型トラックに、距離感を間違えた普通乗用車がまともに衝突して、荷台の下に潜りこむようにして大破する「サブマリン現象」という事故が激増していることを取り上げている。

だが、それだけではなかった。特集の最後の方では、運転席が高く、アンダーミラーではカバーしきれない死角が多いという、大型車の危険な特徴に起因する「巻き込まれ事故」の件数が一向に減少していないことにも触れてある。

そして、狭い道を曲がろうとするとき、大型トラックの前輪と後輪の描く軌道にどれほど大きな差があるかを示すモノクロの連続写真の説明文のなかに、担当記者はこう書いていた。

「小さな子供など、簡単に車輪の下敷きにされてしまう。本誌編集部にも、小学生のとき、三叉路《さんさろ》で信号待ちをしていて材木を積んだトラックの後輪に巻き込まれ、脛《すね》に傷もつ身になってしまったK記者がいるが、彼の話だと、トラックはゆっくり動いていたのに、気がついたらもうどうしようもなかったそうだ。おかげで、未《いま》だに大型トラックを見かけると足が勝手に逃げだすような気分になるそうである――」

(三叉路で信号待ちをしていて)

(材木を積んだトラックに)

(足が勝手に逃げだすような)

目をあげると、直也が黙って頷いていた。

「でもこれは——」私はかろうじて言った。「頭文字だけだ」

「見たんですよ。あなたの足にある傷跡を」

「いつ？　そんな機会はなかったよ」

「ありましたよ。マンホールの蓋が開いているのを見つけたとき。道路に降りるために裸足《はだし》になったそうですね？　上着も脱いで、ズボンの裾《すそ》もまくった。そうじゃないですか？」

そうだった。

「むこう脛に傷なんて、そう誰でもつくるものじゃないですからね……。あと、事故のディテールは、適当に脚色して話したんでしょう。少しくらいなら平気ですよ。細かい部分では、あなたの記憶だってもう薄れてるだろうから」

雑誌を開いたままテーブルの上に投げ出すと、私は思わず天井を仰いだ。

「なんてこった」

「最後にひとつ、女の人のことがありましたね？」

小枝子のことである。

「いいよ、教えてくれよ。何を聞かされても驚かないから。まさか、彼女も君たちの従姉《いとこ》だってことはないだろ？」

「直也はまるで見当違いの質問を投げてきた。「今日着てる、その上着、事件の夜のと同じですか？」

「え？」

「同じ上着？」

「いや、違うよ。なんでだ？」

「じゃ、お宅に帰ったら、事件のときに着てた上着の裏地を調べてみてください。左の袖付《そでつ》けの下のところに、かぎざきを直した跡があるから」

「なんだって？」

直也は落着きはらっていた。「かぎざきを繕った跡があるんです。白っぽい糸で。でね、繕いの縫い目の脇《わき》に、同じ色の糸で、カタカナで『サエコ』って名前の縫いとりが入れてあるそうです。慎司はそれを見たんだ。さっきも言ったけど、雨のなかへ出てゆく前に、あなたは上着を脱いで車内に置いていった。そのとき見えたんですよ。そう言ってた」

啞《あ》然《ぜん》とするしかなかった。「本当に？」

「本当です。確かめてみればすぐわかることですよ」そう言って、直也はまた、首を縮めるようにして頭をさげた。「すみません。すごくプライベートなことですからね」

「そんな縫いとりがあるなんて、今まで全然気づかなかったよ」

気づいていたら、そのまま残しておいたわけがない。

「言われなきゃ気づかないくらい小さい縫いとりだって、慎司も話してました。そんな茶目っ気のあることをする女性と言ったら、あなたの恋人か奥さんでしょうからね。まさかお母さんのわけないだろうし」直也はちょっと笑った。「この上着を着てる人はわたしのものよっていう署名みたいなものかな。可愛《かわい》い女性だったんでしょうね」

たしかに、手まめで家庭的な女ではあった。仕事のせいで行き違ってしまっても、彼女が部屋に来ていたということはすぐわかった。いつもきれいに掃除がしてあったから。自分の才能は家事を執り仕切ることにあるのだと言っていた。だから、完璧《かんぺき》な見本のような家庭を望んでいたのだし、子供を欲しがっていたのだ。

「すみません」直也はまた頭をさげた。「そういう女性にだったら、あなたが事故のことを話してそうなものだってことは簡単に想像がつくし、その人の名前を出したときのあなたの反応で、今もうまくいってる女性じゃないんだってことも——」

「もういい」私はぶっきらぼうに遮った。「わかったよ」

直也は黙って頷いた。

「ほかには？」ようやく、そう訊《き》いた。

「何もありません。ただ、お願いが」

きちんと姿勢を正して、直也は言った。「本当に申し訳ないことをしましたけど、あいつのこと、勘弁してやってほしいんです。怒ったりしないで……もう会わないでやってください。よく言い聞かせて叱《しか》っておきましたから、二度とこんなふざけた真似はしないと思います。いや、俺《おれ》がさせません。約束します」

彼の目は真剣で、口元が引き締まっていた。

「怒るつもりはないけどね」

このうえ怒ったら、いい大人がなおさら阿呆《あほう》に見えるだけだ。

「ただ、彼に会うのもまずいかな」

「あいつ、病気ですよ」直也は切り捨てるように言った。「あなたに会えば、また嘘《うそ》をつくと思うな。ひと昔前の話ですけど、スプーン曲げ騒動って、あったでしょう？」

昭和四十九年のことだ。いわゆる超能力ブームで、指で触れているだけで金属製のスプーンを折ったり曲げたりできるという子供たちが続々と現われ、ちょっとした社会現象にまで発展した。「週刊朝日」がそのトリックを暴《あば》き、反超能力のキャンペーンをうって、それもまた話題になったものだった。

「あったね。よく知ってるな。あの頃《ころ》、君なんかまだ学校にもあがってなかったろうに」

「慎司がその頃のことをよく調べてるんですよ。あれ、一種の集団ヒステリーみたいなもんだったって、俺は思うけど。子供は感化されやすいし、自分はほかの友達とは違う何かを持ってるって思うのは、すごくゾクゾクすることですからね」

「大人を手玉にとることも？」

「そうですね……。慎司もあの子たちと同じです。手がこんでるだけ重症だけど。早く目を覚まさせてやらなくちゃ」

そして短く声をたてて笑うと、直也は言った。「もし本当に超常能力者《サイキッツ》なんてものがいるとしたら――」

それきり口をつぐんでしまう。

「いるとしたら、なに？」

私が促すと、ぽつりとこぼすように、こう言った。

「マスコミの前に出ていって、スプーンやフォークを曲げたりなんかしませんよ。自分のことをしゃべったりもしない。怖がって、隠れてる。きっとそうに決まってます」

最後にもう一度、もう慎司には会わないで、知らん顔を通してやってくださいと念を押すように言って、直也は立ち上がった。

「マンホールの蓋《ふた》を開けた二人組、名乗り出てきませんね」

「——うん」

「慎司が余計なことをしたからかな。高坂さんはどうするつもりですか？　彼らのこと、警察に？」

「そうするとしたら、稲村君のこともしゃべらないとならないな」

直也の口元がぴくっと引きつった。ほかのなによりもそれを恐れているのだと、よくわかった。

「しゃべらないよ」私は静かに言った。「稲村君にも言ったけど、それじゃあんまりだからな。黙っていても、きっと彼らの方で行動を起こしてくれるだろうと思うから」

「そうだといいですね。本当に」

直也は帰っていった。若者らしくない前かがみになった背中が、何かひどく重いものを背負っているようにも見えたけれど、それはただの考えすぎだな、と思い直した。深読みや感情移入は、もうほどほどにしておこう——という気分だったから。

それでも、ホテル「ピット・イン」に電話をかけて、あの夜のフロント係を呼び出してもらうことまでは、やった。悲しい習性と言うべきか、「裏をとれ」という内心の命令から逃げられなかったのだ。

しばらく待たされて、「です」の「で」を省略する癖のある彼の声が聞こえてきた。

「あれ？ なんだ、あんときの記者さんか。びっくりしたなあ」

「仕事中にごめんよ。妙なことを質問したいんだけど、答えてもらえるかな」

「へ？ なんすか？」

マンホールの事件の夜、ホテルのなかでガールフレンドのウエイトレスと話をしたかと尋ねると、彼は笑いだした。

「それって、大事なことなんすか？」

「非常に」

「はは。じゃあ答えましょう。うん、会いましたよ。あいつ、本当は、夜は九時まで働きゃいいんだけど、あの夜はあの天気だったでしょう？ 帰れなくなって、夜じゅうレストランにいたから、オレんとこに夜食持ってきてくれたりしたからね」

「102号室の話なんかもした？」

「うわっ！ おっかねえなあ。なんでそんなこと知ってんの？ オーナーには黙っててくださいよ。ちゃんとシーツはとっかえてるからね」

「彼女、君のことをなんて呼んでる？」

「オレのこと?」

「うん。ヒバちゃんて呼んでるか?」

彼は仰天しているようだった。「『アロー』ってのはおっそろしい雑誌だね。どうしてそんなこと知ってるんすか?」

「なんでもないよ。ありがとう」受話器を置きかけて、付け加えた。「彼女にさ、モデルなんかにならないで、早いとこ君と結婚しろって言ってやれよ」

フロント係は笑った。「あいつが一流モデルになって稼《かせ》げるようになったら結婚するんすよ」

「甘い、甘い。そうなってからじゃポイされるぞ」

「へえ、そうかな。オレって、日本一のヒモになれる素質があると思うんすけどねえ」

またご利用願いますと言って、彼は電話を切った。

私はしばらくのあいだ、何もする気になれずに机に肘《ひじ》をついていた。やっと頭をあげて、うずたかく積まれた資料の向こう側にいる同僚に、煙草あるかと声をかけた。

「お、ついに四度目の禁煙破れたり」

「またやるよ。気が向いたらな」

煙草は苦かった。笑止千万の顚末《てんまつ》だな、と思った。それでいながら、どうして笑うことさえできないのか、不思議だった。

その夜アパートの部屋に戻って、あの上着の裏地に、たしかに「サエコ」の縫いとりがあるのを見つけた。

やはり、笑いも怒りもしなかった。

鋏《はさみ》で糸を抜こうとして、やめた。そのままゴミ集積所へ放《ほう》ってきてしまった。ひとつだけ、さっぱりしたことだった。

その週末、また台風がやってきた。ある意味ではこれぐらい呑気《のんき》な災害もない。刻一刻と、近づいてくる様を眺《なが》めていることができるのだから。

また雨台風だった。天が喘息《ぜんそく》を患《わずら》っているかのような風が吹いた。家が流され、山が崩れた。同じことの繰り返しだったが、子供が行方不明になることはなかった。

逆に、今度の台風は子供を見つけた。

「望月大輔の遺体が出たよ」

報《しら》せてくれたのは、以前に接触した支局の記者だった。

「今度の増水で下水の泥《どろ》のなかから押し流されてきたらしい。可哀相《かわいそう》にな」

汚泥《おでい》のなかに。可哀相にな。

「解剖は?」

「まだだ。何か問題でも?」

「いや。べつにいいんだ」

(どこもかしこも打ち身だらけじゃないですか?)

猫《ねこ》はどうしたかな……と、ぼんやり考えた。

3

電話で起こされた。

校了明けの朝だった。手探りで枕元《まくらもと》の受話器をつかむと、佳菜子の声が耳に飛び込んできた。

「高坂さん？ ごめんね、ごめんなさい」

「あのな」目をつぶったまま言った。「なんでもいいよ。何をやったにしろ許す。謝らないでいいからさ、気にするな。おやすみ」

「ちょっと待って！ 切らないでよ！ 急用なの」

「そう。休養したい」

「もう！ 急いでるのよ！ お客さまなの！ 朝ね、あたしより先に来て待ってたの。男の子よ。どうしても会いたいんだって。可哀相に真っ青な顔してる。ねえ、起きなさいってば！」

今度は稲村慎司だった。

彼とは会わないと、約束をしてあった。着替えながら、何度かそのことを考えた。織田直也に連絡しようか、と。

だが、それも芸のない話だ。こっちはいい大人なのだし、あれだけ筋の通ったタネあかしを聞いたあとだ。もうひっかかりはしない。

結局、一人で出社した。慎司を叱ったり、全部聞いてるんだぞと怒ることもするまいと決めていた。ある意味では興味深い子供だし、彼が何を言いたくてやってきたのか、じっくり聞き出してみようと思ったのだ。

朝九時の編集部は、徹夜明けに見るその時刻の編集部とはべつの場所のようだった。いっぱいにたちこめた煙草《たばこ》のけむりがないせいかもしれない。佳菜子は雑巾《ぞうきん》片手に掃除をしていたが、私が顔を出すとすぐに飛んできた。

「新鮮だな」と、彼女に言った。「こういう気分を久しぶりに味わった。それにしても通勤ラッシュはこたえるね。カコちゃんは毎朝あんな電車でもまれてくるのか？」

「頭は働いてるんだね」と、佳菜子は私の顔をのぞきこんだ。「あの子、応接室で待ってる。コーヒーが欲しいでしょ？」

「トン単位で頼む」

偶然だろうが、慎司は直也が座っていたのと同じ席にいた。膝《ひざ》を縮め、肩をすぼめている。このところ、私に会いにやってくる青少年たちは、皆どこかしら具合が悪いようだった。

「ごめんなさい」と、いきなり言った。ふらりという感じで立ち上がる。

「朝からそう連発で謝られると、神父にでもなったような気がするね。どうしたの？」

「眠れなくて」慎司はすとんと座った。「気になって」

目の下にくまが浮いているし、げっそりと頬《ほお》がこけたような感じもする。理屈抜きに、私は胸が痛むのを感じた。

「ちゃんと食事してるか？」

慎司は首を横に振った。

「学校は？」

「今日は休みます」

「その方がいいな。帰って、何か食って、一日寝てろ。そうすりゃ少しは元気が出る」

慎司は充血した目で私を見上げた。「あの子の死体が見つかったね」

私は頷《うなず》いた。

「でも、あの二人は名乗り出てこないね？」

また、頷いた。

「僕のせいだね？」

「違うよ」

「ううん。僕のせいだ」

私はため息をつき、どすんと腰をおろした。ソファもため息のような音をたてた。

「君のせいだったら？　どうする？」

慎司は黙っている。

「どうしようもないだろ？ どうしようもないってことは、すなわち君の責任じゃないってことだ」

少なくとも、望月大輔が死んだことは、慎司の責任ではない。

「どうすればいいかわからないんだ」

「忘れろよ。それがいちばんだ」

「忘れられないよ」

「じゃ、努力して忘れろ。学校で教わるだろ？ 人間、努力が肝心だ」

「ふざけてるね。おかしいよ。なんでそんな茶化すようなことばっかり言うのさ？」

「徹夜明けでね。人間てのは、限界以上に疲れると、頭のなかにモルヒネができるらしい。だからハイになるんだよ」

慎司は一段と青ざめて口をつぐんだ。私は目をそらした。

やはり、いくらかは腹を立てているのだ。この少年に。彼が人を騙《だま》すような子供には見えないことに腹を立てている。あまりに真面目《まじめ》に見えることに腹を立てている。どうしても嘘つきのように見えないから、腹が立つのだ。

やがて、慎司は低く言った。「わかった」

「え？」

「直也に会ったんだね？」

先頭打者ホームランみたいなものだった。とぼける余裕さえない。

ノックの音がして、佳菜子が盆をささげて入ってきたのと、私が口を開いたのが同時だった。「誰のことだ？」

佳菜子がびくっとした。横目でもそれがわかった。

慎司はむきになった。「わかってるくせに。来たんだろ？　ここに。そんなことをするんじゃないかって思ってた。直也、どんなことを話したの？」

私は手のひらを広げた。「こっちは、誰のことだって訊いたんだぞ？」

慎司は私を見つめたまま声を張り上げた。「おねえさん！」

佳菜子は二度びっくりして、「はい！」と答えた。

「最近、高坂さんに会いに、学生みたいな感じの男が来ましたよね？」

佳菜子は私を見おろした。私は彼女を見上げなかったが、顔の片側で（返事をするな）と合図した。伝わったと思った。

「おねえさん」慎司は半ば立ち上がり、佳菜子に近づいた。「来たでしょ？　そうですよね？」

佳菜子はあとずさりして、こちらに近寄った。私は彼女の肘に手を置いて、ドアの方へ押しやった。「悪いね。出てくれ」

「おねえさん！」

「出てくれ。な？」

佳菜子はぎくしゃくと頷くと、ほとんど走るようにして出て行った。慎司は中腰で私を振り向くと、割れた声で言った。

「ひどいじゃない。なんでそんな意地悪なことするんだよ？ 直也に何を聞かされたのさ？」

怒るより何より、この瞬間、私はほとほと嫌気《いやけ》がさした。いったいなんでこんなやっかいなことに首をつっこんだんだろう。

「座れ」

慎司は従わなかった。

「座ってくれ。頼むよ」

それでようやく、くちびるをぶるぶる震わせながら腰をおろした。彼のしゃっくりのような激しい息遣いが少しおさまるのを待って、私は言った。

「なあ、俺はさ、君の倍近く歳《とし》をくってるんだよ」

自分でも何を言いたいのかよくわからないまま、先を続けた。

「もっと年長の男から見たら、それでもまだ若い方なんだけどね。君や織田直也君よりはずっとくたびれてる。その分、頭も堅くなってる。君等の考えてることについていくのは大変なんだ」

慎司が反応を示したのは、「織田直也」という名前にだけだった。

「やっぱり、彼、来たんだね？」

「ああ、来たよ。話も聞いた」

「僕がインチキをやったんだって言ったんだね？」

「ああ、言った。ちゃんと筋道の通った話だったし、裏もとれた」

思いがけないことに、慎司はへへ、と笑った。

「可笑《おか》しいか？　可笑しいよな。俺《おれ》もできたら笑いたいよ。でもそうもいかないんだ。笑って君等の相手ばっかりもしてられない。誰のためになってるんだか知らないけど、やらなきゃならない仕事があるからな。いや、誰かのためにやってるんじゃない。食《く》い扶持《ぶち》を稼ぐために働いてるわけだ。それはわかるだろ？」

慎司はこっくりと頷いた。

「だからさ、話はストレートに行こう。いちばん困ってるのは俺なんだ。俺も一時は君を信じてたからな」

やっと、慎司は顔をあげた。

「そうだよ。信じてた。それを言い触らすつもりはなかったけど、信じてはいた。あの状況じゃ、それがいちばん筋が通ってたからね。この世にひとつぐらい、理屈で割り切れないことがあったっていい。よく聞くことさ。遠くに住んでる友達が死にぎわにお別れに来たとか、夢でみたことが全部現実になったとか。誰でもみんな、ひとつぐらいはそんな話をあったためてる。俺もそれにぶつかったんだなと思ってた。実際、君が本当にサイキックなら、生きていくのはさぞ大変だろうとまで考えたんだぜ」

何度かまばたきをしてから、慎司はまた目を伏せた。

「すると、だ。そこへ君の従兄《いとこ》だっていう直也君がやってきて、君のことを超能力に憧《あこが》れてるだけの嘘《うそ》つきだって言う。で、実に見事にそれを立証してくれた。おまけに彼は、もう君には関《かか》わらないでやってくれと言う。ところが今度は君がやってきて、どうして信じてくれないんだって言う。なあ、君たち俺にどうして欲しいんだよ」

長い沈黙が落ちた。佳菜子はどうしているのか、足音さえ聞こえない。

「ただ、信じて欲しいんだ」

慎司はそう言って、両手で顔をごしごしこすった。

「それだけです。本当のことを言ってるのは僕だから」

「じゃ、なぜ直也は嘘をついた？」

「彼も僕の仲間だからだよ。サイキックだから」

私は黙って慎司を見つめた。メビウスの帯のなかに入りこんだような気分だった。

慎司はぽつぽつと語った。一本調子の、唱えるような口調だった。

「彼は僕の従兄なんかじゃない。その方がとおりがいいからそう言っただけだと思う。彼ね、僕が今までで初めて会った、同じ力を持ってる仲間なんだ。僕より、直也の方がずっと力が強いけどね」

知合ったのは二年前だ、という。

「新宿のね、紀伊國屋《きのくにや》書店で。あそこ、いつも満員電車なみに混《こ》んでるでしょ？　僕――何を買いに行ったんだっけな——もう忘れちゃったけど、とにかくあのなかでぶらぶらしてた。そしたら、彼の声が聞こえてきたんだ」

頭のなかにね、と言って、本当に久しぶりに、弱々しい笑みを浮かべた。

「ああいう人込みに出ていくことって、すごくワクワクするけど、すごく疲れることでもあるんだ。しっかり能力をコントロールしてないと、何でもかんでもキャッチしちゃうから。ちょっと油断すると、すぐそばにいる人の周波数にあっちゃって、その人の考えてることが伝わってきちゃう。何にたとえればいいのかな——高坂さん、輪唱ってやったことある？」

「輪唱？　歌の？」

「うん。静かな湖畔の森のかげから、とかさ」

ちょっと節をつけて歌い、慎司は微笑した。

「ああ、あるよ。学校で。下手くそだったけどね」

「僕も下手なんだ。すぐ人につられちゃう。あれと似てるよ」

「人込みのなかにいることが？」

「うん。ちゃんと自分の節を歌ってるつもりでも、気がつくと隣の人に合わせちゃってる。あ、いけないと思って元に戻すでしょ。でもしばらくすると、また別の人の節で歌ってるんだ。それと同じ。自分が失《な》くなっちゃうっていうか……ひどいときなんか、自分が買いにいったものを忘れて、他人が欲しがってたものを買ってたりする。直也はそれを、『他人の思考に酔っぱらう』っていうふうに言ってるけどね」

ひとつ息を吐いて、慎司は続けた。

「直也と出会ったころの僕は、やっとこさ能力のコントロールの仕方を身につけたばっかりだった。だから、しんどいけど、人がたくさんいる場所に出ていくことも好きだった。ほら、自転車に乗れるようになると、どこへでも乗って行きたくなるでしょ。試してみたくなるんだ。それと同じだよ。人込みのなかにいて、力を使ってみたり引っ込めてみたりする。それがすごく楽しかった。だから、そうしてた。それで彼をキャッチしたんだ」

「どんなふうに？　さっきは『彼の声が聞こえた』って言ってたな」

「そうだよ。聞こえたの。でも耳でじゃないよ」

「彼、なんと言ってた？」

「あのときは、すごくお金に困ってた。切実だったよ」

「金にねえ。でも、今から二年前っていうと、彼もまだ学生だったんじゃないかな。家族はどうしてた？」

「彼、中学を卒業してすぐ家出しちゃったんだ。それからずっと一人ぼっちなんだよ。自分の面倒は、全部自分だけでみなきゃならない」

フリーターだ、と言っていた織田直也は、たしかに、あまり良い身なりをしてはいなかった。膝の出たジーンズに、この季節には薄すぎるシャツ一枚――

「なぜ家出なんかしたんだろうね。理由は訊《き》いた？」

突然慎司は声を張り上げた。「簡単だよ。サイキックだからさ」

なんて馬鹿《ばか》なことを質問するんだ、という勢いだった。

「それも、直也は僕よりずっと力が強いからだよ。強くて、ちょくちょくコントロールがきかなくなる。彼、ツイてないんだ。僕みたいに、遠縁でもいいから、身内に同じ能力者がいてくれたら、もうちょっと違ってたと思うんだけど。ずっと一人で苦しんでた。おまけに家のなかはゴタゴタ続きでさ、親は離婚するし財産争いは起こるし、そんななかに置かれたら、普通の子供だってグレちゃうよ。ましてサイキックがそんなところにいられるはずないじゃない！」

私が黙っていると、慎司は勝手に興奮したことに照れたのか、バツが悪そうに下を向いた。

「すみません。大声出しちゃって」

「いいよ。気にするな」

「ときどき、僕も怖くなるんだ。家族とうまくやっていけなくなるときが来るんじゃないかと思って」そして、ひどく寂しそうな顔をした。「家族だけじゃない。誰ともうまくやれなくて――」

「一人ぼっちになるんじゃないかと思う？」

「うん――今だって、すごく友達をつくりにくいなって感じることがあるからね」

私は、あの長たらしい名前の会の代表者をインタビューしたとき考えたことを思い出した。

「聞きたくもない本音ばっかりが聞こえるから？」

「そうだね。うん」

「でも、それは聞かないようにコントロールすれば済むことだろ？」

「そうだけど……」慎司は目を伏せた。「高坂さん、僕ぐらいの歳のときを思い出して考えてよ。目の前にね、ちょっと可愛《かわい》いなあと思ってる女の子の日記があってさ、誰にも知られずにそれを読むことができるとしたら、どうする？　プライバシーを侵害しちゃいけないって思って、絶対手も触れない？」

私は笑った。「それほど真面目じゃないね」

慎司も笑った。「でしょ？　僕だって同じだよ。相手のことが気になると――好きになったら余計に――知りたいって思うよ。で、自分にはそれができるってわかってるから、我慢できない」

「それで――スキャンしてみて、どうなる？　満足する？　それともがっかりすることの方が多いか？」

「わからないな……たいてい……たいていはがっかりするような気もするし……」

どこか非常に狭い場所に、針のような細いものを通そうとしているかのように、目を細くした。「時にはすごくいいこともある。去年のクリスマスに、彼女にプレゼントをあげようと思ってさ。いろいろ考えたんだけど、そんなのバカらしいよなあって思ったわけ。彼女の心に訊いてみりゃいいんだもんね？」

「じゃ、ガールフレンドをスキャンしたの？」

「うん。スケートに誘ってね。いい手でしょ？　可愛くてグラマーな娘《こ》だったけど、運動神経はてんで鈍くてさ、僕につかまってても一メートルと滑れなかったよ」

「それで何がわかった?」私は興味を惹《ひ》かれていた。

「彼女が僕にセーターを編んでくれてるってことと、化粧品をね、彼女のお姉さんが使ってるのと同じ化粧品のセットを欲しがってるってこと。単品でも、すごく高いんだ。しょうがないから、乳液と化粧水だけ買ってあげたよ」

「喜んだろ」

「最初はね」小さく言った。「最初のうちは。でも、だんだん彼女の態度がおかしくなってって……今考えると、僕はしょっちゅうそういうことをやってたんだ。一緒に映画を観《み》にいくじゃない? さあ、何を観るってことになると、彼女は何を観たがってるかな? あっちかな、こっちかなって、探ってみる。で、彼女が観たがってる方を選ぶ――」

「いいじゃないか。いまどきはそういう気配りのある男の方がもてるんだ」

私は気軽に言ったが、慎司は笑わなかった。

「気味が悪いって言われたよ」

私は笑みをひっこめた。

「あたしのこと、なんでもわかってるみたい。キモチ悪いわ。それに時々、あたしのことなんかみーんなわかってるっていう顔で見るのね、そんなのイヤだわよ、だってさ」

慎司は自嘲《じちょう》気味に鼻で笑うと、ため息をもらした。

「そうなんだ。だから彼女とはサヨナラ。それきりガールフレンドはできないよ。怖い気もする。新しい彼女ができたって、また同じことを繰り返すだろうからね。誘惑に負けちゃうんだ。彼女のこと、みんな知りたいって。で、結局は嫌《きら》われる」

その繰り返しだよ、と、小さくつぶやいた。

「男友達だってそうさ。先生のなかにも、僕のことを露骨に避けてる人がいる。自分じゃ決してそんなつもりはないんだけど、僕の顔に、優越感みたいなものが浮かんでるんだろうね。全部お見通しだぞって、ね……」

口には出さなかったが、私はそれを肯定した。私も彼の顔にそれが浮かぶのを見たから。あの造成地で。

(僕に触らないほうがいいよ。またスキャンされたくなかったら)

すべて棚上《たなあ》げに——織田直也をとるか稲村慎司をとるかということは脇《わき》において——して、一般論で考えるにしても、もしサイキックというものが存在するとしたら、今慎司が語っているような問題は、間違いなく、きわめて現実的にその肩にのしかかってくる種類のものだろう。

頭のいい子だ。私は驚いていた。その創造力、想像力に。そして彼が仮にサイキックを装っているのだとしても、それは意図的なものではなく、むしろ無意識の自己暗示に近いのではないかと考えた。ただ芝居を打っているだけで、ここまで深く具体的な洞察《どうさつ》をめぐらせることができるとは、とても思えない。

仮にサイキックを装っているのだとしても？　自分で立てたその前提に、思わず苦笑した。

また堂々めぐりだ。

「どうして笑うの？」

素早く問われて、つくろう余裕もなく、私は正直に話した。

「君たちのどっちを信じりゃいいのかわからなくなったからさ」

「そうだろうね。ごめんなさい」ぺこりと頭を下げて、「でも、高坂さんが混乱するのも当然だよ。こういうことを専門に扱ってる学者さんたちだって、まるでインチキのサイキックに騙《だま》されて振り回されたり、ホンモノをホンモノと気付かないでやりすごしたりしてるんだからね。ユリ・ゲラーの騒ぎがいい証拠だよ」

「彼はインチキだったようだね」

「ペテン師の見本だよ」吐き出すように言って、慎司は口元を引き締めた。「それより、直也は、僕のインチキを証明するために、どんな材料を持ってきたの？　僕、高坂さんと会ったこととか、あの夜起こったことは、残らず直也に話したんだよ。彼、それをどういうふうに料理したのかな」

私が説明するあいだ、慎司は黙って目を伏せたまま、身動きもせずに聞いていた。が、話がアローの四月五日号のくだりにくると、ぱっと目を見開いた。

「そんなの、僕知らないよ。高坂さんの足の傷跡だって、目で見たわけじゃない」

「それにしたって、記事の内容と、君の言いあてたことが似すぎてるとは思わないか？そっくりだよ」

慎司は何度か唾《つば》を飲込みながら、必死で考えているように見えた。

「直也がそれだけ一所懸命になって、ありもしない反証を探したってことだよ」

「それだけじゃ、ふたつが似ていることの理由にはならないね。偶然すぎるよ」

落ち着かな気にズボンの腿《もも》の辺りを手のひらでこすりながら、慎司は舌でくちびるを湿した。

「ひとつ考えられるのは——」と、目をあげた。

「言ってごらん」

「事故は二十年も昔のことだよね？ 高坂さん自身、細かいことは忘れてる。でも、今年になって一度、四月五日号の記事のために、意識してそのことを思い出したでしょ？」

たしかにそうだ。

「事故のことを口に出して人にしゃべったわけだよね。言葉に出して話すとね、記憶って再構成されるんだ。で、再構成された形で、また保存される。だから、また次の機会に同じ記憶を呼び出すときには、その再構成された形で出てくるんだ。だから僕が高坂さんをスキャンして、事故の記憶を読み取ったときも、四月五日号の記事のために高坂さんが思い出したのと同じ内容が出てきたとしても、ちっとも不思議じゃないんだ。むしろ当然だよ」

私が顔をしかめたので、慎司は心配そうな表情になった。

「わかんない？」

「いや、わかんなくはない」

だが、どうも詭弁《きべん》のような気もするし――

「僕にもうまく説明できないよ」と、慎司は途方にくれたように肩を落とした。

「ほかのことについてはどうだ？　たとえば、俺の上着の裏地に縫いとりがあったってことは？」

それだけは、慎司が実際に目で見て、織田直也に話したのでなければ、説明不可能なことだ。

どこかが痛んでいるかのような顔で、慎司は認めた。「……見たよ」

「そうか」

「だけど、それと、スキャンで『サエコ』って名前が出てきたこととは関係ないよ！」

法廷では通用しない理屈だろう。

「フロント係の人のことだって、説明できるよ。そうだよ、あの夜、ウエイトレスさんが遊びに来て、二人でカウンターをはさんで色々おしゃべりしてたんだろうさ。でも、僕はそれを聞いてはいない。絶対！　僕は、フロント係が一人でいるところへ、濡《ぬ》れた服を乾かしてもらうために降りていったとき、カウンターに触って、そこから二人のやりとりを読んだんだもの！　だから――」

「わかった」

「わかってないよ、聞いて――」

「わかったよ。細かいことはもういい。混乱するだけだからな。ひとつだけ、肝心なことを教えてくれ」

慎司は気色ばんだ。「なんですか？」

「織田直也は、どうしてわざわざそんな手間をかけて、俺が君に騙されてると言いにきたんだろうな？」

慎司はぐいと顎《あご》を引き、きっぱりと答えた。「怖がってるから」

「なにを」

「自分がサイキックだってことを、世間に知られることをね」

どきりとしたのは、直也の言葉を思い出したからだった。

（もし本当にサイキックなんてものがいるとしたら、怖がって隠れてますよ）

「でも、これは君のことだ。彼のことじゃない」

「同じですよ。僕らは仲間だけど、このことではまるっきり意見が対立してるからね」

慎司は膝《ひざ》の上で拳《こぶし》をかためた。

「僕は、持って生まれたこの力を活《い》かしたい。人の役に立てるものなら、そうしたい。そうでなきゃ意味がないもん。ただこんなしんどい思いをするだけなら、なんのために生きてるんです？ 外国じゃね、サイキックが警察の捜査活動に協力したりするんですよ。堂々と、公的にね。すぐにそこまで行くことはできないだろうけど、機会があるならどんどん表に出ていくべきだと思う。ただ——今度は、僕があさはかだったばっかりに、かえってややこしいことにしちゃったけど」

語尾が震えた。

「だけど、直也はそうじゃない。逃げることばっかり考えてる。僕もそれは理解できるんだ。彼、辛《つら》い思いばっかりしてきたから。能力を持ってるばっかりに、散々嫌《いや》なことを経験してきた。家も飛び出したし、仕事だって長続きしない。だからお金にも困ってるし、住むところも定まってないんです。僕と初めて会ったときだって、彼、もう小銭ぐらいしか持ってなくて、仕事のあてもなくて――どうしようかって悩んでた。もういっそ死んだ方がました、そうすればこの力とも縁が切れる、と。それが僕に聞こえたんですよ。彼、文庫本の棚にもたれて、本当に今にも死にそうな顔をしてたんだ」

痩《や》せて血色の悪い織田直也の顔が、私の頭をよぎった。

「仕事が続かないのはね、彼が周囲をスキャンしすぎるからなんです。コンビニに勤めるとするでしょ？ で、ある晩、レジのお金が合わなかったとする。おかしいって調べてるとき、みんなそれぞれ困った顔で、いろいろ考えてる。直也はあんな格好で、ちょっと病人みたいにも見えるし、学校もろくに出てない風来坊だからね。すぐ疑われる。でもみんな口には出さない。出さなくても、彼には聞こえる。聞いちゃうから。そういうことが積み重なっていって、もうそこにはいられなくなるんです。追い出されるわけじゃないけど、直也自身がそういうふうに自分を追い込んでいっちゃうんだ。その繰り返しで――こういうのを悪循環っていうんでしょう？」

「じゃ、スキャンをやめればいいじゃないか」

「そうですけどね」慎司はむっとしたようだった。「そうですよ。好奇心を抑えてね。でも、それはすごく難しい。直也の場合は、僕よりずっと難しい。どうしてかっていうと、彼の力は僕よりも遥《はる》かに強いし、さっきも言ったけど、彼にはサポートしてくれる人がいなかった。最初から一人ぼっちだったから、いまだに力をコントロールする技術を身につけられないでいるんです。力が独り歩きしちゃうんだ」

オープンになる。その言葉を思い出し、私は不覚にもひやりとした。

「恐ろしいよ。すごくたいへんな毎日だろうと思う。だから、僕もできるだけ力になりたいと思うけど、どうもしてあげられないんだ」

ちょっと言いにくそうに口籠《くちご》もってから、慎司は続けた。

「一度ね、お金で女の人を買ったことがあるんだって」

私はぎょっとした。べつに売春の話に驚いたわけではなく、展開が読めたからだ。

「ね？　想像つくでしょ？　今そういう顔をしたよ」慎司は皮肉な笑い方をした。「直也は笑って話してくれたけど、目は真っ暗だったよ。だってさ、やってるあいだじゅう、相手の女の人がああやだやだやだやだやだやだやだやだ――」

激しく首を振りながら、慎司は「やだやだ」を繰り返した。そしてパッと口を閉じ、しばらく間をおいてから、ぼそりと言った。

「結局、できなかったって。その欲求不満だけでも俺《おれ》は早死にするって言ってる」

何か気のきいたことを言ってやろうとして、できなかった。あまりにも生々しすぎて。

「おまえも覚悟した方がいいぞって、脅かされたよ。いちばん本音の出るときだから。いいときばっかりじゃないだろうからね」

「そう——だろうな」

疑問がブーメランのように弧を描いて戻ってきた。彼らはどういう結婚生活を築いてゆくのだろう?

知らないから幸せということはある。理解できないから平気でいられるということで、生活は成り立っているのだ。

「あれじゃ、恋愛なんてできやしないよ。僕でさえできないと思うことがあるんだから。だけどね、だからと言って犯罪者になれるほど、直也は強くないんだ。優しいんだもの」

だから心配なんだと、慎司は声を高くした。「冗談抜きで、今のままでいたら、彼はもうそう長くは保《も》たないよ。擦り切れちゃう。彼、危険なくらいしょっちゅうオープンになってて、それで身体《からだ》が弱って、身体が弱るからもっとコントロールが利《き》かなくなって、またオープンになる。だからなんとかしたいんだ。助けがほしい。だけど直也はものすごく怖がってて、うんざりしてて、自分からは絶対に力を人に示したりしないからね。せめて僕が——僕が何かのとっかかりをつくれればって思うんだけど、彼はそれを片っ端からつぶしていっちゃうんだ」

震える手で頭を押さえると、目を閉じた。「そうでなくても、今度のことは、最初から僕の勇み足だったけど。難しいよ。すごく難しい。どうしたらいいのかわかんないよ」

沈黙が落ちた。慎司は心臓発作でも起こしたかのように息を切らしていた。

「大丈夫か？」

声をかけても、しばらくは返事もしなかった。

「――うん。僕は平気です」やっとそう答えて、顔をあげた。

とりあえず、私は言ってみた。「どこか公共機関を訪ねてみることは考えてみた？」

慎司は頷《うなず》いた。「でも、どこがいい？ 防衛庁でなんか研究してるって噂《うわさ》を聞いたことはあるけど、はっきりしないもん。それに僕たち、兵器みたいにされるのはごめんです。絶対に嫌だ」

「でも、マスコミだって、君等をまともに扱いはしないよ」

「そうだね。そうに決まってるよね」慎司はひきつったように笑った。「だからどうしようもないんだ。わかってます」

長い長い物語を聞いて、結局私に残されたのは、目の前のうちのめされたように肩をすぼめている少年を信じるか、彼をノイローゼ患者扱いするかという、ふたつの道だけだった。

理性では、まだ後者にしがみついていた。織田直也の種明かしは衝撃的だったし、明快だった。そして、そちらに軍配をあげた方が楽でもある。

だが――

「少し、考えてみる」

私が言うと、慎司は真っ赤になった目をしばたたかせながら、見つめてきた。

「俺に何がしてあげられるかわからないし、自信もないけどね。何か手があるかもしれない。それでどうだ？　とりあえずは落ち着かないか？」

「……うん」

「じゃ、そうしよう」

「はい」

慎司はゆっくり立ち上がった。倒れるんじゃないかと心配したが、案外しっかりしていた。

「望月大輔のことも、マンホールの事件も、もう気にするんじゃないよ。あれはもう君の手を離れたことだ。いいな？」

「わかりました」

だがドアの方へ向かいながら、慎司はぽつんと言った。「七分三分くらいだね」

「何が？」

「七分ぐらいは信じてないでしょ？」

図星に近かったが、私は疲れていたし、慎司はもっと疲れているように見えた。

「なあ」彼の頭に手を置くと、できるだけ優しい声を出した。「もう、よそうや。とにかく今は。な？」

華奢《きゃしゃ》な頭がこっくりした。

応接室を出ると、佳菜子が受付の机の向こうから、怯《おび》えたような視線を送ってきた。慎司はずっとうつむいて歩いていたが、彼女のそばを通るとき、すっと顔をあげた。

「さっきはごめんなさい。びっくりさせて」

佳菜子はまた驚いた顔をしたが、反射的に「いいえ、どういたしまして」と答えた。

慎司をタクシーに乗せ、家についたら電話をすることを約束させた。編集部に戻ると、デスクが出てきていた。

「早いですね」

「枕元《まくらもと》で、女房と娘に生命保険の掛け替えの話をされてみろ。おちおち寝てられん」

「ヒヤヒヤ」

「笑え笑え。今のうちだ」そして、ちらりと佳菜子の方を顎で示した。「聞いたよ。おまえさん、青少年相手の相談コーナーでも開設したかね」

「すみません」

「かまわんよ。その代わりリベートはとるぞ。何が起こってんだ?」

返事を渋ると、ぽんと背中をたたかれた。

「まあ、いい。まとまったら聞かせてくれや。なんにせよ、だいぶ消耗戦らしいな」

「わかりますか?」

「髭《ひげ》に白髪《しらが》が混じってるからな」

洗面所で確かめてみた。嘘《うそ》だった。まったく食えない親父《おやじ》だ。仏頂面《ぶっちょうづら》で部屋に戻ると、「ざまあみろ」と笑っていた。

四十分ほどで、慎司は電話をかけてきた。ご両親と話す必要はあるかと訊《き》くと、

「そんな心配しないでください。僕、うまくやってるから。タクシーのチケット、ありがとう。偉くなったような気分でしたけど、僕には贅沢《ぜいたく》すぎるよ」

「気にするなよ。どうせ俺の金じゃないんだ」

「高坂さん。コウリョウアケって、あのおねえさんが言ってた。少しは休めるんでしょう？」

「まあね」

「じゃ、うまくいくと、今夜はバッハを聴けるよ」

「バッハ？　クラシックの？」

「うん。親知らずが腫《は》れちゃったんだけど、一人じゃ行ってもつまんないんだって。だけどホントはそれって嘘なんだ。ちゃんと最初から二枚買ったんです。サントリーホールだよ」

一方的に、電話は切れた。

午前中の空き時間を利用して、本屋をいくつかまわり、サイキック関連の著作を買い漁《あさ》った。実に多種多様の本が出版されていることに驚かされた。

次の特集に関する打ち合せのときも、取材の段取りを決めているときも、頭の半分はそちらの方へいっていた。ようやく四時すぎになって身体が空いたので、会議室を占領し、山積みにした本を片っ端から読んでいった。

集めてみると、「コリン・ウィルソン」という著者名が目に付く。「アウトサイダー」のあのウィルソンだが、この方面でも権威であるらしい。非常に真面目《まじめ》に検証している。反面、超能力というふれこみでなされていることは、すべてトリックで説明できると証明している書物もあった。これも説得力がある。スプーン曲げなど奇術の初歩的な技術にすぎないと、図解入りで説明されている。

給湯室からティースプーンを二本失敬してきて、ひねくりまわしてみた。なぜこんなことが、あれほど子供たちを惹《ひ》きつけ、魅了したのだろう……

ドアにノックの音がして、佳菜子が顔を出した。

「お邪魔していいかな」

「どうぞ」

「何やってるの？」

「ちょっとね」やはり照れ臭いものだ。「ちょっと学術的な考察をしてる」

佳菜子は近付いてきて、散らかっている本の題名を見た。「超能力？　ヤダ、似合わないなあ」

「悪かったな」

「スプーン曲げでしょ？　肩ごしにうしろに放《ほう》ると曲がるのよ。流行《はや》ったんだ、昔」

佳菜子が昭和四十九年のブームを知っているはずはない。してみると、この話は連綿と受け継がれているのだろうか。

「ホントかよ」

「ホントよ、やって見せてあげる」佳菜子は私の手からスプーンを取り上げ、えい、と声をあげて放った。床に落ちて派手な音をたてた。それを急いで拾いあげる。

「ほら、曲がった」

投げてない方と比べてみると、たしかに少しばかり歪《ゆが》んでいる。

「こんな乱暴なことをやれば、なんだって曲がるだろうが」

「そうよねえ」と、笑っている。「だけど、ヘンね。超能力っていうと、どうしてすぐスプーン曲げなのかしら。スプーンなんかいくら曲げたってなんにもならないじゃない？」

実際、そうなのだ。真面目に取り組んで資料を読んでみれば、その「すり替え」のおかしさがすぐわかる。問題はそんなことではないのだ。

「手軽だし、目立つし、わかりやすいからじゃないか」

「それだけ？ だったら自転車のスポークだっていいじゃない。あたしが超能力者だったら、もっと曲げる意味のあるものを選ぶけどね」

「ああ、曲げろ曲げろ、なんでも曲げていいよ。都庁の新庁舎のでっかいタワーなんかどうだ？ あれを曲げたら喜ばれるぞ」

「それじゃキングコングみたい」佳菜子は笑い、とり澄ましたふうにくちびるを尖《とが》らせた。「まず曲げるのは、高坂さんのおへそね。だいぶ曲がってるから、もうひと曲げすると正常に戻るわ」

「それより、デスクの十二指腸を曲げてやれよ。ショックで潰瘍《かいよう》が治るかもしれない」

「わあ、気持ち悪い！」

いやにはしゃいでいる。私はスプーンを机の上に放り出して、彼女を見上げた。

「で、なんだ？」

「何が？」

「用があるんじゃないの？」

「あ、そうか。そうね」

急に真面目な顔になってしまった。ちらっとだが察しがついたような気がして、おやおやと思った。

「また例の郵便でも来た？」

「え？ ううん。そんなんじゃないの」

両手を背中に回し、大げさに肩をすくめ、そのわりにはなんでもないような声で、こう言った。

「あのさ。今夜、暇？」

どきっとしたのは、純な理由からではない。慎司の電話を思い出したからだった。

「なんで？」

「コンサートのチケットがあるんだ。二枚」

（うまくいくと、今夜はバッハが聴けるよ）

「友達と一緒に行く約束してたのよ。それが急に都合が悪くなったって電話してきて。もったいないじゃない？　一人で行ったってつまんないし。編集部でさ、クラシック聴きそうな人って言ったら、高坂さんと網野さんぐらいだけど、網野さんは新婚でしょ。あたし不倫は嫌なのよね」

冗談めかして明るく言っているが、いつもの倍は早口だった。あのカメラマンが言うとおり、真から純情な可愛《かわい》い娘《こ》なのだ。

「ダメかな？　わりといい席なのよ。ホールもきれいだし」

「場所、どこ？」

「サントリーホール」

ずしんときた。

慎司の声が頭によみがえった。（今夜バッハが聴けるよ）

七分三分で信じてないでしょ？　だから決め手をあげるよ。

「高坂さん？」佳菜子がのぞきこんでいた。「どうしたの？　そんなに恐《こわ》い顔して」

「悪いな」反射的に、佳菜子の方を見もしないで、そう答えていた。「今夜は駄目《だめ》だ。先約があって」

そう、という小さな声が聞こえた。「じゃ、しょうがないね。ほかの誰かを誘ってみるわ」

（本当は最初から二枚買ったんだよ）

「カコちゃん」

呼び止めると、ドアのところでさっと振り返った。

「なあに?」

「友達、なんで急に都合が悪くなったんだ?」

佳菜子は目に見えて狼狽《ろうばい》した。この娘は本当にまだ子供で、一生懸命で、おそらく色々な理由を考えていて、そのひとつを選びだそうとして——

言うまい、言うまいと思って、確かめたいという誘惑に負けた。

「親知らずが腫れたんだろ?」

佳菜子は目を大きく見張り、背中をつっぱらせて立っていた。やがて、かすれた声で言った。「そうよ。なんでわかるのかな」

口元をくしゃくしゃっと歪めて、「意地悪ね」と言い捨てると、ドアを閉めた。駆けてゆく足音が聞こえた。

こうやって人を傷つけることも、自由自在だ。

(なんでもわかってるような目をしてて、気味が悪いって言われたよ)

初めて、膝《ひざ》が震えた。

4

専門家の助言を仰いでみるべきだ。

そう考えて、はたと詰まった。いったい、この分野に専門家などいるものだろうか。原発や消費税や憲法改正とはことが違う。原発なら、否定派だろうと推進派だろうと、基本的知識やデータの収集の段階では、同じことをやっている。また、そこまでは同じことをやっているのでなければ、それはもう即偏向なのであって、話にならない。

だが、超能力は、そもそもその存在すらがまだ確認されていない種類のものなのだ。この人が専門家だと評されている人物だろうと、専門家や研究者を自称している人物だろうと、肯定と否定のどちらの側に立っているかで、すでに色分けができてしまっている。肯定派の持っているデータがどこまで信頼できるものなのか、否定派の集めている事実がどの程度まで予断の煙に燻《いぶ》されていないものなのか、こちらは知りようがない。どのサイドへ行って話を聞こうと、結局今の混乱状態に輪をかけるだけなのではないか。

それでも、集めた本の著者や訳者のリストをつくり、直接会って話を聞くことができそうな人物には、チェックを入れた。付箋《ふせん》と折り目だらけになった本を段ボール箱に詰め、会議室を出て編集部に戻ると、机の足元に押し込んだ。

「お勉強は終わりかね？」と、隣の机に陣取っている生駒悟郎《いこまごろう》が声をかけてきた。他のメンバーは引き上げたのか、誰もいない。佳菜子の姿も見えない。天井の蛍光灯《けいこうとう》も、生駒がいる側を残して、半分消されていた。

「えらく熱心だったな」生駒は言って、うなりながら背中をのばした。まるで熊《くま》――漫画映画に出てくるクマゴロウそのものだ。

既製服では絶対に間に合ったことのない大男で、「俺《おれ》は体重と同じだけの金の値打ちがある記者だ」というのがふれこみだが、彼の妻君に言わせると、「体重と同じだけのタールとニコチンの固まりだわよ」という御仁である。チェーンスモーカーなのだ。今も、爪《つめ》の黄色くなった指のあいだにちびたハイライトをはさんでいる。机の端に積み上げたファイルの上には、今にもひっくりかえりそうな灰皿がひとつ。もちろん、吸《す》い殻《がら》が山になっている。自分の椅子《いす》に座ると、その灰皿が落ちてきたときまともに膝で受けとめる羽目になりそうだったので、まずそれをごみ箱のなかに処分してから、回転椅子に腰をおろした。

生駒はにやにやした。「几帳面《きちょうめん》な隣人がいると助かる」

「よっぽど肺癌《はいがん》で死にたいんだな」

「そうじゃない。俺の親父は酒も煙草《たばこ》もやらなかった。それなのに肝臓癌で早死にだ。親父め、死ぬときにはさぞ後悔したろうと思うと、可哀相《かわいそう》でたまらん。俺は煙草を吸ってるんじゃなくて、親父を供養《くよう》する線香を焚《た》いてるんだ」

「よく言うよ」私は笑いながら自分の煙草に手をのばした。

「大学で弁論部にいたような女房をもらってみろ。理論武装してないと落ち着いて飯も食えねえ。なんだ、禁煙解除か？」

「休戦てとこかな」

「やめとけ、やめとけ。隣に俺がいる限り、どうせ同じ空気を吸うんだ」

歯を剝《む》き出して笑いながら、吸い殻をひともみで押し消し、次の一本を振り出す。生駒の妻君は、この春落成したばかりのマイホームの壁が汚れるというので、彼が煙草に火をつけるたびにベランダに追い出すという話だ。それでは生駒は一日中ベランダにいることになるだろうから、どうせ嘘に決まっているが。

「そっちは何やってたんだ?」

生駒は机の上に週刊誌を広げていた。私が尋ねると、ちらりと表紙をめくってみせた。

「週刊文春」だった。

「シリーズで、美容整形についての特集を組んでる。かなり恐い話ばかり並べてあるが、面白いことは面白い。うちへ持って帰って由美子に見せてやろうと思ってさ」

由美子とは、生駒の長女の名前である。たしかまだ高校生のはずだ。

「由美ちゃんに? なんでまた」

生駒は大げさに顔をしかめた。「整形したがってんだよ。鼻の形が気にくわねえって。大人になりゃほっといてもよくなるって言ってきかせたんだが、てんでダメだ」

二、三度自宅に招かれたことがあって、顔を見ているが、生駒由美子は母親ゆずりの可愛らしい顔をした娘だった。大人になればきっと美人になるだろう。

「そんな必要ないって言ってやればいいのに」

「親がそんなことを言ったって無駄だよ。あの年ごろは、自分でこうと思ったらそれしかねえからな」

「じゃ、今整形したって、まだ骨が固まってないから無駄になるって言えばいい」

「それじゃ、あたしの青春は暗いまま終わっちゃう、とくるぜ。言っとくが、今の『青春』は二十歳までだそうだ。『お父さんなんて、そんな歳《とし》になって何が楽しくて生きてんの？』と抜かしやがる。『じゃあ父さんが死んじまったら誰がおまえたちの生活費を稼《かせ》ぐんだ？』ときいたら、『保険があるもん』だぜ」

「反抗期だよ」

「クソ面白くもねえ。だから言ってやったんだ。『父さんは、おまえが風呂《ふろ》に入ってるのをのぞきに行くのが楽しみで生きてる』。そしたら、鍵《かぎ》をかけて明かりもつけずに風呂に入るようになりやがった。俺がトイレに行こうと前の廊下を通るだけで、襲われたみたいにギャアギャア騒ぐんだ。女の子ってのは、どうしてああバカ真面目なのかね？」

その光景が目に浮かんで、私は久々に声をあげて笑った。

「笑い事じゃねえんだよ、まったく」

むっつりと言ってはいるが、生駒も目は笑っていた。なんだかんだ言っても、家族思いの男であることを、よく知っている。確かめたことはないが、履歴書の家族構成欄の続柄《つづきがら》のところには、きっと「愛妻」「愛娘《まなむすめ》」と書いているはずだ。

「ウケたな、これは」生駒は足を組み、大きな爪先《つまさき》をぶらぶらさせながら私を見た。「ここんとこ、おまえさん、毎日歯医者に通ってるような顔ばっかりしてたからな。それも、やっとこで奥歯を抜かれてるような顔だ。それとも尿道結石にでもかかったか？」

「まさか」私は椅子の背にそっくりかえって腕を組んだ。「でも、実を言うと参ってる」

「そりゃそうだろう。顔を見てりゃわかる。何が起こってる?」

最後の方は真面目な質問になっていた。

生駒悟郎は四十七歳。雑誌記者としてのキャリアは私よりもはるかに長く、濃い。物流関係の業界紙を振り出しに、本人もしかとは覚えていないというほど多数の出版社や雑誌社を渡り歩いてきた猛者《もさ》だ。

彼にならば話してみてもいい――というより、話すのなら彼だと思った。

自分が関《かか》わっている今の事態を、記事にしようとか、面白いネタになりそうだというふうに考えることが、私にはできなかった。だから、うっかりスタッフの誰かに聞かれて、「面白いじゃない、それ行こうよ」などと言われるようなことは、極力避けたかった。

生駒なら口も堅い。私はちらっと辺りに目を配り、もう一度誰もいないことを確認してから、彼の方へ向き直った。

生駒は察しが良かった。「広がるとまずい話か?」

「できるだけ広げたくない。刺激的だし、うちの連中のなかにも、この手の話を好きそうなのがいるから」

最初から順序だてて説明した。今日の夕方にあった、佳菜子のことも省かずに。そのあいだに、生駒はハイライトを十本は灰にした。

聞き終えると、彼は吸いさしを灰皿で押しつぶし、初めて、次の煙草には火をつけずに、大きな手を机の上に乗せた。

「ヘビイだな」と、太い息を吐きながら言った。

「だろ？　扱いに困ってる」

「子供はどんなことにも真剣だ。だから困る。遊びも真剣だからな」

「遊びでやってるとは思えないんだ。手が込みすぎてる」

「いや、そうじゃない。手が込んでるからこそ遊びなんだ。好きでやってるからこそいくらでも凝ることができるんだよ」

私は眉《まゆ》をあげた。「じゃ、全部ペテンだと？」

「俺はそう思う」生駒は重々しく頷《うなず》いた。「おそらく、その織田直也ってあんちゃんの言葉の方が正解だ。筋が通ってる。だが問題は、それをどうやって稲村慎司にわからせるか、だな」

「チケットの件はどう説明する？」

生駒は分厚い肩をそびやかした。「おまえさんが叩《たた》き起こされて出てくるまで、稲村慎司は彼女と二人でいたんだろう？　そのあいだに、カコがチケットを持ってるところでも見たんだろうよ。彼女のことだから、こっそりおまえさんに聞かせる台詞《せりふ》の練習でもしてたのかもしれん。あの娘は顔に出るタイプだ。特にここんとこ半月ほど、やたらに盛り上がってる。あれじゃ、『あたしは高坂昭吾と寝たい』っていう看板下げて歩いてるようなもんだ。おまえだって気づいてたろうが」

頷いた。「様子がヘンだってことはわかってた」

「俺にも年ごろの娘がいるからわかるが、あれは一種の病気だ。誰でもかかる」

生駒は座りなおし、椅子をきしらせて、頭のうしろで手を組んだ。

「なんというかな……あれは、おまえさんて男の実体に恋してるわけじゃないんだ。幻を見てる。おおかた、仲のいい友達かなんかが、歳の離れた男と結婚したかしたんだろう。それに影響されて、勝手に夢をつくりあげてるんだ。しばらくすれば、目が覚める」

ふっと笑い、「これが、相手が井出や森尾だったら」と、若手の契約記者の名をあげて、

「俺も放っておかんよ。彼女をつかまえて説教する。女は受け身だし、男はズルいぞ、何かあったら深く後悔するのはカコの方なんだからな、とな。だが、おまえさんはあの娘の病気に付け込むほどワルじゃない。それほど狡《ずる》いことをするには、おまえって男は真面目《まじめ》すぎる。いくら自分が過去にこっぴどい目にあってるからって、じゃあ今度はやり返してやろうと思うほどの――」

「根性はない」と、私は言った。生駒は豪快に笑った。

「そうかね。俺はそこまでは知らん。だが、優しいことは確かだと思う。うちの女房も同意見だ。男でも女でも、傷ついて優しくなるタイプと、残酷になるタイプとがいるそうだ。おまえは前の方だって言ってた」

「有り難いね」

「あんな中古でいいなら、いつでも下取りに出すぞ」と、心にもないことを言っている。

生駒は、私と相馬小枝子のあいだに何があったかを、正確に知っている。「アロー」では

彼だけだ。

最初から、コンビを組んで動き回ることが多かった。そしてある夜、ハシゴ酒の何段目かで、二人きりになったとき、いきなり訊《き》いてきたのだった。

（噂《うわさ》はよく聞くんだ。だが、俺は又聞きってやつを信用しない。それに、おまえの異動の理由がなんであれ、俺には関係ない。だが、雑音がうるさくって困る。噂が本当なのか、まるっきりの出任せなのか、それだけでいい、教えてくれ）

だから、私は正直に話した。彼は黙って聞いて、（わかった。もう訊かん）と言っただけだった。彼がこの件を持ち出したのも、今度が初めてのことだ。

「忠告しておくが、ひとつひとつの言葉を取り上げて吟味をしてたんじゃ駄目だ。カコのことじゃない、超能力少年のことだぞ」

生駒は起き上がり、真顔に戻った。

「全体を見ろ。細かいことは小細工が利《き》く。ああいうことに熱をあげる子供は、そりゃもう、びっくりするほど綿密に計算して、大人の目をくらませるんだ。それに気をとられると、足元をすくわれる」

「慎司はペテン師か」私は天井を見上げた。古びた蛍光灯のなかに点々と黒い羽虫の死骸《しがい》が浮いて見える。「問題児か」

「そうとは思いたくないんだろう？」

思わず苦笑した。「うん」

「気持ちはわかる。だが、あるところで歯止めをかけてやらんと、もっと可哀相なことになる。これは自戒をこめて言ってるんだ。俺にも似たような経験があるからな」

驚いて見返すと、生駒は丸い顎《あご》を引き締めて大きく頷いた。

「恥ずかしい話だ。俺自身、一生とり返しのつかん汚点だと思ってる」

昭和四十九年の、あの超能力ブームの頃だった――と、生駒は始めた。

「当時俺がいた雑誌は、週刊朝日に対抗して、スプーン曲げの子供たちを盛りたてるような方針でやっていた。はやしたてていたんだよ。実際、あれは見事な芸だった。芸だよ。わかるか？　俺たちみんな、幻惑されてたんだ。ところが、朝日の取材も徹底してた。どんどん底が割れていく。どのみち、俺たちの方は真面目な取り組み方をしてたわけじゃないし、世間の風向きが変わってくると、旗色はどんどん悪くなっていった。それで、ある日突然編集長がこう言ったんだ。『うちが接触してる子供たちを、放《ほう》っておく手はない。彼らに語らせようじゃないか』とな」

「語らせる？」

「そうさ。どうやって今まで俺たちを騙《だま》してきたのか、それをしゃべらせたわけだ」

「嘘《うそ》を認めさせたんだな？」

生駒の大きな顔が曇った。「そうだよ」と、ぼそりと言った。「放っておいてやるべきだった。『悪いな、もうこの線じゃ押せなくなった。部数も落ちてきて、おじさんたちみんな困ってるんだ。ゲームはおしまいだ。じゃ、サイナラ』。それで放してやるべきだったんだ。

朝日はいい。最初から反対する立場を明確にしてたからな。だが、俺たちは擁護してたんだ。それがある日突然クルリと変わって、子供たちを俎上《そじょう》に載せた。『本誌記者も驚いたこの完《かん》璧《ぺき》なトリック！』ってわけだ。今考えても反吐《へど》が出るよ」

唾《つば》を吐くように横を向いて、生駒はハイライトに手をのばした。

ややあって、私は訊いた。「結果は？」

煙を長く吐き出しながら、彼は答えた。「死人が出た」

「――子供か？」

「そうだ。学校の屋上から飛び降りた。俺たちがハシゴをかけて上まで昇らせたのに、もういいやとばかりにハシゴをはずしちまったから、飛び降りるしか手がなかったんだ。十歳の子だよ」

十歳だ、と繰り返しつぶやいた。

「あんなことはもう二度と御免だ。俺はいっとき、この世界から足を洗おうかとまで思った。部数をのばすために子供を殺して、何が報道だ」

天井の蛍光灯が、ちかちかとまたたいた。切れかかっているのかもしれない。その下にいる人間の神経に連動しているのかもしれなかった。

「それでも、結局この商売を続けてる。よほど業《ごう》が深いんだろう」

生駒は苦く笑った。その笑みが消えたとき、二児の父親である顔と、記者としての顔が戻ってきた。

「あんなことは、もう二度とやるべきじゃない。俺は思うよ。超能力なんてものは存在しない。あれは夢だ。大人の夢だよ。子供は大人が夢を見ていると、ちょっと茶目っ気を出してそれをかなえてくれようとすることがある。彼らは冷静だ。そこまではな。だが、大人が夢から覚めたときのことまでは考えてない。子供にとっては、夢は覚めたりしないものだからだ」

生駒は目をあげて、まっすぐに私を見つめた。

「稲村慎司を救《たす》けてやれよ。引っ張り出してやるんだ。浸りきってる夢のなかからな。難しいだろうが、やらなきゃならん。袖《そで》すりあうも多生の縁てやつで、おまえさん、頼られてる。頼られた以上は応《こた》えてやらにゃならん。いや、放っておいたっていいんだぞ、気にならなきゃな。だが、そうは行くまい。胸が痛むだろう？」

私は目をそらし、吸い殻がくすぶっている灰皿を眺《なが》めた。青い煙がゆらゆらと立ち昇っていた。

「胸が痛むから、困ってるんだ」と、生駒は続けた。「俺は徹底した無神論者だよ。だが、世の中が案外うまくできているのは、何かが上手に計らってるからだと感じることはある。だから、これだけは言える。重荷ってのは、それを背負える肩を選んで乗せられるもんだ。そして今おまえの肩には、稲村慎司って子の将来がかかってる」

私は顔をあげた。「でも、具体的にどうすりゃいい？　こっちは今完全に振り回されてるんだ」

「だから、さっきも言ったろう？　目先のことに惑わされちゃいかん。外堀《そとぼり》から埋めるんだ。十六歳の少年には、十六年の歴史がある。本物のサイキックだったら、それらしい歴史を残しているはずだ。過去には小細工が利かん。これは絶対だ。調べあげて、彼を取り巻いている人間たちの声を聞くんだよ。家族でもいい、友達でも、先生でもいい。もちろん、織田直也ってあんちゃんもだ。彼の声をもっとよく聞くことだ。鍵は彼が握ってるかもしらん」

大きな指で自分の胸をさし、「もちろん、俺にできることがあれば協力する。この手の問題を扱ったことのある、信頼のできる人間に、二、三心当たりがないわけでもない。だから、そっちの方は任せてくれ。な？」

目を覚まさせてやれ。もう一度念を押すようにそう言って、生駒は言葉を切った。ちょっと考えてから、こう付け加えた。

「それだけ調べて、まだ彼らが本物のサイキックかもしれないということが――いや、彼らがサイキックだとしか考えられないような要素が出てきたら、俺はきっぱり禁煙する」

そして、にやりと笑った。「どうだ？　この賭《か》けに乗らないか？」

腕組みしたまま、私は頷いた。「よし、乗った」

第三章　過去

1

織田直也《おだなおや》が教えていった彼の勤務先は、ガソリンスタンドだった。高層マンションと公団住宅の立ち並ぶ東京の東の端の町の一角にあった。

だが、そこには彼はいなかった。仕事を辞めていたのだった。

「よく働いてくれてたんですがね。どうしちゃったんだか」

店の責任者だという小柄《こがら》な中年の男は、私が直也の名前を出すと、すぐにそう言った。制服と対《つい》になった目びさしつきの帽子を斜めにかぶり、オート洗車機の方から流れ出てくる洗剤の泡《あわ》を、手にしたホースの水で丁寧に洗い流している。

「いつ辞めたんです?」

小男はちょっと顔をしかめた。「一週間ぐらい前かねえ」

それなら、私を訪ねてきて、そのあと間もなく辞めたということになる。

肩透かしをくったという以上に、不安を感じた。このタイミングの良さは、彼がはっきり「逃げた」ということを示している――

「理由は?」

「こっちが知りたいくらいだよね。よんどころない事情があって、と言ってたが。あの年ごろの子にしちゃ、『よんどころない』なんて、気のきいた言いまわしをするもんだと思ったよ」

「転職先のあてがあるのかどうか、言ってましたか？」

「何も」

そうだろうとも。

「ここには長く勤めてたんですか」

「そう長くはないね。三ヵ月ぐらいですよ」

「住所や電話番号は聞いてありますか？」

「あるけど――」男は下からすくうような目付きで私を見た。「おたく、なんでそんなに彼に会いたいんだね？」

「よんどころない事情がありましてね」

ははは、と笑うと、小男は片手で帽子の目びさしを持ちあげ、かぶり直した。「世の中、よんどころないことばっかりだからね。まあ、いいや。教えますよ。事務所の方へ来てちょうだいよ」

とり散らかした机の端を借りて、私が織田直也の履歴書から必要な事項を書き写しているあいだ、男はずっとそばに立ち、両腕を腹の辺りで組んで、こちらを見つめていた。爪先《つまさき》がそわそわと動いていた。

履歴書は薄っぺらな一枚だけのもので、隅《すみ》の方に求人情報誌の名前が入っていた。写真は貼《は》ってない。直也の字は小さめで、あまりきれいな方ではないが、書き間違ったり訂正したりした部分はなかった。履歴書を書くことに慣れているのかもしれないと、ちらりと思った。「趣味」の欄は空白、「健康状態」の欄には、「良好」とある。「家族構成」の欄には何も書かれていなかった。

「この住所に連絡してみたことはありますか？」

小男は首を振った。「遅刻もしない、欠勤もしない、真面目《まじめ》に働いてたヤツだったから、そんな必要はなかったね。なんで？」

私は指先で履歴書の住所欄を軽く叩《たた》いた。「電話番号の局番と住所地がずれてる」

「ホントかい？」

「住所は足立区《あだち》だけど、局番は――そうだな、この番号だと江戸川区だろうと思う。とにかく、違ってることは確かですよ」

「参ったね」小男は私の手から履歴書を取り上げると、顎《あご》を引くようにして距離を取り、細かな文字の羅列《られつ》を眺《なが》めた。

「あたしも老眼が始まってるてね」と注釈し、言い訳するような口調で続けた。「今日び、この程度のことをうるさく言ってちゃ、人が居着かないから……。今の若い連中には、いちいち身元保証人なんか要求してちゃ駄目《だめ》なんですよ」

それはわかります、と私は言った。「でも、身元を隠すというのは珍しいことでしょう？

彼、どんな青年でした？」

「どんなって言ってもねえ……」

「ええ。骨惜しみするヤツじゃなかったね。ただ、ちょっと愛想は良くなかった。付き合いもいい方じゃなかったね」

「ほかの従業員のなかで、彼と親しくしていた人はいますか？」

下くちびるをひっぱりながらしばらく考えて、小男は答えた。「強《し》いて言うなら、麻子《あさこ》ちゃんかな」

「女の子？」

「ええ。うちのマスコットガールみたいな娘《こ》でね。やっぱりアルバイトですが」

「彼女に会えますか」

「遅番だから、夕方になるね。六時ぐらいに来てみちゃどうですか。彼女にはあたしから話しておくから」

礼を言って事務所を出ようとしたとき、小男があわてたように尋ねた。

「彼、何かやらかしたのかね」

「そういうことじゃありませんよ」

「ならいいが……」

眉《まゆ》を寄せて、しきりと考えているようだった。黙って待っていると、やや滑稽《こっけい》に見えるほど深刻そうな顔をして、こう言った。

「ちょっと不思議なところのあるヤツだったからね。危ないことをやってるあんちゃんなのかもしれないと思ったこともあるし」

「具体的にどんな?」

小男はまた帽子の目びさしに手を触れた。「あたしにも高校生の倅《せがれ》がいるんだけど、これがまあ、どうしようもない阿呆《あほう》でね。学校にはほとんど行かないで遊び回ってやがって、時時ここへも金をせびりに来るんですわ。親父《おやじ》の仕事場へね。そんなふうに育てたつもりはないんだが」

つもりはなくても、息子がやってくるのは、来れば金をもらえると思っているからだし、つまりはせびられる度に渡しているということだ。同じことだった。

「織田君がバイトに来てるときにも、一度そういうことがありましてね。で、倅が帰ったあと、彼がいきなり言うんですよ。『シンナーはやめさせた方がいいですよ』ってね。あたしゃびっくりしましたよ」

「息子さん、シンナーを?」

小男は目を伏せた。「ツルんでる仲間が悪いからねえ。それらしい感じはしてるんだ」

「やめさせた方がいい」

「わかってますよ。でもそう簡単にはいかなくてね。あいつめ、あたしより図体《ずうたい》もデカくなってるし――まあ、そんなことはどうでもいいんだ」

腹立たしそうに鼻を鳴らすと、「普通の人間だったら、ちらっと見ただけでね、他人がシンナーやってるかどうかわかるなんておかしいでしょうが。だから、織田君も経験があるんじゃないかと思いましてね。蛇《じゃ》の道はヘビってやつでね。うちの倅よりよっぽど重症なのかもしれんですよ。そういやあ、顔色だって悪かったし、いつも半病人みたいに見えましたからねえ。うちのは、外見には健康だから。わかりゃしませんよ、本当に、外から見ただけじゃ。それを、そばを通りすぎただけで言い当てたんだからねえ」

そばを通りすぎただけで。

過去には小細工が利《き》かない。これは絶対だ。生駒《いこま》の台詞《せりふ》を思い出した。

「匂《にお》ったのかもしれないし、ラリッてるような顔つきだったのかもしれませんよ」

試しにそう言ってみると、小男は気を悪くした様子で首を振った。

「とんでもない。だったら、親のあたしが真っ先に気がついてますよ。外見からわかるもんか。絶対に。絶対にだ」

出社して編集部の時計を見ると、午前十一時になるところだった。編集長やデスクたちは奥の会議室で企画会議の最中だから、部屋のなかはのんびりしたものだった。

佳菜子《かなこ》の姿が見えなかった。受付の机の上には、整理されていない郵便物が山になっている。きちんと畳まれた膝掛《ひざか》けが椅子《いす》の背に掛けたままになっているところを見ると、休暇をとったのだろう。

郵便物をまとめて抱え、自分の机のところまで持っていき、どさっと置いたところを、生駒悟郎に呼ばれた。どこにいるのかと思ったら、窓際《まどぎわ》に据《す》えてある一台しかないパソコンに向きあっているのだった。くわえ煙草《たばこ》でしきりと手招きしている。

「どうだ?」と訊《き》いてきた。

「消えた」

「どっちが」

「織田直也だよ。仕事を辞めてる。完全にどろんだ」

「なんだそりゃ」

「こっちが訊きたいよ。何やってる?」

「高等技術だ。俺《おれ》だってだてに研修を受けちゃいねえ」

大きな指でディスプレイをこんこんと叩いてみせた。

「昭和四十九年からこっち、新聞に超能力関係の記事がどれぐらい載ってるか見てみるんだ。全部プリントアウトしておいてやるからあとで読め。雑誌の方は大宅《おおや》参りしてみるからな。並べて見りゃ、頻繁《ひんぱん》にコメントを寄せている人間が何人か見つかるだろう。良さそうなのを誰かつかまえて会ってみたっていい」

「ありがとう。でも、専門家なら心当たりがあるんじゃなかったのか?」

「うん。だが、ちょっと思い出したこともあってな」

顎をぼりぼりかき、キーボードの上に盛大に灰をまき散らしながら、

「超能力ブームのころ、一人だけいたんだよ。ユニークな御仁が。警察の人間でな。お宮入りの事件を透視者に協力してもらって解決したっていうんだ。俺も直接は知らない。どこかに――新聞だったと思うんだが、ちらっと取り上げられてたんだ。それがどこだったかが思い出せねえ。昨夜《ゆうべ》女房に耳の穴をかっぽじらせながら考えてみたんだが、どうも駄目だ。俺はスクラップなんかつくらねえしな。だが、東京の新聞だったことは確かだ。だったら、探せば出てくる。面白いだろう？　興味ねえか？」

「大いにあるね」

生駒の脇《わき》に立ち、パソコン本体の脇に据えられている小さなモデムの緑色のランプが点滅するのを眺めていて、ふと、そういえばこの仕組みだって何がどうなってるのか全然知らないな――と思った。

便利に使ってはいるものの、原理も構造もわかっていない。どこか具合が悪くなればシステムセンターに連絡して来てもらうだけのことだ。まさにブラックボックスだった。ただ、コンピュータは明白に人間が作り上げたものであるとわかっているから、（自分はわからないが、どこかにわかっている連中がいるはずだ）と安心して、放《ほう》っておいても平気でいられる。

超能力は――もしそれが存在するとしたら――人間が持っているブラックボックスで、それについて知っているのは、その能力を備えている人間でしかないのかもしれない。コンピュータに無知な人間が、ただその働きに感心しているしかないのと同じように、当たり前の五感しか持ち合わせていない人間には、所詮《しょせん》理解不可能な手の届かないものでしかないのかもしれなかった。

「よし、と。これでいい」

掛け声をひとつかけ、生駒がうるさい音をたてるプリンタを動かし始めたので、いちばん離れたところにある電話から、足立区役所の交換を呼び出した。

織田直也は、履歴書の住所欄に「足立区綾瀬《あやせ》八丁目十—六」と書いていた。地図で見ると、綾瀬には七丁目までしかない。交換手にも同じことを言われた。

「今はないが、昔はあったなんてことは？　区画整理で消える番地もあるでしょう？」

「そういうことはありますけど、綾瀬は昔から七丁目までですよ」

一度切って、今度は直也が書いていた電話番号へとかけてみた。

意外なことに、つながった。

呼び出し音が鳴っている。してみると、まったくデタラメの番号ではないのだ。だが、十回、十五回と鳴らしても、応対されることはなかった。二十回まで鳴らして、受話器を置いた。

ＮＴＴというところは生真面目《きまじめ》で、一般の利用客には、番号からその電話の所在地を割り出すというサービスはしてくれない。誰か出てくれるまで、折りを見て気長にかけ続けてみるしかないようだった。

では、稲村慎司だ。彼の方からたぐっていった方が早い。

まず会いたいのは、本人ではなくて両親の方だった。平日のこの時刻なら、良い子の高校一年生はおとなしく学校に行っているだろう。

呼び出し音が二度鳴っただけで、丁寧な女性の声が出てきた。こちらが名乗ると、驚いたのか、ちょっと絶句してしまった。

「突然お電話しまして、申し訳ありません。私のことは、慎司君からは聞いておられないと思いますが――」

「いえ、いえ、聞いております」相手の女性はせわしく言った。「高坂さんでいらっしゃいますね？　わたくし、慎司の母です。その節は、慎司がたいへんお世話になりまして――」

折り入ってお話があるんですがと切りだすと、あわてた様子で電話を代わってしまった。今度出てきたのは、台風の夜にホテルの電話で話した、あの声の主だった。慎司の父親である。

慎司の申し立てでは、父親は彼がサイキックであることを知っているはずだった。いわば最初の試金石というわけで、私は言った。

「実は、息子さんから、かなり込み入った奇妙な話を伺いました。そのことで――」

言いかけたのを遮るように、父親は訊いてきた。「あの子の――その、なんと言いますか、普通じゃない点についてのことですか？」

「――普通じゃないというのは？」

小さな雑音が入ったので目をあげると、生駒が内線を通して一緒に聴いていた。しかつめらしい顔で頷《うなず》いている。

「うまく申せませんが、慎司はあなたにはなんと言っておりますか」

「他人の——」

「考えていることがわかると?」

受話器を耳に当てたまま生駒の方を見ると、彼はまた頷いた。

「もしもし?」

「聞こえてますよ。ええ、そうです。慎司君は私に、ほかの人間の心にあることを読み取ることができると言っています。人間だけじゃなく、物質もですね。その辺に転がっている椅子とか——」

「はい、はい、わかります」

「そのことで、彼がひどく苦しんでるようにも見えますんで」

「わたしらにお話が?」

「ええ。できたら時間を割いていただきたいんですが」

少し間をおいてから、父親は答えた。「そういたします。いつか——いつかそういうときが来るだろうと思っておりました」

時間を決めて電話を切る前に、慎司の父親は、「さっきから雑音が入るようですが、なんでしょうね」と言った。まさか「同僚の鼻息です」とも言えないので、「すみません、プリンタが動いてるんで」と答えておいた。

生駒も受話器を置くと、すぐ言った。「よくあることだ。親も魅せられてる。足元をすくわれてるんだ。一緒に住んでいればペテンはすぐにバレるはずだなんて思うなよ」

「それにしちゃ、興奮してるじゃないか」

「スプーン曲げ騒動のころとそっくりだからだよ」

腹立たしげな生駒の声にかぶって、「誰があたしの仕事を取り上げようとしてるの？」という声が聞こえた。佳菜子だった。積み上げたままの郵便物の山のそばに立ち、両手を腰に当てている。

「なんだよ、カコちゃん」生駒が笑顔をつくって寄っていき、「そう怒るな。俺はな、今日はカコちゃんがお休みのようなんで、ちょっとお仕事の手伝いをしようと思ってな」

郵便物を仕分けるような仕草をしてみせると、佳菜子はもっとふくれた。

「フンだ」と、言い捨てると、彼を押《お》し退《の》けるようにして郵便物の山を抱えあげ、受付の机の方へと持って行ってしまった。

「この程度の遅刻で立ち直れるなら大丈夫だ。泣き明かしたわけじゃなかろう」

生駒はそう言いながら、ぶらぶらと近寄ってくると、急に真顔に戻って声を落とした。

「先に気がついて良かったよ。カコに見せるな。また騒ぐ」

差し出されたのは、あの封書だった。以前にきたものと同じ封筒に、同じ文字の表書き。

「これで何通だ？」

「七通目」

また差出人の名前はなく、開けてみると、同じ便箋《びんせん》が出てきた。一枚きりだ。

だが——

「どうした？」

黙って、生駒に便箋を見せた。彼の口の端がぴりっと締まった。

今度の便箋は白紙ではなかった。白い紙面にただ一文字、こう書かれていた。

「恨」と。

2

「喫茶　イナムラ」は、大通りに面した白壁のビルの一階にあった。片開きの白いドアの脇に、コカコーラの商標の入った小さな黒板が出してある。かっちりとした楷書《かいしょ》で、本日のランチメニュー三種類と、コーヒーのストレートサービスがキリマンジャロであることが書いてあった。

午後二時をすぎていたが、店内には意外なほど大勢の客がいた。ドアを開けて入っていった途端、その面々がいっせいに頭を振り向けてこちらを見たので、いささかぎょっとした。

「高坂さんで？」

カウンターの向こうにいた中年の男が、あわてたように声をかけてきた。やはりコカコーラの商標の入った真っ赤なエプロンをつけている。

「慎司の父です。これが家内でして」

きちんと整列したサイフォンの向こう側で、小柄《こがら》な中年の女性が頭を下げた。ひどく不安気な表情をしている。そのせいもあるのだろう、客たちはまだこちらを注目しており、何事かと聞き耳をたてている。

「はじめまして」私はカウンターに寄って、少し声を落とした。「ご都合が悪いようでしたら、出直しますが」

慎司の父親は急いで近寄ってきた。「いえ、いえ、かまいません。大丈夫です。申し訳ないです」

彼があまりに低姿勢なので、居合わせた客たちは、馴染《なじ》みの店の主人をペコペコさせている私に、カチンときたらしい。奥のテーブルに座っている男が呼びかけてきた。

「マスター、何かあったのかね」

「なんでもないんですよ」と、慎司の父親は愛想よく答えた。「すみませんね」

「慎ちゃんがどうかしたのかい？」と、その男は食い下がった。露骨に私をじろじろと眺《なが》め回している。

「本当になんでもないんですよ」と笑顔をつくりながら、慎司の父親は私の肘《ひじ》を押して、小さな声で言った。「申し訳ありませんが、外へ出ましょう」

肩ごしに「おい、頼むぞ」と妻君に言い置くと、ドアを押し開ける。まだどこか具合が悪いような顔をしている妻君に会釈《えしやく》して、私は半ばひっぱられるように街路に出た。

「本当に申し訳ない」

生《は》え際《ぎわ》がかなり後退した広い額を手でぬぐいながら、慎司の父親はしきりと謝る。窓ごしに、まだあの客たちの不審そうな視線が降ってきていたので、私は囁《ささや》いた。

「そう謝らんでください。サラ金の取り立て屋かなんかのように思われる」

「え？　ああ、そうですな。いやはや」

やっと笑みをもらして、彼は背中を伸ばした。

「いや、覚悟はしておったんですが、やはり緊張しまして……」

親も魅せられてる、足元をすくわれているんだ——と、生駒は言っていた。確かにそのように見えた。が、慎司の父の実直そうな緊張ぶりには、素直にこちらの心に響いてくるものがあった。

親とはいいものだ……と思った。

「稲村徳雄《いなむらのりお》と申します。あらためまして、はじめまして」

好天の気持ちいい午後だったので、結局歩くことになった。「喫茶イナムラ」から通り一本奥に入ると、そこには荒川を臨む高い土手がのびており、その上に秋の日差しがいっぱいに降り注いでいる。階段を昇って土手の上に立つと、右手に川面《かわも》が、左手には町並みが開けた。

「慎司が小さい頃、ここで自転車の稽古《けいこ》をさせたもんです」と、稲村徳雄は言った。

「いいところですね。ずっとこちらに？」

「いえ、私の代からですが。こちらに店を構えてからね。今は住まいの方は別にしておりますが、やはりここからすぐ近くなんですよ」

歩きながら、テレビドラマで見かけたことがあるような風景だなと思っていると、実際に、一時期頻繁に学園物のロケに使われた場所だという。

「ロケ隊が来ると、慎司も見にいったりしておりました。可愛《かわい》い娘《こ》がいるとかいいましてね」

「そういえば、ガールフレンドがいたそうですね」

「はあ。学校の同級生だったようですよ。私も家内も顔を見たことはありません。電話を取り次いだことが二、三度ありましたかな。まあ、良くも悪くも今時の娘さんでしたが、うちの慎司だって、ねえ」

「いや、礼儀正しい、いい息子さんだと思いました」

稲村徳雄は、手をあげて頭のうしろを撫《な》でながら足元を見つめている。しばらくして、やっと本題に入る気になったのか、顔をあげた。

「それで、お話というのは――いえ、もちろん見当はついておるんですが」

「慎司君からは、何か聞いておられますか？」

「はあ。このあいだの台風の夜に、あなたに助けていただいて、たいへんお世話になったということだけは。それで、あれがうちに帰ってきましたあと、家内と一緒にあなたにお礼に何おうと思っておったんですが、慎司にひどく強く止められましてね。理由は言ってくれないんですが——」

当然だろう、と思った。

「じゃ、お話ししましょう。先にお願いしておきますが、慎司君の方から何か言い出さないかぎり、僕からこの話を聞いたことは、伏せておいてください。叱《しか》ったり問い詰めたりもしないでほしいんです。よろしいですか？」

稲村徳雄は深く頷いた。「お約束します。高坂さん、私も家内も、慎司にかかわることでは、もう何も驚いたりしないと決めているんです」

私が台風の夜に始まった一連の出来事を話しているあいだ、彼は黙って聞いていた。言葉ひとつはさまず、少し視線を下げたまま、長い土手をゆっくりと歩いてゆく。

話し始めたとき、前方に遠く大きな橋が見えていた。話し終えたときには、そのたもとまで来ていた。傾いた歩行者用信号が青に替わるまで、我々は押し黙って待ち、何台もの車を見送って、埃《ほこり》っぽいアスファルトの横断歩道を渡った。

再び土手の上にあがったところで、稲村徳雄は口を開いた。

「そうでしたか……あの子がこのごろふさいでいる理由がやっとわかりました」

「昨日、僕のところを訪ねてきたときも、やつれてましたからね。ご両親も心配されてるだろうと気になってたんです」

「よく、教えてくださいました。本当に感謝いたします」一度頭を下げてから、また額をぬぐう仕草をした。

「慎司君の話だと、ご両親は彼の――その、能力のことをご存じだそうですね。同じような力を持っていた叔母さんがいらしたとかで」

「ええ、ええ。そうでした。私の父のいちばん末の妹ですから、慎司にとっては大叔母にあたります。もう亡《な》くなって、今年で三年になりますが」

「初めて慎司君がその力のことを打ち明けたとき、お父さんはその叔母さんのところへ連れていってくれた、と言っていました」

「そうです。連れていきました。私は叔母を信じておりましたから。叔母の苦労を――知っておりましたからね」

彼は足を止め、秋の冷たい水の上を渡ってくる風を身に受けながら、川の方へと目をやった。

「稲村さん」

声をかけると、彼は律儀《りちぎ》に「はい」と答えて向き直った。

「実を言いますと、僕自身はまだ、慎司君の言うことを信じてはいないんです。ストレートに信じていい種類のことではないと思います」

「はい、わかります」

「慎司君が僕を、かなり手の込んだ見事なやり方で騙《だま》したんだという、織田君のタネあかしにも説得力がありました。――織田君のことはご存じなんでしょう?」

「会ったことはありません」と、残念そうに首を振る。「慎司から話に聞いているだけです。父さん、仲間がいたよ、と言っていました。びっくりした、ホントにびっくりしたよ、とね」

「家に連れてくるように勧めてみられたことは？」

「何度もあります。でも、駄目《だめ》ですね。ごめんね父さん、でも直也はそういうことを嫌《きら》ってるよ、と言いまして。それはわかる気もするんです。知らない人間に会うことは、誰にだって気億劫《きおっくう》なものです。まして人の心を読むことができるとなれば、なおさらでしょう。私や家内が織田君に会ったら――自分では決してそんなつもりはないにしろ――きっと腹の奥で考えるでしょうからな。『慎司に悪い影響を与える子じゃないんだろうか、二人でいるときどんなことをしてるんだろう、慎司と引き離した方がいいに決まってる』とね。それを聞かされるのは、織田君だって御免のはずです」

首をうしろに倒し、目にしみる空を仰いでから、私は言った。「すると、二人の言うことを全面的に信じておられるんですね？」

稲村徳雄は静かに答えた。「信じる、信じないの問題ではないのですよ。私と家内にとっては、それがそこにあるんです」

思わず顔を見ると、彼はかすかに頰笑《ほほえ》んでいた。

「慎司は私と家内の息子です」と、穏やかに言った。「あの子の問題は、そのまま私ら夫婦の問題になります。私は今まで、あの子が理屈では説明のつかないようなことをやってみせるのを、数えきれないほど見てきました。本当に数えきれないほどですよ。だからもう、信じる信じないを云々《うんぬん》している時期ではないんです。まして、私は叔母をよく知っておりましたからね」

「叔母さんはどんな方でした？」

少し言葉を探すように間をとって、彼は答えた。

「可哀相《かわいそう》な女性でした。本当に——辛《つら》い人生だったろうと思います。しかし、強い女性でした。鋼《はがね》のように強い女性でした。だからあの歳《とし》まで生き延びることができたんだろうと思います」

稲村徳雄もまた、「生き延びる」という言葉を使った。

「たいへんな美人でしてね。縁談も降るようにあったそうです。私の祖父——つまり叔母の父は木場の材木問屋でして、なかなか羽振りが良かったそうなんです。親父《おやじ》の話だと、家の裏に土蔵があって、年に一度の虫干しのときにだけ中を見ることができたそうなんですが、日本刀や鎧兜《よろいかぶと》なんかもあったそうで。つづらに入れたどっしりと重い振り袖《ふりそで》なんかもあって、それをかぶって庭中引きずり回して、こっぴどく叱られたりしたそうです」

懐《なつ》かしそうに目を細めていた。

「太平洋戦争で、全部失《な》くなってしまいましたがね。そのころはもう私の親父の代になっておりましたが、残念ながら、親父には事業の手腕がありませんでしたから、世の中が平和だったとしても結果は同じだったと思いますが。いえ、すみません、叔母の話でしたな」

「きれいな方だったと」

「ええ、そうでした。戦争の始まったころにはもうとっくに嫁いでおりまして、山梨の方へ疎開《そかい》しておりましたんですが、大空襲の夜に、東京に残っている親戚《しんせき》が焼け死んだことを言いあてたそうなんです。嫁ぎ先の姑《しゅうとめ》さんたちも最初は本気にしていなかったらしいんですが、実際に焼け跡へ行ってみて、叔母が『ここだ』と言った場所から遺体が出たりしましてね。すっかり気味悪がられて……それがいけなかったようです。昭和二十一年の春ですから、戦後まもなくですな、出戻って参りました。子供も三人もいたんですが、否応《いやおう》なしの離婚でした。叔母は当時――もう三十代の後半だったと思います。私は七つか八つのころです。そろそろ大人の話に興味のわく歳でしたから、よく覚えておりますよ」

「叔母さんは、その――能力が原因で離婚を？」

「そうだろうと思います。そんな気味の悪い千里眼みたいなことをやる嫁は家においておけないというわけで。親父は怒鳴りましたよ。当時は、嫁ぎ先から返されるというのはとんでもない不名誉でしたから」

なんとなくエプロンの縁を手で引っ張りながら、

「親父はたいへんな剣幕でしたが、叔母も負けてはいませんでした。しょうがないじゃないの、あたしだって好きでやってるわけじゃないのよと、言い張っていましたよ。美人で勝ち気な女性でしたから、もともと姑さんとはうまくいってなかったようで、空襲のときのことは、いい口実になったのかもしれません」

（あたしだって、好きでやってるわけじゃないのよ）

（僕だって、好きでこんなふうに生まれてきたわけじゃないんだ）

「ちゃんと筋の通った話は、もっとずっとあとになって叔母と再会したときに聞いたんですが、どうやら叔母も、十四、五歳のときから自分の特異な力を意識していたようです。ただ、当時は女性にとっては不幸な時代でしたからね。飯を食うのも、眠るのも、家の男たちの顔色を窺《うかが》いながら、でしょう。自分を殺して生きていたわけです。女が自分の意見を言うなんてもってのほかでした。だから、叔母はすべて自分の腹ひとつにおさめて、口をつぐんで生きていたんです。それが空襲のときに爆発したというか——人の生き死ににかかわることだから、思わず言葉になってしまったんでしょう。

「親父と派手にやりあってから、奥の部屋で、それこそ身を揉《も》むようにして泣いていた叔母の姿を、よく覚えています。それから間もなくふっと家を出ていってしまいましてね。以来、まるで消息がわからなくなりました。再会したときは、叔母はもう六十に手が届く歳になっていて、私は所帯を持って、家内の腹には慎司がおりました。ですから、十六年ほど前のことですか」

東京駅の八重洲《やえす》口だったという。

「バスターミナルの方へ歩いていましたら、人込みのなかから、『ノリちゃん』と呼ぶ声が聞こえたんです。私をそんなふうに呼ぶ人間は、そうはいません。振り向いたら、ちょっと離れたところに叔母が立っていました。ちょうど今頃《いまごろ》の季節でしたが、地味な色合いの袷《あわせ》を着てましてね……すぐにわかりましたよ。ずいぶんと痩《や》せて、疲れた感じに見えたものでしたが。

「叔母は笑ってましてね……。『ああ、やっぱりノリちゃんだったね。声をかけようかどうしようか迷ったんだけど』と。私も驚きました。近くの喫茶店に入って、小一時間話をしたんですが、叔母は私が何も言わないうちに、『あんた、所帯を持ったんだね。それに、あんたは兄さんと違って商売の才がありそうだから、きっとうまくいくよ』と言うんですよ」

稲村徳雄はにっこりと笑った。「それだけじゃなんのことかわからんでしょう？　当時の私は、勤めていましたコーヒー豆の卸問屋を辞めて、自分の店を構えようかどうか、迷っていたところだったんです」

「それが今の店ですか？」

「ええ、そうです。驚きましたねえ。すぐ昔のことを思い出しました。『叔母さん、まだあんなことできるのかい？』と尋ねると、叔母はにこにこしていました。『できるよ、ずっとできたんだよ。もうこれは、あたしの業《ごう》みたいなもんだよねえ』。そして、私は何も言わないのに、家内の名前と、お腹《なか》にいる赤ん坊が逆子であることまであてるじゃありませんか。慎司は逆子でね。当時家内はひどく不安がっていました。結局帝王切開で生まれたんです」

思わずため息が出た。稲村徳雄は遠慮がちに笑った。

「当惑されるでしょうなあ。当然です。ほかに、叔母はこんなことも言いました。『ねえノリちゃん。あんた、イシ――イシモリさんとかいう人からお金を借りるのはおよし。紐附《ひもつ》きのお金は良くないよ。しんどくたって、銀行から借りた方が、結局はいいんだからね。それだけ言いたくて、声をかけたようなもんなんだ』とね。石森という人は、私の知り合いで、私が独立するなら資金を出してやろうと言ってくれていた人だったんです。そして私は、歩きながら、彼の申し出を受けようかどうしようか、ずっと頭を悩ましていたところだったんですよ」

私は苦笑した。「で、借りたんですか？」

「借りませんでした。それで正解でしたよ」

それ以来、稲村徳雄はときどき叔母と会うようになったという。

「うちに来るように勧めても、決してそうしようとはしませんでした。ただ一度だけ、慎司が生まれたときに、病院を見舞ってくれましてね。叔母は独りで——独りきりで、勇敢に生きていました。どんな生活をしてきたのか、詳しく話してくれることはありませんでしたが、とうとう再婚はせずに、ずっと独り身を通していたようでした」

そして、慎司が「力」を見せ始めたとき——

「私はすぐに、叔母を頼ることにしました。最初は家内にも内緒にしましてね。叔母は親身になってくれました。『ノリちゃん、可哀相だけど、仕方ないよ。どうしようもないことなんだ。稲村の家にはね、何代かに一人、こういう人間が出るんだ。あんたのお父さんも、そのことは薄々知っていた。総領息子だから、親戚の誰かから話を聞いていたんだろう。あたしのときだって、物凄《ものすご》く怒りはしたけれど、それほど驚いちゃいなかったものね。これは稲村の家の血なんだよ』。そう言いましてね」

この能力は遺伝する。ちょうど血友病のように、ひとつの家系の血のなかに潜在的な要素として眠っており、それを外に発現させる遺伝子と組み合わさったとき、表に出てくるのだ——そんな記述を読んだ記憶があった。

「叔母は無学な人でしたから、難しいことを言うことはありませんでした。ただ慎司に、どうやって生きていけばいいか、教えられるだけのことは教えようと約束してくれました。事実、そうしてくれたと思います」

ちょっと言葉を切って薄い頭を撫でると、肉付きのいい肩を上下させて、息を吐いた。

「叔母が亡くなったのは、二月の真夜中の三時ごろのことでした。急でしてね。心不全です。寝床のなかで、眠ったような状態でした」

「どなたが見つけたんです?」

「慎司です。あの子が——感じたんですよ」

「察知した?」

「そうでしょう。叔母は高円寺に住んでいましたし、私らはもうこの町におりました。夜中に慎司が起きてきまして、私を揺すって起こすんです。『お父さん、叔母ちゃんが死んだよ』ってね。『どうしたんだ?』と尋ねますと、『僕、わかったから』と言うんです。あとはただもうおいおい泣いているばかりで——で、行ってみたら、あの子の言うとおりでした」

いい、いい、いい、過去に小細工は利かない。これは絶対だ。再び生駒の台詞《せりふ》を思い出し、私は考えた。おい、じゃあこれをどう思う？

「葬式のあとで、ぽつんと言いましたよ。『叔母ちゃん、あんまり苦しんだりしなかったよ』と。笑われるかもしれませんが、高坂さん、私はそれで救われました」

私は黙っていた。不用意なことを口にしてはいけないような気がした。

「長い思い出話をしましたが、この叔母のことがあるから、私は慎司の力を認めているんです。そして叔母は、生前に一度だけ、私と家内を並べて、ほとんど頼むようにして言ったことがあります」

ノリちゃん。あんたたちも気の毒だけど、でもね、慎ちゃんの親はあんたたちだけなんだから、心して聞いてちょうだい。あの子が生きていくのは大変なことだと思うよ。あたしのときとは時代が違うから、余計に難しいと思う。だけど、あの子はそう生まれついちゃったんだから、しょうがないのよ。そしてね、あの子が背負っているものは、あの子にしかわからない。親にはどうしてやることもできない。だから黙って見ててやって。で、あの子が相談を持ちかけてきたら、できる限りのことをしてやって。それしかないよ。あの子の持っている力は、あんたたちにはないものなんだから。親なんだから子供をどうにか導いてやれるはずだなんて考えたら駄目。あの子はあの子の決めたとおりにしか進めないんだから。だけど、慎ちゃんは頭のいい子だし、気持ちも優しい。あたしも精一杯のことはするつもりだから、きっと真っすぐ育ってくれると思う。だからあんたたちは、あの子のうしろにいてやって、何かあったときには、あの子と一緒にすべてひっかぶるつもりで、それだけ腹をくっててやってちょうだい——そう言った、という。

「私は、叔母の教えに従うつもりです」

稲村徳雄は静かに言って、私を見上げた。

「それしかしてやれないというのは、親として本当に切ない、情けないことですが。家内は一度、私にこんなことを言いましたよ。テレビで、どこか外国の自動車レースを観《み》ているときでした。日本人のレーサーも出てましてね。クラッシュというんですか、事故があって、車が大破したり燃え上がったりするようなことがあるでしょう？　家内はそれを見てて、『子供がこういう道に進んでいるのを見ている親御さんは、たまらないでしょうね。いつ命を落とすかわからないんだから。でも、仕方ないのよね。黙って見てるしかないもの。あたしたちと同じね』と。そこまで——言ってみれば開き直れるまで、長い時間がかかりましたが」

途方もなく長い時間と、事実の積み重ねが。

「今度のマンホールの事件のことで、たしかに慎司は失敗をしたと思います。なまじ手を出したために、ことを複雑にしました。幼い失敗で、あの子は今そのことでひどく悩んでいるようです。でも、それがどういう結果を生もうと、私は慎司と一緒にそれを引き受けるつもりです」

ちょっと笑うと、初めて年長の人間らしい余裕をにじませて、私を見た。

「慎司はいろいろと失敗をしますが、しかしね、基本的には正しい判断をしているという気もします。今度のことで手を貸してもらうのに、あなたを選んだということでもね」

「とても——そうは思えないんですがね」

「いえ、そうですよ。面白おかしく書きたてようと思うなら、仕事柄《がら》、いくらでもそうできる立場にいる人だ。だがあなたはそれをする前に、立ち止まって考えておられる。だから私にも会いにきてくださったんだ」

「僕自身が戸惑っていて、どうしていいかわからないからですよ。うっかりするととんでもない恥をかく羽目になるかもしれない」

「それでも書こうと思えば書けるでしょう」

「秤《はかり》に載せて、まだ揺れが止まらないうちは目盛りを読むことはできませんよ」

稲村徳雄は笑みをたたえたまま、「そうですか。なるほど」と言った。「とにかく、あなたのなかに、こちらの信頼に応《こた》えてくれるだけのものを、慎司は見つけたんでしょう。私はそう思いますし、その判断を正しいと信じます」

つとくちびるを引き締めて、

「しかし、あなたも宮仕えの人だ。いろいろ事情は出てくるだろうと思います。そういうことなら、私は慎司よりずっとよくわかっております。今後どのようになさろうと、それはあなたの自由ですよ。納得されるまで、なんでもなさってください。私と家内は慎司のうしろにいて、起こることを全部受けとめるだけですから、遠慮は要りません」

それに応える言葉は見つからず、私は「わかりました」とだけ言った。

土手下の道路に目をやると、黄色い帽子をかぶった小学生の一団が、手をつないだり走ったりしながら通りすぎてゆくところだった。

「あれぐらいまでが、いちばんいい」

ぴょこぴょこ揺れながら遠ざかってゆく黄色い帽子を眺《なが》めながら、稲村徳雄はつぶやいた。

「親の手のひらのなかにいてくれますからな。守ってやることもできます。ときどき、やっぱりそう思ってしまうんですよ。慎司がずっと小さいままでいてくれたら良かったろうなあ、とねえ」

3

時間的に、六時限目の授業の終盤であるらしかった。行ってもすぐには会えないかもしれないと思いながら足を運んできたのだが、予想はいい方にはずれたらしい。

慎司は校庭にいた。体育着姿で、三十人ほどの他の男子生徒たちと一緒に整理体操をしている。ウエアの膝《ひざ》を土で汚している生徒が目についた。

フェンスごしにじっと眺めていると、教師の号令で、全員が逆立ちを始めた。支え手なしだから、できない子供の方が多い。そのなかで、小柄な慎司はぴたりと倒立を決めていた。

教師は大声で三十まで数えたが、そのあいだ揺るぎもふらつきもせず、「やめ」の合図でぽんと足をおろして、身軽に立ち上がった。そして、私に気がついた。

解散の声がかかると、彼はこちらに走ってきた。走りながら手を振って、左側の方に見えている通用門を指し示す。私がそちらに足を向けると、自分も途中から向きをかえた。

「びっくりした」と、開口一番に言った。彼の胸の辺りまでの高さの鉄柵《てつさく》に肘《ひじ》を乗せて、身を乗り出している。

「ずっといたんですか？」

「十分ぐらい前からだよ。たいしたもんだな」

「何が？」

「倒立。うまいね」

「ああ。僕、体操部なんです」と、にっこりした。額に汗をかいており、運動のあとで、頬《ほお》が少し上気している。目の下の黒いくまは消えていないが、表情は明るくなっていた。

「と言っても同好会みたいなもんだけど、やっぱり倒立くらいはできなきゃついていけないからね」

「着替えないでいいのか？」

「うん。このあとすぐ部活だから」

コンクリートの地面には銀杏《いちょう》の黄色い落葉が一面に散っている。足を動かすと、かさこそと音がした。

「直也が消えたよ」

慎司は軽く目を見開いたが、意外だという感想を表わしたというより、だからどうしたの、という様子に見えた。

「よくあることなのか？」

「仕事も住むところもしょっちゅう替えてるもの。今度はやっぱり、高坂さんに訪ねてこられるのが嫌《いや》だったんだろうな」

「君とはどうやって連絡をとってるの？」

慎司は手をあげて乱れた髪をなでつけた。「たいてい、直也の方から電話してくるんだ。僕たち、そう頻繁《ひんぱん》に会ってるわけじゃないし」

「じゃ、居所は知らない？」

「はい」

「電話番号も？」

「全然。そんな必要ないもの」

「じゃ、君の方から彼に連絡をつけたいときはどうしてるの？」

ちょっと目を伏せてから、慎司は真顔で私を見上げた。「呼ぶんだ」

どうやって？　と訊《き》く必要はなさそうだった。

「それで通じる？」

彼は頷《うなず》いた。「ほら、高坂さん、前に僕に訊いたでしょ？　誰かと交信してみたことがあるかって。あの時はっきり答えなかったのは、僕にもこれが正確に交信であるかどうか自信がなかったからなんだ」

「どうして？」

「なんていうのかな……直也に会いたいなあと思ってると、彼から連絡が来たり、今日あたり公園に直也が来てそうだなって感じて行ってみると、彼がいたりする……そんなふうなんだ。はっきり、『至急連絡せよ』なんて電波みたいに飛ばしてるわけじゃないんだよね」

「それでも彼には通じる――」

「うん。たぶん、直也の方が僕より力が強いからだと思う。彼、僕にはできないこともできるし」

「どんなこと？」

慎司は考え込むような顔をした。「知りたい？ また混乱するよ」

「どのみち、もう限度一杯まで混乱してるさ。いいよ、教えてくれ。彼、ほかに何ができる？」

まだ少し躊躇《ちゅうちょ》しながら、慎司は言った。「動くこと」

「え？」

「テレポーテーション。そう言うと、もう嘘《うそ》みたいに聞こえるけど、本当だよ。僕、一度見せてもらったことがある」

「つまりその――A地点からB地点へ移動する？」

「うん。すごく身体《からだ》に負担がかかるから、遊び半分にできることじゃないって言ってたけどね。一瞬だよ。僕にやって見せてくれたときは、公園の端のベンチから、反対側のブランコのところまでだった。まばたきするあいだに移ってたんだ。僕もやってみたいと思って努力してみたけど、駄目《だめ》だった。そういう力じゃないんだ、僕のは」

「残念だったな」と、私は言った。真面目《まじめ》に言っているつもりだったが、そうは聞こえなかったらしい。

「それができれば電車賃がかからないとか、遅刻したとき便利だとか、つまんないこと言わないでよね」

空咳《からせき》でもしてごまかすより手がなかったので、私はそうした。

「公園ていうのは、君が頭を冷やしたくなると行く、あの児童公園？」

「そう。あそこ、日陰だし周りにあんまり住宅がなくて、ちょっと陰気なんです。だから、子供を連れて遊びにくる人なんていなくて、いつもすいてるから、僕たち二人ともリラックスできる」

「なるほど」私はポケットに片手を入れて、なんとなく空を見上げた。「じゃ、またそれをやってみてくれないかな。彼を公園に呼んでほしいんだ。まだまだ聞きたいことがあるし、実際、彼ひどい顔色してたからね。助けが必要なんじゃないか？」

慎司は鉄柵に顎《あご》を載せ、ぽつりと言った。「父さんに会ったね」

彼の視線は、私が片手に下げている紙袋に向けられていた。

紙袋の中身は、慎司の小学校と中学校時代のアルバムだった。稲村徳雄が、別れ際《ぎわ》にわざわざ自宅に寄ってとってくると、そっくり貸してくれたのだ。

（慎司は先生にはなつきません。どうも駄目なようです。でも、親しい友達は何人かおります。誰でもいい、連絡をとってあの子のことを訊いてみてやってください）

中身が見えないように気をつけて持っていたつもりだったのだが、ちゃんと見抜かれていた。

「読んだのか？　それとも見たの？」

「読んじゃった。すみません。不作法だってわかってるんだけど」小さく笑って、「僕のこと——調べるつもりだね？」

「君たちのこと、だよ」

「ありがとう」

「礼を言ってもらえるような結果になるかどうか、まだわからないぞ」

「わかってるさ。僕はわかってるよ」

屈託のない口調だった。

「バッハ聴きに行った？」

私は首を振った。「途中で居眠りしちゃ悪い」

「そうかな。それでもあのおねえさんは怒ったりしなかったと思うな。あの人、高坂さんのこと好きなんだよ。気づいてると思うけど」

「あまりそういうことはやらない方がいいな」

慎司は少しあわてた。「わざとやったんじゃないよ。昨日の朝、編集部に行ったとき、あのおねえさんの顔を見た途端にわかっちゃったんだ。雪崩《なだ》れかかってきたって感じだったよ。彼女、そのことばっかり考えてたんだ、きっと」

ちょっと間をおいて、「ホントだよ。でも、そのことを高坂さんにしゃべっちゃったのはまずかったよね。反省してます」

あの人、片想《かたおも》いなんだね、可哀相《かわいそう》に——そう言って、足元の落葉を爪先《つまさき》で蹴《け》っている。

「このごろ、しょっちゅうそんなふうにアンテナを立ててるのか？　うまくコントロールすれば、何も聞こえなくなることだってあるんじゃなかったの？」

慎司は白い体操着に包まれた肩をすくめた。「アンテナはいつも立ってるもの。それに、初めての場所に行ったりするときは、必ず力を使って探りをいれるようにしてるから。宇宙船から人が降りる前に、探査機を出して様子を窺《うかが》うみたいにね」

私は上着のポケットから名刺を出し、裏側にアパートの電話番号を書いて、彼に渡した。

「直也を呼び出せたら、すぐ連絡してくれ。編集部にいなければ、自宅に。何時でもいいよ。ただし、頼むから電話を使ってくれよな。そらで呼ばれたって、俺《おれ》には聞こえないんだから」

「わかってる」と、慎司は鼻にしわを寄せるようにして笑った。

「少しは元気を取り戻したみたいに見えるね」

「そうかな。うん、ちょっとはね。あと、天気のせいかな。気持ちいいもの」

鉄柵に足をかけ、腕をのばしてよく晴れた空を見上げた。

「神、空にしろしめす。なべて世はこともなし」

私は「へえ」と言った。

「おかしい？　僕は現役の学生だよ。引用ぐらいできます」

鉄柵から飛び降りると、「じゃあね」と言った。走って遠ざかってゆく。灰色の校舎のなかに、白い運動着が消えるのを見届けてから、私は踵《きびす》を返した。

編集部に戻ると、いきなりデスクに呼ばれた。ちょっと来いと手招きしながら、活動を始めて雑然としてきた室内を抜け、コピー室の方へと大股《おおまた》で歩いていく。

追い付いて歩きながら、私は言った。「ちょうどよかった。休暇をください」

デスクは足を止めた。そうやって並んでみて初めて気づいたのだが、デスクと慎司はちょうど同じぐらいの身長だった。大柄に見えるのは、活動的な人間である証拠だろう。

「なんだ？」

「休暇が欲しいんです」

「だから、なんのためにだと訊いてるんだ」

「記事にできるかどうか全くわからないことを調べたいからですよ」

小鼻の張った鼻をふんと鳴らしてから、「青少年カウンセラーの件か？」

「そうです」

「あれについては、まとまったら聞かせろといったろうが」

「そうするつもりですが、書けないかもしれないんですよ」

「書けないものなんてあるか、馬鹿者《ばかもの》が」髭剃《ひげそり》あとの青々とした顎を突き出すと、「記事になるかならないかを決めるのは俺だ。おまえじゃない」

「だけど、当分のあいだ、俺はここにいたって役に立ちませんよ」

「打ち合せにもいなかったしな」

承知でさぼったのだった。

「俺たちが何をやろうとしてるのかも聞かんつもりか」

「見当はつきます。横手の嬰児《えいじ》殺しでしょう?」

デスクは黙った。佳菜子がひそかに「お焼き」と呼んでいるまん丸い顔を歪《ゆが》めている。

「今そこで、桑原が写真を揃《そろ》えてたのを見たんですよ」

「ありゃ二人もあれば充分だ」

「そう思います。だから――」

「休暇はやらん。何を言っても駄目《だめ》、無駄、効き目なしだから何も言うな。おまえが何をやろうとしばらくは文句を言わん。まとまったら聞かせろ、それだけだ」

「えらく寛大ですね」

「有給休暇なんてのは可愛《かわい》いおねえちゃんを連れてどっか南の方へでも出かけるときに使うもんだ。馬鹿が」

「そういうことばっかりしてちゃデスクにはなれなかったと思いますけどね」

「そういうこともしないでデスクになったって何が面白い?」

笑ってしまった。「デスクは面白そうに仕事をしてますよ」

「何が面白いもんか。ただの中毒だ」

吐き捨てるように言ってから、口をぐいと結んで、素早く辺りに気を配った。廊下にはほかに人影は見えなかった。

「七通目が来たそうだな?」

真剣な顔だった。

「生駒に聞いた。やつも心配してる。俺もさすがに気になってきたな。今度は字が書いてあったそうじゃないか」

「ええ、ありました」

「恨むという字だったとか」

「そうです」

「おまえ、本当に身に覚えはないのか? この際だ、みんな吐いちまえ。え? どうなんだ?」

「吐きたいのはやまやまなんですが、思い当る節がないんですよ」

「まるでか? まったく?」

そう問い詰められると返答に困る。誰でも同じだろう。

「どこで恨みをかってるかわからん商売だからな」と、デスクはひとりごちた。「ましておまえは社会部あがりだ。うちへ来てからのこととは限らんぞ。それも考えてみたか？」

「でもそれなら、もっと以前から始まってそうなものじゃないですか」

デスクは腕組みをした。「憤怒《ふんぬ》のスイッチってやつは、いつ入るかわからんものだからな。こっちが忘れたころにパチンと入って、いきなりブンブン唸《うな》りだすことだってある。で、何がなんだかわからないうちにブスリだ」

「それほど大げさなことじゃないと思いますよ。ただの嫌がらせでしょう」

「だといいんだが。だが、嫌がらせにしたって理由があるだろう？　おまえを名指しで来てるんだぞ」

ジーンズにサファリジャケットといういでたちの契約記者がそばを通りかかったので、道を開けた。

「思い当らないんですよ。本当です」

いまいましそうにため息をつくと、デスクは言った。

「まあ、とにかく、しばらくは身辺に気をつけろよ。箱入り娘みたいに暮らすことだ。夜道の独り歩きは避けて、ドアには鍵《かぎ》をかけて寝ろよ」

言いながら、自分でふき出している。

「なあ、本当にツケじゃないのか？」

「ないですね。全部デスクの名前でツケてますから。それだけですか？」

「それだけだ。罰あたりが」

机の上には生駒がプリントアウトしておいてくれた資料が山積みになっていた。読むだけで一仕事になりそうだった。

生駒は電話に出ていたが、私が横に座るなり受話器を置いて、

「例の警官、わかったぞ」と言った。「まだ本人とは話してないんだが、退職して娘夫婦と一緒に暮らしてるそうだ。小田原にいる。明日にでも行って会ってみるよ」

「小田原じゃほとんど一日仕事だ。いいのか？」

生駒のグループは今、来《きた》る十一月十二日の「即位の礼」に絡《から》んだ連続ものを組んでいた。折からの皇室ブームもあって、読者からの反響もいちばん強いページだった。

「かまわんよ。こっちは手が多いからなんとでもできる。で、どうだった？」

簡単に説明すると、大きな頭をかしげながら聞いている。手にはもちろんハイライト。

「良くねえなあ」と、あっさり言った。「その叔母さんとやら、本当に実在するのかね」

私は眉《まゆ》をあげた。「そこまで疑う？」

「当然だ。まあどっちにしろ、本人が死んじまってたんじゃどうしようもねえがな」

資料に取りかかる前に、直也が残していった電話番号へかけてみた。応答はない。時計を見ながら三十分おきにかけて、四度目に、十回ベルを鳴らしたところで初めて受話器のあがる音がした。

「出た」と言うと、慎司のアルバムをペラペラめくっていた生駒が、素早く手をのばして隣

の電話をとった。

「もしもし?」

電話の向こうには、なにか雑音が聞こえるだけだった。かすかだが金属がきしんでいるような、カンに触る音だ。何度か呼びかけても、人の声は聞こえない。だが、気配はしている。

「もしもし? 織田君か? 聞こえてるんなら返事を——もしもし?」

こちらも意地になって呼びかけたのだが、結局、ためらいがちにゆっくりと受話器を置く音が聞こえただけだった。

生駒と顔を見合わせた。

「誰か出てたのは確かだよな。なぜひと言も口をきかん?」

「子供かな?」

「最近の子供は、舌が回るようになったらすぐ『もちもち』ぐらいは言えるぞ」

もう一度かけてみたが、今度は応答がなかった。

「仕方ない。またあとだ。織田直也のガールフレンドとは六時に会う約束だろう? そっちを先に片付けよう」生駒は立ち上がった。

「一緒に?」

「当然」と、ベルトをずりあげる。「若い女の子と会える機会を見逃す手はねえ。彼女に夕飯でもおごってやろうじゃないか」

張り切って出てきたわりに、生駒はおとなしかった。面食らったのかもしれない。

4

小男の責任者が言っていたとおり、「麻子ちゃん」は可愛らしい娘だった。マスコットガールにはぴったりのタイプだ。すらりと長い足、手入れの行き届いた髪、それと、物怖《ものお》じしない態度。

「あたし、ステーキが食べたいなあ」などと言って、こちらが承知すると、店までちゃんと指定してきた。赤坂にある高級レストランで、企業が接待に使うので有名なところだ。

「バイトはいいの？」

「平気、平気。店長、あたしには甘いから」

行ってきまーす！　と元気に声を張り上げて、当の店長の仏頂面《ぶっちょうづら》を置いてけぼりに、さっさと先にたって歩きだす。通りかかった空車に両手を振って、

「タァクシー！」

目をぎょろぎょろさせている生駒の脇《わき》で、私は笑いを嚙《か》み殺すのに苦労した。

「笑うな」と、生駒は歯の間から押し出すようにして言う。

「笑ってないよ。ご感想は？」

彼はフンと言った。「どっちにしろ、俺たちだって夕飯は食わなきゃならんのだからな」

「経費の請求はそっちの名前でしてくれよ、お父さん」

彼女のフルネームは守口麻子《もりぐちあさこ》。二十歳。短大生だという。

「家政科よ。将来いい奥さんになるわよぉ」

生駒はテーブルに乗り出して、「どうでもいいが、いつもそんなにバッチリ決めてアルバイトに来るのかね?」

きれいなプリント柄《がら》のブラウス・スーツに、七センチヒールを履いている。スーツの生地《きじ》はポリエステルのようには見えなかったし、靴《くつ》も合皮ではなさそうだった。化粧も念入りにしてあるようだ。

「これ? 違うわよ。ジーパンで来たんだけど、店長から夕方マスコミの人が来るって聞いて、あわてて買いに行ってきたの。だって、このお店に来るのには、それ相応の格好をしないとね。でしょ?」

彼女はよく食べたし、よくワインも飲んだ。そしてよくしゃべった。ただし、自分のことばかり。どう舵《かじ》を切っても、「でさ、あたしはね――」で始まる話題の方へ流されて行ってしまう。つい最近、横浜ベイブリッジの上で大喧嘩《おおげんか》をして別れたという彼氏の話が終わったところで、私はやっと割り込んだ。

「その彼氏のことだけど、君、織田直也とも付き合ってたそうだね」

少し赤らんだ頬《ほお》に手をあてて、麻子は「うふん」と言った。

「どっちだ? 肯定か否定か」生駒がぶすりと言う。

「やだあ、コーテイだって。聞いた？ コーテイ」と、麻子はこちらにしなだれかかってきた。「あたしの行ってた小学校さあ、門のそばに初代の校長センセの銅像があったの。それがさ、夜中になると校庭じゅう走り回るんだって！ 有名だったんだからぁ。あたしは見てないけどぉ、ホントの話よ」

「だろうね。で、彼どんな青年だった？」

「誰が？」

「織田直也。付き合ってたんだろ？」

麻子はワイングラスを持ちあげて、深紅の液体をすかすように眺《なが》めてから、「わかんなーい」と言った。

「デートしたことは？」

「あるわよ」

「つまらない男だった？」

「そうでもなかったなあ」と、古風な梁《はり》の浮きだしている天井を見上げる。「優しかったしね。ただ、お金持ってなくて。あれじゃダメね」

可哀相よねえ、という口ぶりだった。

「優しいって、たとえばどんなふうに？ 君の気持ちをよく理解してくれるとか」

麻子はポンと手を打った。「そう、それ。彼って、相談男のタイプだったわね。愚痴こぼしても聞いてくれたしさ。前のボーイフレンドが二股《ふたまた》かけててさ、あたしすっごく悔しい思いをしたことがあったんだけどね、その時なんかもずいぶん慰めてくれたわ」

周囲をちらっと気にしてから、生駒がずばりと訊《き》いた。「彼と寝たことはあるかね?」

麻子はしゃんと背をのばした。いくらなんでも怒りだすかなと思ったが、そうではなかった。そうっと前かがみになって顔を寄せてきながら、声をひそめてこう言った。

「あるの。だけどね、彼、ダメだったのよ」

「駄目とは?」生駒が生真面目《きまじめ》に聞き返す。麻子はひらひらと手を振った。

「ヤダぁ。できなかったのよ。決まってんじゃない」

二ヵ月ほど前の話だという。

「あたしね、夜の方が時給が高いし、お店閉めたあとで飲みにいったりする楽しみがあるから、夕方から勤めてるわけ。夜はヒマだし、カッコいい人に声かけてもらえる率も高いのよ。昼間はダメ。トラックの運ちゃんとか、営業マンとかしか来ないから。そいでさ、その夜も、ブルーのBMWに乗ってる男に――」

店を閉めたらドライブに行こう、と誘われたのだそうだ。

「まああの顔してたし、カーコンポでちょっとしゃれた音楽かけてってさ。ジャズみたいだった。いいかなァなんて思ってたら、織田君が寄ってきて、『よしなよ』なんて言うの。あたし、なんだコイツって思って、『いいじゃないあたしの勝手でしょ?』って言ったら、『今夜だけはよせよ。あいつについていっちゃ駄目だ』なんて言うじゃない? あたしビックリしちゃった。スッゴク真剣なんだもん」

自分でもよくわからないうちに、胸騒ぎがし始めていた。「ブルーのBMW」というところに、なぜかひっかかった。

「でね、あたし思ったわけ。ははん、織田君、嫉妬《しっと》してんのかしら、なんて。それでさ、『だけどあたし、一人で帰るのつまんないんだもん』て言ってみると、なんかあわてちゃってさ、『じゃ、俺とどっか行こう』だって。しょうがなくて、結局映画観《み》に行ってぇ、近くのお店でご飯食べて、ちょっと飲んだのかなあ。それであたし酔っ払っちゃって、彼にマンションまで送ってもらったの。タクシーだったけどね」

「それでなんとなくそうなっちまったわけだ」と、生駒が言う。

「そうね。彼ってさ、ちょっと瘦《や》せすぎてるけどぉ、よく見るとハンサムじゃない？　それにさ、優しいしおとなしいってことは知ってたからぁ、一度くらい、いいかなーなんて思ったわけ。あたしもそのころ一人で、彼氏のいない谷間だったしね。淋《さび》しかったんだもん」

ところが駄目だった、というわけだ。

「ぜーんぜんよ。気の毒になっちゃうぐらい。アルコールのせいよって慰めてあげたけどね。あたしもあんなの初めてだった」

「彼、気にしてた？」

麻子はなよなよと首を振った。「どうかなあ……きまり悪そうには見ぇたけど。どっちかっていうと、ほかのことでビクビクしてるみたいな感じがしたわよ。しょっちゅう窓から首を出して、外をのぞいてるの。まるで誰かに追われてるみたい」

生駒がさっと私の方を見た。

「そのこと、彼に訊いてみた?」

「うん。そしたら、『俺《おれ》、ちょっとまずいことがあって、興信所に尾《つ》けまわされたことがあるんだ』って」

「どこの興信所?」

「そんなの聞いてないわ。あたし、寝ちゃったし。朝になったら、彼もういなくなってたしね。それきりよ。それ一度だけ。あたしからは誘わなかったし、彼もさあ、不名誉じゃない? だから二度と声かけてこなかったわね」

あとは、押しても引いても同じことの繰り返しで、結局は彼女にとっても、織田直也という青年は「よくわかんない、不思議な人」だったということがわかっただけだった。

だが、「途中から始まってる小説みたいな人だったわ」と、妙に詩的なことを言った。「過去っていうか、あのお店に来る前の部分がなーんにもわかんなくて。ちょっとスリリングではあったけどね」

麻子はワインを飲み干し、アイドル歌手のピンナップみたいな格好でテーブルに頬杖《ほおづえ》をつくと、笑いかけてきた。

「ねえ、もう一軒つきあってくれたら、もっといろいろ思い出せそうなんだけどなあ」

丁重にお断わり申し上げて彼女をタクシーに押し込んだあと、生駒と地下鉄の駅まで歩いた。

「大出費だ」と、彼はむくれている。「いかれた短大生だ。本当に短大生か？」

私は考えていた。ブルーのＢＭＷ。そしてジャズ。それがどうしてこんなに気になるんだろう？

「あれじゃ情報らしい情報とも言えねえ。だいたい礼儀ってもんを知らねえから、ああいう図々《ずうずう》しいことが——そりゃこっちだって若い女の子には甘いかもしれないがそれにしたって——」

私は足を止めた。生駒は大股で三歩ほど行き過ぎて、そこで振り返った。

「どうしたんだ？」

「わかった」

「何が」

「ブルーのＢＭＷだよ。それと、ジャズだ」

生駒を追い越して地下鉄の階段を走り降りた。「確かめてみればはっきりする」

編集部にはまだ人が残っている時間で、電話も頻繁《ひんぱん》に鳴っていた。たぶん先月だと見当をつけて、「アロー」のバックナンバーをさらった。生駒は肩ごしにのぞきこんできた。「何を探してんだ？」

目当てのページを見付けると、私はそれを彼の鼻先に突き付けた。

「ヘッドライン」のところで、ごく短い記事だった。

「ギャルの外車指向につけこんだ前科四犯の悪いヤツ」というリードがついている。

「先月、川越で捕まった連続暴行魔だ。ブルーのBMWを乗り回してたんだよ。殺人まではいかなかったが、わかっているだけで被害者は二十人以上いると言われてた。執着心の強い男で、一度目をつけると、逃げられてもあとを尾けまわして車に引っ張りこんだり、ひどい場合には自宅に押し入ることさえあった。覚えてないか？」

おまけにこの犯人はジャズ・マニアだった。愛好者が聞いたらカンカンになるだろうが、犯行に及ぶとき、いつもアート・ブレイキーの「モーニン」をバックに流していた。

生駒は記事を読み、目をあげて私を見ると、低く言った。

「じゃ、それが守口麻子の言ってる男だと？」

「そうだよ。二ヵ月前の話だと言ってたじゃないか。時期的にもあってる。やつは都内を中心に呆《あき》れるほど広い範囲で獲物《えもの》を漁《あさ》ってた。あのガソリンスタンドに寄ったとしても不思議はないさ」

生駒はゆっくり首を振ると、雑誌を棚《たな》に戻した。

「そいつはちょっと強引すぎる」

「なぜ？　ぴったりじゃないか」

「あってるのはブルーのBMWだということだけだ。日本中にどれだけ走り回ってるかわかったもんじゃない。ただの偶然だよ」

「それだけじゃないさ。ジャズは？」

「あの娘にはジャズと行進曲の違いもわからんよ」

平板な声で、あっさり言う。私は一歩詰め寄った。

「じゃ、なんでその夜に限って直也が彼女を誘ったんだ。『今夜はよせ、あいつにはついていくな』とまで言ったんだぜ？」

「彼が麻子を口説《くど》きたかったからだろうよ。だからこじつけたんだ。そういうことはあるもんだ。身に覚えがあるだろうが」

喧嘩に近いような大声を出していたので、残っている連中が何人か、怪訝《けげん》そうな顔を向けてきた。生駒は私の肩を叩《たた》き、声を穏やかにした。

「考えすぎだ。予断を持つと、なんでもそう思えてくる。怖いと思えば、とりこみ忘れた洗濯物《せんたくもの》まで幽霊に見えるのと同じだよ」

私は唖然《あぜん》として彼の大きな顔を見上げた。「信じられないな」

「俺は信じられるよ」と、大きな肩をそびやかす。「俺も昔、今のおまえさんとそっくりなはまり方をしてたからな」

ちょうどそのとき、「電話だよ」と呼ばれた。私の机だった。腹立ちまぎれに、差し出された受話器をふんだくるようにして受け取った。

「はい、電話代わりました」

何も聞こえない。

「もしもし？」

沈黙。

夕方の電話の件がちらりと頭をよぎり、思わず耳から離して受話器を眺めた。が、あの番号で出た先方がかけ返してこられるはずがない。

「どなたですか?」

すると、嗄《しわが》れた声が、かろうじて聞き取れるほどの大きさで、こう言った。

「あんた、高坂さん?」

「ええ、そうですよ」

性別さえはっきりわからないほどかすれたその声は、私の出向元である新聞社の名をあげ、

「もとは八王子支局にいた高坂昭吾さんだね?」と続けた。

「そうです。ご用件は?」

笑ったのか、耳障りな声をたててから——

「七通目の手紙、読んだかね?」

自分でも、一瞬顔が強《こわ》ばったのがわかった。離れたところでハイライトをふかしながらこちらを見ていた生駒が、煙草《たばこ》を捨てて身体《からだ》を起こした。

「読んだかね?」相手はもう一度そう言い、今度こそ、かすかに笑った。

「読んだよ」私はゆっくり答えた。それで察したのか、生駒が巨体に似合わぬ素早さで近付いてきて、隣の電話に手を置き、割り込んだことを相手に悟られないように、慎重に受話器をあげた。

「あんた、誰だ？」

尋ねると、嗄れた声はまた笑った。「誰でしょうねえ」

「手紙はあんたの仕業か？」

「さあねえ」

「なんであんなことをしてる？」

生駒が手振りで（どんどんしゃべらせろ）と合図してきた。私は止めていた息を吐き出して、できるだけ温和な声を出した。

「あれじゃ、意味がわからない。困ってるんだ。目的はなんです？　何か話があるのなら、ちゃんと聞こうじゃないですか」

やや間があって、ため息のような音とともに、相手は言った。「もう、そんな段階は過ぎちまったから。気の毒にねえ」

その言い方が真に迫って残念そうだったので、瞬間、冷たい指でスッと背中を撫《な》で上げられたような気がした。たった一本の指だが、正確に背骨の上を。

「どういうことです？」

「身に覚えがないのかねえ。昔のことだから、忘れたか」

八王子支局にいたときなら、「アロー」に移る直前だ。二年前ということになる。

「支局にいた頃に、何かあったというわけですか？　そんなはぐらかすような言い方じゃ、こっちにはわかりませんよ。あそこには丸二年いたんですからね」

じゃあ教えてやろうか、と相手が開き直るのを待ったが、無駄《むだ》だった。ヘッヘッと、馬鹿《ばか》にするように声をたてている。

「もしもし？」

「ま、気をつけることですな」

「だから――」

「あんただけじゃなくて、ほら、なんて言ったっけ？　そう、小枝子さんね。あの人もね、気をつけてあげた方がいいと思いますよ」

電話はそこで切れた。ツー、ツー、という音をたてている受話器を握ったまま生駒を見ると、彼も私を見上げていた。

「聞き覚えのある声か？」

私は黙って首を振った。

「男だか女だかわからん感じだな。それに妙な声だ。ボイスチェンジャーを通してるのかもしれん」

受話器をフックに戻すと、椅子《いす》に腰を降ろした。まだ怖いとは思わなかったが、腹立たしいのとじれったいのとで、机に片肘《かたひじ》ついたまま、しばらく電話機から目を離すことができなかった。

ちょっと姿を消した生駒が、インスタントコーヒーの紙コップをふたつ持って戻ってきた。

「で、どうだ？　八王子支局時代のことで、心当たりは？」

「今、思い出そうとしてる」

「あそこには地裁と地検があるよな？」

「うん」

「関《かか》わったことは？」

「一年ほどクラブに詰めてた。強《し》いて取り上げるほど大きな裁判にぶつかったことはなかったな」

「じゃ、あとは要するに町ダネ拾いか」

「そう」

生駒は顔をしかめた。「暴力団はどうだ？　ドンパチがあったじゃないか」

「山口組は、俺と入れ違いに八王子に来たんだよ」肘をはずして身体を起こした。「それに、これは暴力団のやり方じゃない」

「そうとも言い切れん。陰湿な連中だっている。俺は昔、地上げがらみの取材で不興をかって、毎晩夜中に電話をかけられたことがある」

「脅されたのか？」

「いんや。テープ録音したお経を聞かせてくれたんだ。一ヵ月だぞ。しまいには一緒に唱えられるようになった。おかげで極楽行きは決まったようなもんだ」

ちょっと笑うと、肩から力が抜けた。

「俺の勘じゃ、またかけてくるぞ」と、生駒は言った。「かけてきたら、できるだけ引っ張ってしゃべらせるんだ。今のままじゃ雲をつかむようなもんだからな。あて推量したって始まらん」

「そうする」

「録音をとれるようにしよう。うちのこの旧式な電話にもつなげるレコーダーがあったはずだ」

生駒は立ち上がりかけ、机に手をかけて、私を見た。「ひとつだけ、今のうちでもできることがある」

なんだかわかっていた。

「小枝子《さえこ》さんに連絡をとれ。彼女の名前が出てるんだ。とにかく、所在だけでもつかんでおいた方がいい」

ため息が出た。「わかったよ」

5

その夜はもう、妙な電話はかかってこなかった。読み切れなかった分のプリントアウトを持って、十一時すぎに編集部を出た。

ＪＲ線の市川駅からアパートまで、十五分ほどてくてく歩く。この辺りはぎっちりと建てこんだ住宅地だし、夜遅くまで店を開けている居酒屋や、レンタルビデオ・ショップ、コンビニエンス・ストアもたくさんある。街灯も多い。

それでも、アパートの入り口が面している十メートルほどの袋小路《ふくろこうじ》に入る前に、一度うしろを振り向いた。尾けられていると思ったわけではない。ただ、なんとなくそうしたくなった。

一区画先の狭い交差点を、自転車に二人乗りしたティーンエイジャーのカップルが、ふらふらと横切っていく。頭の上の方のどこかで、ばしゃばしゃと湯の跳ねる音が聞こえる。誰か入浴中なのだ。いたって平和なものだった。

「馬鹿らしい」

声に出してそう言うと、少しすっきりした。

鉄筋コンクリートの四階建て、部屋数十一といえば、普通はマンションと称してもいいと思うのだが、一階に暮らしているここの大家は、頑固《がんこ》に「アパート」という名称を守り抜いている。建物の名前も「田中アパート」という素っ気ないものだ。

「マンションなんていうふにゃふにゃした名前は気にくわないんでね。名前がイヤなら借りなきゃいいんだ」

何についてもひとこと言わねば気が済まないというタイプの老人だが、その代わり管理はしっかりしていた。過去に二度、空き巣狙《ねら》いの検挙に協力したことがあり、地元の警察署からもらった感謝状を、玄関の脇《わき》に恭《うやうや》しく掲げている。

私が引っ越してきてちょうど二年になるが、不動産屋に連れられて初めて部屋を見にきたとき、大家は、朝日新聞の支局に散弾銃を持った賊が押し入り、記者二人を死傷させた事件の話を持ち出して、「危険な商売ですな」と、盛んに言った。

こりゃ断られるかなと思っていると、これが大違いで、むしろ張り切ったような顔をして、「わたしは正義の味方ですからね」と言う。「何があったって言論の自由は守りますよ。大船に乗った気で引っ越していらっしゃい」

あとで不動産屋に、大家さんはもとは学校の教師で、剣道の有段者ですよと聞かされて、なるほど気骨があるはずだと思った。最近は、さすがにもう道場へ行くこともないようだが、たまに、庭に干した布団《ふとん》をたたいているところを見かけると、腰も据《す》わっているし、まだまだ意気軒昂《けんこう》のようだ。

大船に乗った気でいて、本当に迷惑をかけるような羽目になるだろうかと、考えた。今のところ手紙も電話も編集部あてにきているが、自宅の方まで波及することもないとは限らない。なにしろ、相手がどういうことを考えているのか、こちらの状況をどこまで調べあげているのか、まったくわからないのだから。

以前、一度泊まっていったことのある生駒が、「これぐらい何もねえといっそさっぱりしていい」と評した部屋のなかで、直接床に腰をおろして、ベッドサイドのランプだけ点《つ》け、缶《かん》ビールをあけながら、しばらくのあいだ、ああでもないこうでもないと考えていた。印象の強かった事件や、取材の過程でトラブルのあった人物の顔を思い浮べたりしてみても、パチンとはまる手応《てごた》えがない。

デスクは、「憤怒《ふんぬ》のスイッチはいつ入るかわからない」と言った。それは同時に、「何がきっかけで入るかわからない」ということでもある。極端な場合、こちらにはまったく科《とが》がないことだってあり得るわけだ。

それにしても、なぜ今さら小枝子の名前が出てくるのだろう？　それがいちばん不思議だった。

彼女の所在をつかむのは造作ないことだった。共通の知人がいる。電話一本かければ済むことだ。何もうしろめたいことがあるわけもなし、事情を率直に話せばすぐ教えてくれるだろう。

それでも、気が重いことには違いなかった。

ただの失恋や破談なら、そのときは大きくても、過ぎてしまえば忘れることができる。あとに何も残らないからだ。

だが、我々のあいだにあったことは、あとに残った。

以前にこの話をしたとき、生駒は小枝子のことを「身勝手な馬鹿女だ」と吐き捨てた。「そんな女とは縁がなかった方が幸せだ。人をなんだと思ってる」

あの当時は、私も自分にそう言い聞かせていた。だが、今は違う。彼女には彼女なりの見事な「信念」があって、それが私とは相容《あいい》れないものだった——というだけのことだと思っている。

それに、まったく自由な恋愛で始まった関係だったなら、ことがあれほどこじれることもなかっただろう。二人のあいだだけの問題で済んでいたことだ。

彼女とは、大学の先輩の紹介で知り合った。というより、引き合わされたと言った方が正解だ。あらたまって写真を交換し、一席設けて顔を合わせるという形でこそなかったが、要するに見合いである。当時小枝子はちょうど大学を卒業したばかりで、いわゆる「家事手伝い」をしながら、適当な結婚相手を探していたのだった。

彼女の父親は、関東では東大への進学率が高いことで有名な高校で教鞭《きょうべん》をとっており、やはり私と同じ大学の卒業生でもあった。秀才の誉れ高い人だったという評判を聞いたが、私の目から見るかぎり、一人娘を大切にしている、穏やかな父親でしかなかった。

最初の印象は、とにかくおとなしい娘さんだということだけだったような気がする。愛くるしい顔立ちと、ちょっと強い風が吹いたら飛ばされてしまうんじゃないかと思うような華《きゃ》奢《しゃ》な身体つきのせいで、余計にそう見えたのかもしれない。

私自身、そろそろ家庭を持つことを考えていたし、悪い話ではなかった。

「ほかに決まった女性がいないなら、まあ、固く考えないで、しばらく付き合ってみろよ」

という勧めに、素直に従える気分でもあった。その少し前に、大学時代から交際していた女性と別れたばかりだったから。

頭に血が昇るような恋愛だったわけではない。離れているとき、彼女のことばかり考えていたということもなかった。ただ、一緒にいるとき小枝子が与えてくれる安堵感《あんどかん》——彼女を取り巻いている温かな雰囲気《ふんいき》は、貴重だった。かと思えば、ときどきぽつんとこぼすように鋭いことを言って、私を驚かせることもあった。

育ちがいいと言っても、小枝子の家は決して金満家ではなかったが、彼女を見ていると、「お蚕ぐるみ」という言葉の意味を悟らされるような気がした。世間の風に当たらないように、スレないように大切に育てられてきたから、普通の人間が生きる過程で振り捨てたり切り落としたりしてくるものを、小枝子は小さな両手のなかに全部包み込んでいた。それは、私のように雑駁《ざっぱく》な育ち方をして、殺風景な仕事をしている男を、手品のように惹《ひ》きつける力を持っていた。

同時にもうひとつ、私はやっかいな勘違いをしていた。年下の世間知らずの女性を「保護している」という錯覚だ。これはひどく気分のいいもので、一度かかるとなかなか抜け出せない。小枝子と結婚することは、すなわち彼女を一生自分の翼の下に入れることだ、というふうに考えていたのだから、いい気なもんだった。

交際を始めて半年で、結婚を決めた。小枝子はすぐに承諾の言葉をくれたし、双方の親も賛成していたから、問題はなにひとつなかった。とんとん拍子に話は進み、結納《ゆいのう》や挙式の日取りも決まった。仲人《なこうど》は、当時の本社の社会部長が引き受けてくれた。まったくの偶然だったのだが、部長は小枝子の父親と同郷の出身で、県人会を通して古くからの友人だったのだ。（やっぱり何か縁があったのね）と小枝子は喜んだし、私にしても言うことはなかった。これがあとで裏目に出るなんて、知る由《よし》もなかったから。

当時、私は八王子支局に移って二年目だったのだが、異動がかかったときから、本社の社会部のデスクの一人に、二年たてば必ず俺《おれ》の下へ引っ張ってやるという約束をもらっていた。警察回り時代の上司で、どういうわけかウマが合い、私を見込んでくれていた人だったし、言ったことは実行できるだけの力も持っている人物だった。

本社の社会部といえば、事件記者を目指している人間にとっては夢のポジションだ。デスクの思惑通り二年でとはいかなくても、そこへ通じる道がはっきり開けたということで、私は有頂天になっていた。

不満も不安も、まったくなかった。なにひとつ。

それがひっくり返ったのは、挙式の一ヵ月前のことだった。理由は簡単。健康診断で、私にはどう頑張っても子供をつくることができないと――その能力が欠けているとわかったからだった。

「だからどうしたってんだ、え?」と、生駒は怒鳴ったものだ。

「子供のない夫婦は世間にいくらでもいる。それで仲良く暮らしてる。それなのに、ほかのことは一切棚上《たなあ》げにして、それだけで駄目《だめ》だなんて、よく言えたもんだ」

生駒の怒りはまっとうだが、やはり本質からははずれていると思う。彼には可愛《かわい》い娘が二人いて、すでに父親としての責任を肩に負っている。良くも悪くも、その立場からしか考えることはできまい。

子供を持つ——というのは、女性にとって、それほど大きな意味のあることなのだ。今なら少しは冷静になっているから、それがわかる。

破談の話を出すとき、小枝子はこう言った。

（あなたはいいわ、仕事があるもの。でも、わたしはどうなると思う？　何もないのよ）

何もないのよ——と言われて、じゃあ仕事をしたらどうかとか、趣味を持てばいいとか言ってみても始まらない。それは単なる論旨のすりかえだし、仕事を持ち社会に出ている女性たちを、逆に侮辱することになる。彼女たちは、独身だから、結婚していても子供がいなくて暇だから働いているわけではないのだから。

小枝子は家庭をつくりたがっていた。そして、彼女の考える「家庭」には、子供が不可欠な存在だった。

彼女は青写真を持っていた。完璧《かんぺき》な子供時代。完璧な青春。完璧な恋愛。完璧な結婚。すべて「完璧」でなくてはならない。そして私は、彼女の完璧な人生のプランを実現する相手としては失格だった。それだけのことだ。

優先するのは常に「完璧な青写真」であって、ひとつでもその基準を満たすことができなければ、ほかにどんないい条件がついていようと、感情的に割り切れなかろうと、そんなことは問題にならないのだった。

愛情さえ。

「人の親とならない限りは一人前の人間ではない」という通念に——途方もなく馬鹿げた通

念だが——従っているかぎり、小枝子の「完璧な人生」には「子供」がなくてはならなかった。それが欠けたら完璧ではなくなる。

だから別れよう——それだけのことだった。

理由が理由だけに、仲人は苦りきっていた。私に別の女がいたとでもいうのであれば、まだ収拾のしようがあるのだが、こればかりはどうしようもない。

小枝子は声を張り上げたり、興奮して言いつのったりすることはなかった。ただ静かに泣いていて、「一緒にやっていく自信がなくなったんです」と繰り返しているだけだった。最後の方では、話し合いの場に出てくることさえなかった。

ただ一度だけ、電話で話したことはある。冷静に話を聞くつもりだから、なんとか会えないかと言ってみたが、徒労に終わった。

やっかいなことに、私はいっぱし彼女を保護しているつもりでいたし、彼女を愛しているとも思っていた。彼女が必要だとも思っていた。だから、ありったけの言葉を総動員して口説《くど》いた。プレイバックして見せられたらたまらないだろう。

すると小枝子は泣きながらこう言った。

(あなたには、わたしにそんな中途半端《はんぱ》な人生を押しつける権利なんかないわよ。勝手なことばかり言わないで。本当に愛してくれてるんなら、わたしが望みどおりに幸せになれるように解放してくれるべきだわ)

ひっぱたかれたような気がして目が覚めたのは、このときだ。

中途半端な人生を押しつける。

彼女はそう言った。

結局、全部俺の錯覚だったんだな、と思った。最初から愛情も信頼関係もあったわけじゃない。彼女を愛し、彼女を保護して、一緒に人生を送っていこうと思っていたのは、私の方だけだった。小枝子にとって最優先なのは、常に自分、自分、自分だけで、彼女の完璧な人生の青写真には訂正の余地もない。

誰も保護してやる必要などない。彼女は自分の面倒ぐらい自分でみられるのだ。

ちょっと良さそうだから使ってみたけど、このタイヤで走ってると、とんでもない方向へ連れていかれそう。だから替えてちょうだい。

それで終わりか。

（なあ、ひとつだけ教えてくれよ）と、私は訊《き》いた。（破談にするっていう結論を出すまで、君、少しは悩んでくれたのかい？）

小枝子は泣いているだけで、答えなかった。

弁護士が出てきてどうこうするようなところまではいかなかったが、事態を収拾するには、かなり手間がかかった。現実問題として、招待状はもう発送済みだったし、こまごまとしたことの手配も済んでいた。

可笑《おか》しかったのは、小枝子の父親が、慰謝料の請求めいた言葉を発したことだった。（娘を傷物にしてくれたじゃないか）というわけだ。厳格な父親が門限を緩めて娘に夜遊びを許したのも、一緒にいる相手が婚約者だったからで、そうでなくなればそこらの有象無象と変わりないと言いたかったのだろう。

初めて抱いたとき、小枝子は処女だった。「結婚すると決めた相手としか寝ない」という決めごとも、彼女の青写真のなかにはあったのだろう。結果として、私はその青写真を汚した男になったわけだ。

いくらなんでもそれは——という仲裁があって、結局慰謝料の話は消えたが、父親には、「あとの縁談に響くようなことになっては困りますから、その点は充分ご配慮願いたい」と釘《くぎ》を刺された。

面子《メンツ》丸潰《まるつぶ》れの形になった社会部長は、それでも、その時点ではまだ中立的な態度をとってくれていた。よりにもよって、予定されていた挙式の日に、小枝子が自宅の部屋で手首を切るまでは。

たいした傷ではなかった。剃刀《かみそり》で撫《な》でた程度のもので、救急車に乗せられるときも、意識ははっきりしていたそうだから。

その報《しら》せを受けたときには、とっさに、彼女もやっぱりひどく悩み、傷ついていてくれたのだと思った。発作的に死のうとまで思い詰めるほど。が、事情がよくわかってくると、その考えは甘いと思い知らされた。

確かに小枝子は傷ついていた。が、それは、私との感情的な問題ではなくて、「まとまりかかっていた結婚が直前に壊れてしまった」という過去を背負わなければならなくなったことに対してだったのだ。

要するに、また青写真だ。見舞いに行った友人に、「こんなみっともないことになって、わたしにはもう幸せな結婚なんてないだろうと思ったら、生きていくのが嫌《いや》になったのよ」と話したそうだから。

みっともない、か。

ここまで見事に行き違うと、もう笑ってでもいるしかなかった。

悪いことは重なるもので、これはちょっとしたスキャンダルめいたものに発展した。私は一介の平記者にすぎないが、小枝子の父親には社会的な立場がある。娘の破談と自殺未遂は、それでなくても派閥争いの激しい有名私立校のなかに身を置いている彼にとって、ひどい重荷になってしまったようだった。

で、それでどうなったかと言えば――

私の社会部行きはお流れになった。怒れる旧友と、個人的にはさしたる接触のない部下との板挟《いたばさ》みになった部長は、旧友の顔を立てることに決めたらしい。人事とはしばしばそういうことで動くものだ。それをなじるほどの中学生的正義感は、私のなかにはない。あったとしても、その時はもうどこにしまってあるかさえよくわからなくなっていた。

一人怒り狂ってくれたのは、私を引っ張ると約束していたデスクだった。部長を怒り、その下で働いている自分を怒り、無気力になっている私を怒った。でも最終的に、私自身も居心地が悪くなり、同僚たちも困惑している八王子支局から、私を引っ張り出してくれたのも彼だった。

「俺の同期の宮本ってやつが、『アロー』のデスクをしている。あそこは姥捨《うばす》て山みたいな雑誌だと言われてるし、事実編集長は死んだも同然の腑抜《ふぬ》けだが、宮本は違うぞ。やつは革命を起こす気であそこへ行ったんだ。どうだ、しばらく一緒にやってみんか？」

その宮本デスクが、「お焼き」のような丸顔でツケの心配ばかりしてくれる、今のデスクというわけだ。

なるほど、「アロー」もそれなりに変わりつつある。だが道はまだまだ遠いし、対外的には「アロー」へ出されるというのは左遷《させん》と同じ意味を持つ。

だが、少なくともそれで、小枝子の父親は溜飲《りゅういん》を下げた。そうでなければ、白紙の脅迫状を送ってくる人物の第一候補として、彼の名前をあげているところだ。

「アロー」に移ってからも、私がなぜ飛ばされたか、という理由についての噂《うわさ》は、しぶとくついてまわった。社会部長の方で本当の事情をひた隠しに隠しているものだから、噂はどんどん膨らんで、真相からかけ離れたものになっていた。

上役の媒酌《ばいしゃく》でまとまった結婚を蹴《け》飛《と》ばしたからだ、というぐらいなら、まだ可愛い。いや本当は結婚の直前に男色であることがわかったからだとか、上司の愛人に手を出したのがいけなかったのだとか、とにかくバラエティに富んでいた。生駒をうるさがらせ、若いカメラマンの興味を惹いたのも、そのうちのどれかだろう。

とにかく、高坂という男は女でしくじったのだ、というのが定説で、やっと落ち着いてきている。それならまぁよくあることじゃないの、という受けとめ方をされているようだが、もう一歩進んで完全に忘れてもらうには、結婚でもするしか手がなさそうだ。

結婚でも。

言うのは簡単だが、ひどく難しいことになった——と思う。

ひとつには、とにかく事実として、相手の女性に子供を産んでもらうことができないということがある。小枝子ほど頑《かたく》なでなくても、子供を持つことに夢をかけている女性は大勢いるから。

そのことで一度、文化部の女性記者と話したことがあった。ベテラン記者で三児の母でもある彼女は、「女は子供を産まないと一人前じゃない——その社会通念の方が問題なのだ」と、きっぱり言っていた。

「体外受精や代理母の問題が出てくるのは、そういう手段を使ってでも子供を持たないと、まっとうな人間として認めてもらえないという考えがあるからなのよ。周囲がとやかく言うということと同時に、女性本人もそう思い込んでるのね。おまけに、養子じゃ駄目なわけ。血のつながった子供、お腹《なか》を痛めた子供。それにしがみついてる」

「気持ちはわかりますよ」と、私は言った。「男だって侘《わび》しいもんです。自分のうしろに何も残せないというのはね」

すると彼女は私の背中を張って、声を大きくした。

「あんたね、今そこでそうやってあんたが生きてるってことには、意味を感じないの？　あんたはただの繋《つな》ぎってわけ？　子孫を残さなきゃ、あんたの存在意義はないんですかね？　みんながそう思ってたら、あんた、洞窟《どうくつ》の壁に絵を描いてたころに逆戻りしちゃうわよ」

私は意地悪く考えたものだ。他人を慰めるにはいい台詞《せりふ》ですが、自分が同じ立場に置かれたら、果たしてそう言い切れますか――と。

そしてもうひとつ、もっと大きな問題は、私が臆病《おくびょう》になっているということだった。同じ失敗を繰り返すのは忍びない。そう思っているものだから、心のその部分に、常にカバーがかかっているような状態になった。恋愛も結婚も、半ばは勢いでするものだ。最初から及び腰ではうまくいくはずもなかった。

（あなたにはわたしにそんな中途半端な人生を押しつける権利はないわ）

子供のいない人生が、果たしてそんなに中途半端なものだろうか？　希望的にしろ「否《いな》」と言いたいし、実際に「否！」と答える夫婦は多いはずだった。私の周囲だけでも、「とんでもない！」と否定する仲のいい夫婦を、二組知っている。

だが私は自信がない。もろもろの葛藤《かっとう》を抱えながらも、一緒に「否！」と言ってくれる女性を見つけることができるかどうか――こちらの根深い欠落感を理解してくれるような、そこまで堅い信頼関係を築くことのできる相手とめぐり会えるかどうか――

それはもう純粋に個人の問題だし、努力でどうなるというものでもない。限りなく保留、保留、保留だよ――というのが、今の本音だった。

それなのに、その今になって、下手をすると小枝子に会わなければならないかもしれない。いったい何がどうなっているのだろう。なぜ彼女の名前が出てきたのだろう。考えても答えは見つからず、気がついたらもう他家へ電話をかけることのできるような時刻は過ぎてしまっていた。

床にのばした足を組み替えると、靴下《くつした》の先に綿埃《わたぼこり》がくっついてきた。最近掃除してなかったなと思った。だいたいが、寝に帰ってくるだけの部屋なのだ。

着替えるのも面倒になってきて、このまま寝てもいいつもりで壁に頭をつけた。と、静かな部屋のなかに、かすかに「シュー」というような音がしていることに気がついて、目を開けた。

やれやれ、まただ。

どこかで水道が漏っている。口うるさい大家も、建物の老朽化ばかりはどうすることもできない。最近、よくこういうことがあるのだ。

独特の水漏れ音を聞きつけるのは、たいてい私か、すぐ下の部屋に住んでいる脚本家志望の青年だった。二人とも、他の部屋の住人が寝静まっている時間帯に、起きてウロウロしていることが多いからだ。

屋上へ上がり、給水タンクの元バルブを閉めて、大家の部屋のドアに、その旨《むね》を書いたメモを貼《は》っておく。夜明けと同時に起きだす大家はそれを見て、いったんバルブを開けにゆき、住人たちがその朝必要なだけの水を使ってしまったら、またバルブを閉めて水道屋を呼びにゆくのだ。面倒でもそうしておかないと、一晩中どこかの部屋の壁のなかに水が漏れ続け、かえって手間暇くうことになる。

シューという音は続いていた。かなりはっきり聞こえるところをみると、この部屋のどこかで漏っているのかもしれない。まったく、今月は「みんなで高坂昭吾を苛《いじ》めましょう」月間にでもなったのだろうか。

仕方ない。慣れているから明かりがなくてもなんとかなる。よっこらしょと腰をあげて部屋を出、屋上に通じる外階段をあがり始めると、階上《うえ》の方で懐中電灯の光らしきものがチラチラした。

階下《した》の部屋の青年だった。屋上の入り口の片開きのドアの前に立っていた。

「やっぱり?」と笑っている。

「お互いご苦労だよな」

「僕ら水道の見張り番みたいなもんですね。いいですよ、僕がやっときますから」

「じゃ、貼り紙は貼っておくよ」

「あ、そんならこれ使ってください」

ご丁寧にワープロで打ってあった。

外階段には、こちらは大家の堂々たる楷書《かいしょ》で書かれた「階段では静粛に　廊下は清潔に」という貼り紙がある。厳命に従ってそろそろと降りてゆき——

そこで見た。

コンクリートの階段の上がり口に、ペイントか絵の具か、とにかくどぎつい赤色で、文字がひとつ書いてある。

帰ってきたときにはこんなものはなかった。指で触れてみると、乾いてさえいない。文字をまたぎ、急いで袋小路《ふくろこうじ》の出口まで行ってみた。誰がやったにしろ、たったあれだけの仕事だから、時間もかからなかったのだろう。猫《ねこ》の子一匹いない夜に、星がまたたいているだけだ。

アパートの方へ戻ると、階段の脇《わき》に階下の青年が立って、足元を見おろしていた。私が近づくと、

「走っていくのが見えたから。これ、なんです?」

「なんだと思う?」

「普通これは——」彼は恐る恐るという感じで笑みを浮かべた。「僕の知ってる限りでは、『死』という漢字ですね」

「根」の次は、「死」ときた。

「あんまり夜空がきれいだから、暴走族が浮かれ出てきたのかな? 『極悪』とか書かれないだけ、良かったですよ」

神、空にしろしめす。なべて世はこともなし。

嘘《うそ》だ。

6

「この段階じゃ、まだ警察はかまってくれん」というのが、生駒の第一声だった。

「おまえさんが刺されるか轢《ひ》かれるか撃たれるか硫酸でもぶっかけられない限り——」

「やめてよ、縁起でもない」

コーヒーを運んできた佳菜子が、眉《まゆ》をひそめて言った。

「二人とも、言霊《ことだま》っていうことを知らないんですか？　口に出して言うと、ホントになっちゃうのよ」

「ほほう」生駒は大袈裟《おおげさ》に感心した。「じゃあカコちゃんは、早く素敵な彼氏ができますようにって、毎晩唱えてるというわけか」

「サイテイ。だからオジンは嫌《きら》いよ」

彼女が行ってしまってから、私は言った。「警察をあてにしちゃいないよ」

「そのぶっそうな落書きはどうした？」

思わず笑った。「大家がこめかみに血管を浮かせて一緒に消してくれた。ただの悪戯《いたずら》だと思ってるけどね」

「事情は話してないんだな？」

「うん。ただ、戸締まりには注意するようにとだけ頼んでおいた。下手に話すと、言論の自由のために散弾銃の所持免許でも取りかねない爺《じい》さんだから」

「そういう爺さんが日本を支えてるんだ。小枝子さんの所在はわかったか？」

私はメモ書きを見せた。結局、今朝電話したのだ。相手は私と彼女を引き合わせてくれたあの先輩で、本人は商社に勤めている。出勤間際《まぎわ》につかまえたので、つべこべ質問されることがなくてちょうどよかった。

「でも、えらく疑うんだ。本当に緊急なのかと何度も訊かれたよ。俺《おれ》もよっぽど信用がないんだな。三年前の仇《かたき》をまとめて取る気でいるとでも思われたのかもしれん」

「いいじゃないか。それだけ先方が後ろめたく思ってるという証拠だ」

生駒はメモを見た。「彼女、結婚したな」

川崎小枝子。それが現在の名前だった。中央区の新富町に住んでいる。この新橋から目と鼻の先だ。驚きだった。

「旦那《だんな》は？」

「学校の教師らしい。親父《おやじ》さんの弟子かな」

「行ってみよう」生駒はコーヒーを飲み干した。「もちろん俺も一緒に行く。おまえ一人じゃ一一〇番される」

「言ってくれるね」

「早い方がいい。明日でどうだ？　段取りは俺がつけておく。これはおまえ一人の問題じゃない。『アロー』の問題なんだからな」

「小田原に行くんだろ？」

立ち上がって上着に腕を通しながら、「電話ぐらいどこからだってかけられる。そうそう、おまえも電話だ。織田直也だよ。なんとかつかまえろ。一度は出たんだ。しつこくかければ念力も通じる」

念力はなかなか通じなかった。午前中いっぱい机に張りついて十分おきにかけてみたのだ

が、相変わらず呼び出し音が鳴り続けているだけだ。

痺《しび》れを切らして、無駄《むだ》を承知でＮＴＴに掛け合ってもみた。

「お教えできません」

「じゃ、せめて局番だけでも。この局番は江戸川区のものでしょう？」

「はあ」

「どの電話局の管内です？」

「お教えできません」

いい会社だ。

資料棚《だな》から江戸川区の個人別電話帳を引っ張り出してきて、「あ」からしらみつぶしにチ

ェックすることにした。あいだに電話もかけ、受話器を顎《あご》の下にはさんで、鳴り続けるベル

を聞きながら、細かな数字を追ってゆく。寄り目になりそうだった。

「虫眼鏡が要りそうだね」

佳菜子が寄ってきてのぞきこみながら、口を出した。

「手伝ったげようか？　もう一冊電話帳があれば、半分ずつ分担できるでしょ？」

ご好意に甘えることにしたが、ネをあげるのは彼女の方が早かった。

「ひとつ言ってみていい？」

「なんだ」

「電話帳に載せてない番号かもしれないわよね？」

「悲観的なことばっかり考えてると早く老《ふ》けるぞ」

「自分の方がよっぽど老けてるくせして。最近ね、白髪《しらが》が目立つよ」

「うるさい」

全部チェックし終えても、該当の番号は見当らなかった。

「これより古い電話帳はある？」

「あるけど――まだ探すの？　意外と執念深いんだなあ。これに載ってないなら、古いのにだってないんじゃない？」

「可能性はあるだろ？　なにかやってないと間が持たないんだよ」

はいはいと言いながら、佳菜子は古い電話帳を取ってきた。一冊しかないというので、

「ありがとう、もういいよ。助かった」

今までなら、あっさり（お礼に昼飯おごるからな）とでも言うところだった。それがあっさりとはいかなくて、ためらっているあいだに、佳菜子は先回りしてきた。

「ねえ高坂さん、お昼おごってくれない?」

「――いいよ」

「よかった。場所、決めてあるんだ」

銀座四丁目の方まで引っ張っていかれた。新しく開店したイタリアン・レストランがあるんだ、という。

少し時間をずらして出てきたので、さほど待たずに済んだが、店は満員だった。席に落ち着くまではなんだかんだと無駄話をしていたくせに、いざ向きあって座ると、佳菜子は急に無口になった。テーブルの上の一輪ざしにさしてある薔薇《ばら》の花に触れてみたりして、視線をそらしている。

しばらくして、「なんでわかったのかな?」と、唐突に訊《き》いた。

「この前のコンサートのこと。あれ、嘘だったの。あたし、最初からチケット二枚買ったんだ。でね、高坂さんを誘う言い訳をいろいろ考えてたの。それ、どうして知ってたの? 立ち聞きしてた?」

透視能力のある男の子が教えてくれたんだよ、とは答えられなかった。佳菜子は二重にからかわれていると思うだろう。

「年の功」と言うと、彼女は楽しそうに笑った。

「やあね。そんなに歳《とし》じゃないわよ。白髪があるなんて嘘だよ。一本もないじゃない」

「それを聞いて安心したよ。ここんとこで急に老けたような気がしてたから」

「ヘンなことやってるからよ。超能力だって。似合わないって言ったでしょ?」

テーブルに両肘《りょうひじ》をついて顎を載せると、口元をわずかにほころばせて、言った。

「もっとびっくりすること教えてあげようか?」

「うん」

「あたしね、あの夜、行ったの」

「どこに」

「高坂さんのアパート」

じっと見ているると、佳菜子は上目遣いでちらっと見上げてきた。まだ笑っている。

「怒った?」

「怒りゃしないけど……」

「確かめたかったんだ。デートだったんでしょ? 先約があるって言ってたじゃない。だからさ、どんな女の人と一緒に帰ってくるのかなあと思って。音楽聴きながらそのこと考えてたら、たまらなくなっちゃって、エイッて行っちゃったの」

あの晩何をしていたかと言えば、生駒と飲んでいたのだった。彼がリアルタイムで知っている、昭和四十九年の超能力ブームの話から始まって、最後の方はお互いに何がなんだかわからなくなっていた。帰宅したのは午前三時すぎのことだ。

「何時ごろまでいたの?」

「二時ちょっとすぎだったかな。プー太郎みたいに、廊下に新聞紙を敷いて座ってたの」

翌日遅刻したわけだ。

「高坂さん、帰ってこなかったから」佳菜子は両手で頰《ほお》を押さえた。「ああ、これは女の人のとこに泊まっちゃったんだなあと思って、それであたしも帰ったの。言っとくけど、泣きながら帰ったんだぞ」

料理が運ばれてきたので、佳菜子は身体《からだ》をテーブルから離した。ウエイターが行ってしまうと、「ごめんね」と言った。

「ご飯食べながらできる話じゃないけど、こういうふうにしないと、二人きりで話すチャンスなんて、もう来ないと思ったんだ。あたしのこと、飲みに連れてってくれることなんか、もうないでしょ？」

これまでも、二人きりで出かけたことは一度もなかった。いつもほかに誰かいた。佳菜子の様子がどうも妙だなと思い始めてからは、そういうこと自体がめっきり減っている。

「自分で播《ま》いたタネだね」と、佳菜子は薄く笑った。

「あの夜うちに帰ったらね、お姉ちゃんが起きてて、『あんた大馬鹿《おおばか》ね』って叱《しか》られちゃった。『二人相撲とってるだけじゃない。どうしてもその人のこと好きなら、もっと巧《うま》く立ち回りなさいよ。駆け引きよ、駆け引き』だって。うちのお姉ちゃん、その道にかけちゃ百戦錬磨《れんま》の戦士なの」

その道、の言葉の意味も、よくはわかっていないのだろう。すぐ間近に見る佳菜子の頰には、まだ産毛《うぶげ》が光っていた。

「ねえ、教えてほしいんだ」と、顔をあげた。「高坂さんの恋人、どんな人？　ああこれじゃ負けてもしょうがないやって思える人だったなら、あたし、諦《あきら》めがつくもの。きれいな人？　歳、いくつ？　お料理上手？」

私が口を開こうとすると、おっかぶせるように訊いた。乗り出している。

「昔ね、いろいろ噂《うわさ》があったってことは知ってる。だから高坂さん、慎重になってるんだって。森尾さんに聞いたの。『よした方がいいよ、高坂さんはカコちゃんの手に負える人じゃないよ』って言ってたわ。ホント？　昔のことって、そんなにひどいことだったの？　そんなに傷ついた？」

隣のテーブルの客がこちらを見ている。目顔でそれを知らせると、佳苗子は口を閉じて座り直した。

何からどう話してやろうかと、少し思案してから、私は言った。「連打してくるなあ」

「何が？　あたし？」

「カコちゃんじゃないよ。その『昔のこと』ってヤツだ」

佳菜子は目を見開いた。「まだ続いてるの？」

「続いてるわけじゃないけど、思い出す機会が増えてる」

「辛《つら》い？」

その顔が本当に心配そうだったので、心が動いた。こういう話をするのに真っ昼間のレストランを選んだ佳菜子は賢明だと思った。

「カコちゃんにも、人に知られたくない話はあるだろ?」

「……うん」

「俺にもある。本当のところを知られるのが嫌《いや》だし、関《かか》わった相手にも迷惑なことになるから、黙って噂をやり過ごしてるわけだ。どっちにしろ、もう終わったことだしな」

「そうね。そうなんだろうね」

できるだけ言い聞かせるような口調を保って、私は続けた。「森尾の意見は、正しいと思う。俺はカコちゃんの手に負える男じゃないよ」

佳菜子はすうっと青ざめた。

「もっとほかに、カコにふさわしい男がいる。カコの気持ちにちゃんと応《こた》えてくれるやつがね」

かなり長いことまばたきばかりしてから、佳菜子はつぶやいた。

「あたし、同年代の人なんてやだ」

「そう思い込むなよ」

「だけど、あたしの友達は、つい最近、十五歳も年上の人と結婚したのよ。すっごく幸せよ。そういうこと、あるもん」

内心、私は生駒の眼力に舌をまいていた。やはり娘を持つ現役の親父だ。どんぴしゃりだった。

「それはその二人だけのことだ。だからいいじゃないか、というわけにはいかないよ」

「高坂さん、あたしのこと嫌い？ 嫌いならしょうがないけど、好きなら――」

「好き嫌いだけでいいのか？ 先のことは考えない？ あとはどうなってもいいやと思うか？」

「うん」

「そんなに自分を安売りするもんじゃない」

今度はまばたきの効果がなくて、佳菜子の頰を涙が一粒滑り落ちた。涙は口の端まで流れ落ちて、やわらかなくちびるの線に沿ってぼやけていく。それが引き金になったかのように、くちびるも震え始めた。

「カコのお姉さんが『駆け引きよ』と言ったのは、もっと自分を大事にして恋をしろ、という意味だよ。突っ走るばっかりが能じゃない。ディフェンスが空きじゃ、相手がとんでもない野郎だった場合、どうする？」

「高坂さん、とんでもない野郎なの？」

「男はみんなとんでもない野郎だよ。相手に応じて、誰だってとんでもない野郎になる。そう思ってた方がいい」

顔についたゴミでもはらうような仕草で涙を拭《ふ》くと、佳菜子はしゃにむな感じでフォークを取り上げた。

「とんでもない野郎でもいいもん。どうしたらとんでもない野郎になってくれる？」

「俺がとんでもない野郎になるってことは、カコをそういう女として扱うってことだぞ。わかって言ってるのか?」

「いいじゃない、減るもんじゃなし」

意地になって言っていることで本気ではないと思ったが、これには参った。

「そういう考え方があっているかどうか、お姉さんに訊いてごらん」

佳菜子は挑戦《ちようせん》的に顎をあげた。「あたし、またアパートへ行くかもよ。どうする?」

責任持てないぞ、と言いかけて、階段の上がり口にあったどぎつい文字を思い出した。

「冗談抜きで、厳禁だ。絶対に駄目だ」

「なんでよ? そんなに――」

「このこととは無関係に、駄目だと言ってるんだよ。危ないから」あわてて言い足した。

「あの辺は治安が悪いんだ。若い女の子が夜一人でふらふら歩ける場所じゃない。暴走族の車にでも引っ張りこまれたら、どんな目にあわされるかわかったもんじゃないだろ。いいな?」

何度も念を押して、やっと「はい」と答えさせたが、心許《こころもと》なかった。

「カコの気持ちはよくわかった。うれしいよ。うれしいけど、『はい、そうですか』というわけにはいかない。小学生の交換日記なんかとは違うんだ。それに、カコだってそうだろうけど、好かれて悪い気のする人間なんていないんだからな。だから、気をつけろと言ってるんだ」

うつむいたきり、黙っている。

「お姉さんとよく話してごらん」それしかもう言いようがない。「俺よりうまく説明してくれるだろうから」

軽く鼻をすってから、佳菜子はつまらなそうに言った。「『その人と話をするんなら、ほかに人の大勢いるところで、昼間にしなさいよ』って、お姉ちゃんが言ったの」

まことに、佳菜子の姉さんは百戦錬磨なのかもしれない。

7

日がな一日電話ばかりしているわけにもいかない。この一回、これで駄目だったら今日は終了だと思って、あの番号へかけてみた。二時五分すぎだった。

「出ろよ、くそったれ」

悪態はついてみるものだ。受話器があがる音がした。

「もしもし?」

また、あのかすかに金属がきしむような音が聞こえる。人の気配もする。

「織田君か? 高坂だよ。『アロー』の高坂だ。話したいことがあって君を探してる。今どこにいる?」

ひと息に言うと、沈黙が返ってきた。

「織田君じゃないの――」

そのとき、軽いとんとんというような音が伝わってきた。指先で送話口を叩《たた》いているらしい。

「もしもし？」

まだ叩いている。少しイライラした感じで、私が話しだそうとすると、しゃべらないでこれを聞いてくれというように、音も強まった。

電話に人が出ている。でも話をしないで、指で受話器を叩いている。どういうことだ？

それで、やっと気がついた。

「言葉がわからないんですか？」

叩く音は早まった。

「そうじゃない？　言葉は通じてるんですね？」

叩く音がゆっくりになる。

「じゃ……」あとはなんだろう？

あっと思った。

「失礼ですが、あなたは話ができない？　声を出すことができないんですか？」

叩く音がまた早まった。そう、そう、そうなんです！

「じゃ、こうしてください。こちらから質問しますから、イエスのときには二回、ノーのときには一回、受話器を叩くんです。いいですか？　そうしてもらえますか？」

二回、叩く音がした。
私はあらためて名乗り、織田直也のアルバイト先の履歴書にこの番号が書かれていたことを説明した。
「あなたは織田直也君のご家族ですか」
ノー
「友達？」
イエス
「彼はこの電話のあるところに住んでいるんですか？」
ノー
「以前、住んでいた？」
イエス
「場所を教えてください。江戸川区ですね」
イエス
「町名を読み上げますから、そこの町にきたら受話器を叩いてください」
東小松川だった。
「じゃ、番地の数だけ、受話器を叩いてくれますか？」
四
「四丁目？」

イエス。次は長かった。
「六十回かな。六十番地ですね？」
イエス。次は二回。
「二号、と。一戸建ですか？」
ノー
「アパートかな？」
少し間があってから、イエス
「織田君がそこからいなくなったのは、つい最近のことですか？」
イエス
「行方をご存じで？」
ノー
「あなたも心配しておられる？」
イエス、イエス
「これから伺ったら、会っていただけますか。僕も彼を探してるんです。手がかりが少ないんで、お話を伺えると助かるんですが」
イエス
「部屋番号を教えてください。三桁《けた》かな？」
ノー

「一桁だ」

イエス。そして二回受話器が叩かれた。

「二号室ですね。じゃ、これから伺います。ありがとう」

都営新宿線の船堀《ふなぼり》駅から、歩いて二十分ほどの場所だった。荒川を背にして、やや傾いた木造アパートが立っていた。壁のモルタルに、直接ペンキで「第二日ノ出荘」と書いてある。

二号室を探す必要はなかった。アパートの入り口のところに、コットンパンツに白のブルゾンを着た若い女性がいて、少し寒そうに両手で肘を抱きながら、通りの方を眺《なが》めている。

私が近づいていくと、その手をほどき、身振りで（電話の方ですか？）という仕草をした。

「ええ、そうです。あなたが？」

彼女は大きく頷《うなず》いた。頭のうしろでゆるく結ってある長い髪も、一緒に頷いた。

織田直也の恋人を見つけたのかな、と思った。

第四章　予　兆

1

　彼女は足元に、子供がお絵書きに使うような、小さなホワイトボードを置いていた。身をかがめてそれを取り上げると、手早くこう書いた。

〈三村七恵《みむらななえ》と申します。このアパートの近くにある、みどり幼稚園というところで保母をしています〉

　了解したしるしに大きく二度頷《うなず》いてから、私は訊《き》いた。

「織田《おだ》君とは古くからのお知り合いですか?」

　前の文章をひと拭《ふ》きで消すと、七恵は書いた。

〈彼がここへ引っこしてきたのは、半年ぐらい前のことでした。トモダチになったのは、ここ三ヵ月ぐらいのことです〉

「親しくされてたんですね?」

　ちょっと考えてから、

〈そう言っていいと思います〉

　三村七恵はこうした形の会話に慣れているのだろう。長めの文章でもすらすらと書くし、文字もきれいで読みやすい。面倒な漢字を片仮名で代用するのは、書く手間を省いてスピードをあげるためだろう。

だが、質問の答えをもらうために、相手の脇《わき》に立って、綴《つづ》られてゆく文字を眺《なが》めているというのは、少し間のとりにくいものだった。

「面倒をおかけして、申し訳ない」

特に深く考えたわけではないのだが、こちらの早口な質問にテンポを合わせようと、彼女が一生懸命手を動かしているのを見ていて、ついそう言ってしまった。

すると七恵はきょとんとした。（は？）というように首をかしげる。

「いや――その、いつもこんな形で会話をされるんですか？」

七恵は頷いた。

「手話は？」

また頷く。

「僕もできればいいんですがね。それなら、あなたもずっと楽でしょう」

七恵は軽く目を見張った。もの珍しそうに私を見上げ、それからホワイトボードに、〈気をつかわないでください。わたしは慣れてますから〉と書き加え、にこっとした。

笑うと、目尻《めじり》に薄く笑いじわが浮いた。二十代の半ばぐらいだろう。ほとんど化粧をしていないので、鼻のまわりに散っているソバカスが、はっきりわかる。切れ長の目は一重まぶたのように見えたが、彼女がまばたきをすると、奥二重なのだとわかった。

普通は、初対面でいきなりこれほど顕微鏡的な観察はしないのだが、七恵は別だった。そばに寄らないと会話ができないのだから。そして、彼女から声を奪った横暴な運命も、この点に関しては彼女に譲歩していた。三村七恵は、一見して近寄りがたい感じを与える女性ではない。同時に、近づいていった人間に、必要な礼儀を守らせるだけのしゃんとした雰囲気《ふんいき》も備えていた。近づいてゆく人間が酔漢やチンピラでない限りの話ではあるが。

並んでいて私の耳の高さにまで届くくらいだから、女性にしては背が高い方だ。ペンを握る指も長い。右手の薬指に、凝った細工の銀の指輪をはめている。右手の指だということで、ふと安心した自分が可笑《おか》しくなった。

「彼はいつごろいなくなったんですか？」

七恵の返事は、ガソリンスタンドの店長の言葉と符合するものだった。織田直也は仕事を辞め、そのまま住まいも出ていったのだ。

〈夜中だったようです。朝おきたら、わたしの部屋のドアの下に書きおきがありました〉

もしよければそれを見せてもらえないか――と切りだす前に、ひとつ確かめておく必要を感じた。

「いきなり不躾《ぶしつけ》で申し訳ないんですが、あなたは織田君の恋人だったんですか？」

七恵の方が彼より年齢は上だが、それは関係ない。だが、彼女はクスッと笑うと、はっきり首を横に振った。

「ただの友達？」

頷く代わりに、〈そうです〉と書いた。〈わたしには弟みたいな人でした〉

「彼もそう思ってたんでしょうか」

七恵はまた笑った。声を出さないから、理屈で言えば彼女の笑顔はすべて「頬笑《ほほえ》み」なのだろうが、現実には違っていた。ちゃんと区別がつく。頬笑んでいるときと、可笑しそうに笑っているときと。

〈人の考えることはわかりませんが、わたしはそう感じてました〉

私があやふやな顔をしていたのだろう。彼女は書き足した。

〈織田さんは礼儀正しい人でしたよ〉

勘繰らないでください、と言われたようで、黙って頷くしかなかった。

七恵は笑みを消し、真顔に戻ると、私から一歩離れ、書いているあいだは覗《のぞ》き込まれないようにして、初めて途中で手を止めて考えたりしながら、かなり長い文章を書いた。それを私に見せるとき、表情が一段と深刻になった。

〈織田さんがいなくなったことと、あなたが彼をさがしていることとのあいだには、なにか関《かか》わりがあるのですか？　彼がどうしていなくなったのか、あなたはご存じなのですか？　もしそうだとしたら、わたしはそれを知ることができますか？　あるいは、わたしの方であなたになにか教えなければならないのだとしたら、わたしには、すぐには、そうしていいかどうか判断がつかないのですが。どんな小さなことに関してでも〉

それを読んでいるあいだ、七恵の厳しい視線を顔に感じた。非常に大きな意味で誰何《すいか》されているのであり、彼女ははっきりと、自分が織田直也の側についている人間であることを宣言しているのだ。これまで会ってきた人たちとは、そこが違う。

ホワイトボードを彼女の手に返して、私は言った。

「彼が姿を消したのは、たぶん僕のせいだろうと思います」

七恵はきゅっと眉《まゆ》を寄せた。

「ただ、僕が彼を探しているのは、まずは心配だからですよ。今はそれがいちばんです。彼、病気のように見えませんでしたか？　ひどく身体《からだ》が弱っていたでしょう」

目を伏せて、七恵は頷いた。長い文章を消し、

〈それはわたしも心配しているんです〉

「医者にかかっているような様子はありましたか？」

かぶりを振る。

「やっぱりそうですか」

足元を見つめ、話すことを組み立ててから、私は訊いた。「織田君の友達の、稲村慎司という高校生のことはご存じですか？」

七恵は驚いたようだった。前の文章を消さず、その上にかぶせるように、

〈どうして彼のことを？〉

「元はと言えば、僕は稲村君を通して織田君と知り合ったんです。顔を合わせたことは一度しかないんですがね」

慎司のことまで話していたのだとすると、織田直也は確かにこの三村七恵を信頼していたのだ。ストレートに話していい相手が、初めて見つかった。

「彼ら、特殊な能力を持っているようでした。そのことは気がついていましたか?」

かなり長いこと、七恵はまじまじと私を見つめていた。

「その能力が、織田君の健康を害《そこ》なっているらしい。その能力のために、彼は有形無形の苦労を味わっているらしい。そのことを、僕は稲村君から聞かされたんです。彼も今、織田君のことを案じています。織田君を呼んでみてくれるように、頼んではあるんですが」

目をそらし、顎《あご》を引いてじっと考えてから、ホワイトボードを胸に抱き、軽く頷いて、七恵はアパートの入り口の方へと身体を向けた。片手で、(どうぞ)というように、奥を指し示すと、先に立って歩いていく。

それまでずっと、彼女が張り番のように立ちふさがっていた入り口を通り抜けて、私は足を踏み入れた。ほんの少し前まで、織田直也の休息の場所となっていた、古びたアパートのなかに。

コンクリートの廊下に沿って、木製のドアが四つ並んでいた。いちばん手前が一号室。三村七恵は、自室である二号室の前を通りすぎ(『三村』という小さな名札が出ていた)、三号室の前に置いてある小さな赤い三輪車をよけて、四号室の前で立ち止まった。

「ここが彼の住んでいた部屋ですか?」

七恵は頷き、背伸びして頭上に手をあげると、四号室のドアの木枠《きわく》の上から、小さな鍵《かぎ》を取り出した。

「勝手に入って、あなたが家主さんに叱《しか》られることはありませんか」

彼女は笑って首を振り、鍵を開けドアを開き、爪先《つまさき》でストッパーを軽く蹴《け》って、ドアを開いたままに固定してから、先に部屋のなかに入っていった。入り口の脇で待っていると、窓を開ける音がして、七恵が戻ってくると、私を目顔で促した。

玄関とも呼べない靴脱《くつぬ》ぎのスペースをあがると、すぐ台所だった。板張りで、四畳半程度の広さだ。その向こうに、ガラス戸で仕切られた六畳間がある。

もちろん、家具は何もない。人の痕跡《こんせき》も、匂《にお》いも残っていなかった。

正面にはカーテンのかかっていない窓が開いており、狭いベランダがあるが、すぐ隣に軒をくっつけるようにして別のアパートが立っているので、眺望《ちょうぼう》はゼロに等しい。私の方向感覚が間違っていなければ、窓は南側にあるはずだが、これでは日当たりも良くないだろう。

だが、この第二日ノ出荘は、見かけよりは遥《はる》かにしっかりした造りのアパートだった。入り口のドアは木製ではあるが、分厚い板で、しかもモノロックの鍵のほかに、チェーンと閂《かんぬき》がつけてある。窓は比較的新しい感じのアルミサッシだし、ちゃんとクレセント型の二重錠でロックできるようになっている。網戸もあるし、のぞいてみると、サッシと対《つい》になった防音雨戸も取り付けてあった。

ベランダには外置型の集中給湯器が据《す》えてあり、台所と、小さなユニットバスに二点給湯できるようにしてある。これでエアコンを取り付けることさえできれば、外見はともかく、住心地はちょっとしたマンションと同じ程度に快適だろう。

借家住まいで転々としているとわかることだが、ときどき、こういう掘出物の物件があるのだ。そして、そういう物件をうまく発見する勘のいい人間もいる。織田直也は、どうやらその種の人間の一人だったようだ。まあ、もしも彼が、（慎司の主張しているとおりに）サイキックだとしたなら、その能力は部屋探しにも役立つものだったのかもしれないが。

これなら、まあ安心だろう――と思って、何が安心なんだ？　と考えた。それで気がついた。この部屋のなかを点検しながら思っていたのは織田直也のことではなく、三村七恵のことだった。いったい、こんなぼろアパートに若い女性が一人で暮らしていて危なくないのだろうかと、しきりにそればかり考えていたのだ。

私は意識して思考を元に戻した。何しにきたのかわからなくなっては困る。

「電話機がありませんね」

振り返ってそう尋ねると、七恵が頷いた。彼女は台所の流しの脇に立ち、片手をシンクの縁に置いていた。

「そうすると、僕がかけた番号は、あなたの部屋のものですか？　それともどこかに共同のピンク電話でもあるんですか？」

七恵がホワイトボードに答えを書き始めたので、失敗したなと思った。イエスかノーかで答えてもらえる質問なのに、わざと手間をくうような聞き方をしてしまった。

〈あれはわたしの部屋の電話です〉

「じゃ、彼と電話を共有なさってたんですね？」

七恵は首をかしげた。

「共有ではない？」

こっくりと頷く。

「履歴書に書く都合上、番号だけ貸してくれと頼まれたんですか？」

七恵は続けて二度頷いた。〈いろいろご不審はあるでしょうけど、事実はそうなんです〉

という顔をしていた。

「だけど、それでもし織田君に電話がかかってきたら、困るでしょう」

七恵は書いた。〈まずかかってこないから大丈夫、と言ってました〉

「でもね、普通はそう言われても――」

彼女はクスッと笑い、すぐその笑顔を消して、手早く書いた。ホワイトボードを裏返して私に見せるときの勢いに、初めて、ちらりとではあるが、苛立《いらだ》ちに近い感情が混じっていた。

〈どうしても、わたしと織田さんを恋人同士になさりたいみたいですね。でも、本当にそうだったなら、とっくにいっしょの部屋で生活してますよ〉

私がそれを読み終えると、口を開くだけの間をくれずに、七恵はすぐ次の文章を書いた。

〈わたしたちは友達でした。なかなか理解してもらいにくいでしょうけれど〉

「わかりました」と、私は言った。（わかってるはずないわね）という表情で、七恵は書いたものを消した。

「家具の痕《あと》が見えませんね」平らな畳に目をやりながら、言ってみた。

七恵はすぐ答えた。〈さいしょから、なにもなかったんです〉

「不便じゃなかったんでしょうかね。そんな話をされたことはありますか」

〈ありますけど、織田さんはさほど不便には思ってなかったみたいです。近くにはコインランドリーがありますし、食事は外食や、できあいのものを買ってきてすませてるといってました〉

ちょっと考えてから、やや面倒臭そうな表情で、〈わたしがつくってあげたこともありますけど〉と書き足した。

「友達としてね」と言うと、七恵は頑固《がんこ》な感じで頷いた。

ややあって、私は思わずふき出した。と、彼女も笑いだし、笑いながら、〈わたしはウソをつけないんです〉と書いて見せてくれた。

「ええ、よくわかりました」

押し入れを開けてみた。なかは空で、綿埃《わたぼこり》が隅《すみ》の方で丸まっている。

「彼、出ていってから、ここへは戻ってきてないんですね？」

七恵は頷いた。

「連絡は？」

彼女は目を伏せた。本当に嘘《うそ》の下手な女性だった。

「あったんですね？」

かなりためらってから、〈一度だけ、電話がありました〉

「いつです？ なんて言ってました？」

〈一昨日の夜です。わたしがどうしているか気になったから、と言っていました〉

「人が訪ねてこなかったか、訊いてませんでしたか？」

〈訊きました〉

「僕のような人間がこなかったか、と」

〈そうです〉

「もしきたら、自分のことは知らないと話してくれと言ってませんでした？」

七恵は疲れたように頷くと、私に背を向け、流しの水切り台にホワイトボードを乗せて、長い文章を書いた。

〈織田さんは、はっきり、アローという雑誌の記者がくるだろうと言ってました。わたしに、自分のことを話すとヘンなことにまきこまれるから、なにもいわないようにと言いました。でも、それだけで、深い事情についてはおしえてくれませんでした〉

「織田君のこと、というのは、彼の持っている、普通の人にはない能力のことですか」

七恵は口を結んだまま、私の顔を見つめていた。さっき、初めてこのことに触れたときと同じだった。

「それについては答えていただけませんか？」

頷《うなず》くという簡単な答え方ではなく、七恵は書いた。

〈はい。できません〉

「だけど、あなたは知らぬ存ぜぬで僕を追い返しはしなかったでしょう？　電話にも出てくれた。なぜです？」

織田さんが心配だからです――と、彼女は書いた。

〈彼は逃げているようですけど、逃げる必要がほんとうにあるのかどうか、わたしにはよくわからないから。なにがどうなっているのか、わたしも知りたいんです。織田さんになにかしてあげられることがあるのかどうか〉

「それこそ、僕も知りたいことなんですよ」と、私は言った。

2

監視というのは、どうも性にあわない。

だが、今はどうしてもそれが必要だった。三村七恵を見張っていれば、必ず織田直也が現われる――そう思ったから。

一度第二日ノ出荘を離れ、ぶらぶらと辺りを歩きながら、適当な場所を探した。幸い、すぐ近くにかなり広い青空駐車場があり、そこに車を停《と》めておけば、アパートの出入口をまっすぐ見通すことができるとわかったので、すぐに社に電話を入れた。原稿取りのアルバイターをつかまえて、車を一台都合してきてくれるよう頼むと、一時間ぐらいで、古ぼけた白いカローラがやってきた。

〈無断駐車を発見した場合は、その場で一ヵ月分の料金をいただきます〉という看板の下に停めてもらうと、乗りこんだ。彼も慣れたもので、

「一応満タンにしてあります。双眼鏡と、これ、夕飯です」と、ファーストフード屋の紙袋を放《ほう》ってよこした。「誰かに連絡しておく必要はありますか?」

「生駒《いこま》が帰ってきたら、俺《おれ》がどこにいるか教えてやってくれよ。それと、もしここへ来るんだったら、靴を脱いで手にぶらさげて、おしとやかに来いってな」

「了解。じゃ、頑張ってください。あ、そうそう、ポケベルの音量はさげておいてくださいよ。ピーと鳴って張り込みがおじゃんじゃ、カッコ悪いもんね」

「誰かそんなどじを踏んだやつがいたっけ?」

「デスクですよ」

シートに身を落ち着けて、彼の忠告に従うと、あとはただ待つだけだった。

勝算があったわけではなかった。ほとんど勘――それも希望的観測に近いものでしかない。だが、直也は一昨日電話をかけてきていた。七恵がどうしているか気になったから、と。

彼女との連絡を断つ気はない。気遣っているのだ。

今夜も電話をかけてくるかもしれない。あるいは、私が訪ねていったことで困惑し、直也への心配の度合いを深めている七恵の方から、なんらかの手段で彼と連絡をとろうとするか

もしれない。

あるいは彼女は私に嘘をついていて、直也の新しい連絡先を知っているのかもしれない。

そして、あの受話器を叩《たた》くやり方で――

それとも、稲村慎司と同じように、空に向かって彼を〈呼ぶ〉のか。

どちらにしろ、織田直也がここへ現われるか、どこかへ七恵を呼び出すという確率は、賭《か》けてもいいだけの高さになっている。イエス・ノー以上のこみいった話をしようと思ったなら、彼は彼女に近づかなければならないのだから。

午後六時ごろまで、七恵は一歩も外に出なかった。一度、廊下の窓を通して、ドアを開けて出てくる彼女を見かけたが、出入口のところにある郵便受けから夕刊を取り出すと、すぐに部屋に戻ってしまった。私は緊張を解いた。

と、そのあとすぐに、今時めずらしい古風な形の買物籠《かご》をさげて、外へ出てきた。白いブルゾンが、暮れてきた町のなかに、いくぶん寒そうに、くっきりと浮かび上がる。私は車を出て、そっとあとを追った。

ただの買い物だった。目と鼻の先に、呆《あき》れるほどくねくねと長い商店街があって、彼女はそこへ入っていった。一昔前なら、主婦や子供たちでごったがえしているなかに、背広の男というのはかなり目立ったものだが、最近では帰宅途中に買物をするサラリーマンが、さほどめずらしくなくなっている。人込みに紛れながら、時おり魚屋の店先の品を値踏みするような顔をしたり、電話をかけるようなふりをしていれば、うまく隠れることができた。

商店街のなかほどに、大きなよろず屋という趣のスーパーがあり、七恵は買物の大半をそこですませていた。一気に重そうになった買物籠をさげ、途中で八百屋に寄り、店先に出されていた柿《かき》を一山買った。商談は手振りで済み、応対した八百屋のあるじは、彼女に挨拶《あいさつ》して、「七恵ちゃん」と呼んだ。彼女の障害など、なんということもないというふうに見えた。

ここは彼女にとって、住みやすい町なのだ。少なくとも、他所《よそ》よりは。

八百屋を出ると、七恵の足はまっすぐアパートに向かった。買物籠はたっぷりふくらんでおり、彼女はときどきそれを持ち直しながら歩いた。そのたびに、籠から飛び出している青い葱《ねぎ》の束が揺れた。

客がくるな、と思った。一人住まいの女性が、これだけ買物の便のいい場所に暮らしながら、買い溜《だ》めをするとはちょっと考えにくい。

(わたしがつくってあげたこともありますけど)

可能性の目盛りが、一段跳ね上がった。

同時に、ほんの一瞬ではあったが、知り合いなら、そしてこういう目的で尾《つ》けているのでなかったら、近寄っていってアパートまで荷物を持ってやるんだがな、とも思った。

織田直也なら、そういうことがあったかもしれない。ぽんと彼女の背中を叩き——いや、そんなことをしなくても、うしろからさっと手を出して籠を持ってやれば済むことだ。こんばんはと声をかけて。びっくりした？　と笑いながら。

第二日ノ出荘の二軒手前で、彼女が部屋に入るのを確認してから、車へ戻った。

八時をまわったころ、雨が降りだした。霧雨《きりさめ》で、窓から手を出してもしばらくは降っているのかいないのかわからない程度だったが、視界は悪くなった。窓を下げて、監視を続けた。

こういう作業をしているとき、相棒がいれば、無駄話《むだばなし》をして時間をつぶすことができるが、独りでいるときは、退屈と眠気と戦いながら、ただつくねんとしているしかない。ラジオも音楽もかけられないし、読書など論外だ。

ただ、今夜に限っては、さほど退屈を感じなかった。しきりと七恵のことを考えていたから。

声のない生活とは、どんなものだろう――

電話をかけられないということの不便さは、かなりのものだろう。それでも彼女が自室に電話を引いているのは、外からの緊急な通信を受けるためだろうか。あるいは、親しい友達にでも頼んで、急病や変事のときのために、それに見合うような言葉をテープにでもいれてもらってあるのかもしれない。まさかのときは、レコーダーのスイッチひとつ押せばいいように。

彼女の親兄弟はどこでどうしているのだろう。娘の独り暮らしは、それでなくても心配だろうに。もう亡《な》くなっているのか。

保母だと言っていたけれど、どんなふうに仕事をしているのだろう。彼女は聴力を欠いてはいないから、オルガンをひいて子供たちに聴かせることや、いっしょにお遊戯をしてやることはできる。ひょっとすると、同じような障害を持つ子供たちを受け持っているのかもしれない。

三村七恵には、悲壮な雰囲気《ふんいき》がない。ごく自然体で生活しているように見えた。不安や恐怖を抱いているのだとしても、そのために背中を丸めてはいない。それは彼女の精神が強靭《きようじん》であるからかもしれないし、彼女の置かれている環境が――想像することしかできないが――比較的恵まれたものであるからかもしれない。

恵まれたもの。

いや、それが当然なのだ。なにかの形でハンディを背負っている人間が生きやすいようにできていなければ、文明国とは言えまい。

事故や、病気や、あるいはただ歳《とし》をとっていくだけでも、人は弱くなる。生きていくうえで、さまざまな支えを必要とするようになる。私もこのまま独り身で老いていったなら、いつかは何かの世話にならなければ生きていけなくなるのだ。他人ごとじゃない。

電気仕掛けで卵を泡立《あわだ》てる機械を作れる国なのだから、なぜもっと、本当に〈便利さを必要としている〉人間のためになるように、その技術を活《い》かすことを考えないのだろう。自分でなんでもやれる人間を甘やかし、怠惰にさせる道具ばかり発明しているくせに、ある一点、二点で機械や動力の補助を必要としている人間に対しては、やれ強くなれの、やれ我慢しろのと平気で言っているような気がする。たとえばテレビ電話が早く実用化されれば、聴覚障害者はどれだけ助かるか――

そんなことを考えるのも、つまりは三村七恵に会ったからだし、彼女に出会って、彼女に好意を持たなかったなら、私だって普段はこういうことを意識してはいないのだ。能天気に、そのうち誰かなんとかするさ、と思っているだけで。

降りしきる霧雨の向こうに、第二日ノ出荘の明かりがぼんやりとにじんでいる。

あの屋根の下にいたとき、織田直也は、七恵にとってどんな存在だったのだろう、と思った。

もし――彼が本当に他人の心を読む力を持っていたのなら。

七恵は手話を使わず、ホワイトボードもなしで、彼と〈会話〉することができたかもしれない。それこそ自由自在に、笑ったり、はしゃいだり、ごく当たり前のように〈会話〉ができた。壁ひとつ隔てたところで、彼女が困っているとき――なんでもいい、どんな小さなことでも、瓶詰《びんづめ》の蓋《ふた》が開かなくて往生しているのでもいい――彼なら、スッとそれを察して手を貸すことができたろう。深夜、近くの駅から、七恵が一人で帰ってこなければならないとき、彼なら、電話で呼ばれなくても、彼女を迎えにいくことができたはずだ。いざというとき大声で助けを呼ぶことのできない女性が、夜道を一人歩くのは、恐ろしい以上のことだろう。七恵は彼に、安心して頼っていたかもしれない。

彼ならなんでもできた。まさにオールマイティに。七恵の力になってやることが。

もし本当にサイキックだったなら。

だが、彼はそれを多くの人に知られることを望んでいない。だから、七恵のことを気にかけながらも、ここを引き払っていったのだ。

稲村慎司はこのことを知っていたのだろうか——と考えた。もしも七恵の存在を知っていたのなら、彼の行動ももう少し違っていたかもしれない。彼も彼なりに直也を救《たす》けようとして、二人いっしょに突破口を開こうとしているのだけれど、根本的なところで二人の意見が食い違っていたのは、織田直也には三村七恵がいたからではないのか……

そのとき、第二日ノ出荘の出入口に、赤い傘《かさ》の花が咲いた。

傘が傾くと、七恵の顔が見えた。ちょっと辺りを見回してから、歩きだす。私は身を起こしてじっと様子を窺《うかが》っていたのだが、次第に凝り固まったようになってしまった。

彼女はまっすぐこの駐車場にやってくる。

赤い傘が近づいてきた。雨で気温が下がったせいだろう、薄手のブルゾンから、ニットのカーディガンに着替えていた。脇《わき》の下に、あのホワイトボードを挟《はさ》んでいる。

尾行も張り込みも何度も経験しているが、これほど間抜けなバレ方をした記憶はない。私は窓にもたれ、観念して待った。

助手席の窓からこちらをのぞきこむと、七恵は会釈《えしやく》した。手をのばしてドアを開けてやると、身を屈《かが》め、こちらが何も言わないうちに、さっと口元に人差し指をあてた。

「どうしたんです?」

私は声をひそめて訊《き》いた。彼女はホワイトボードを見せた。

〈乗せてください。適当に走ってください〉

そのあとに、信じられないようなことが書いてあった。

〈尾行のまき方はご存じでしょう?〉

彼女はそっと助手席に乗りこんできた。(早く)というように、私の顔を見つめて細かく頷いている。とりあえず、私は車を出した。

駐車場から出て、ゆっくりと街路を流しながら、バックミラーを見た。

すぐうしろに、ヘッドライトがふたつ並んでいる。ためしにスピードを落として車を路肩に寄せ、やりすごしてからまた走りだすと、次の四つ角を越えたところで、すぐにぴたりと吸い付いてきた。

やりすごすときに見た限りでは、このカローラと大差ない平凡な国産車で、車体はグレイ。運転者は一人。ただし、ナンバープレートはしっかり泥《どろ》で汚してあり、まったく読み取ることができなかった。

「あれですね?」

尋ねると、七恵は前を向いたまま頷いた。

「あの車が、ずっとあなたを監視してたんですか? 僕みたいに?」

七恵は素早く書いた。〈くわしいことはあとで〉

「じゃ、しっかりつかまっててください。振り切りますからね」

ところが、これがほとんど手間がかからなかった。信号をひとつぎりぎりでつっきり、最初の角を素早く右折してその街区を半周し、近くにあった高架下の空き地にもぐりこんでみたのだが、まったく尾いてこない。

ウロウロ探しているのかもしれないと、時計を眺《なが》めながら十五分待った。だが、ワイパーの音がするだけで、辺りは静かなものだった。

素人《しろうと》にしても、いやに諦《あきら》めが早い。

「あっけないな」

そうつぶやくと、七恵が小さなため息をついた。〈ああ、よかった〉というふうに感じられた。そしてペンをとりあげると、手早く書いた。

〈わたしのうちへ戻ってください。お話があるそうです〉

私はそれを二度読んだ。

「誰が話をしたがってるんです？」

〈織田さんです〉

「彼、いるんですか？」

七恵は首を振った。〈いいえ。すぐ近くに来ていたんですけど、あなたがいるのに気がついて、帰りました。今は別の場所にいます。電話をくれると言っていました〉

私もため息が出た。「こう簡単に張り込みを見破られるようじゃ、廃業しなきゃならないな」

七恵は、少しためらってから、こう書いて見せた。

〈織田さんは、目で見るわけじゃありません〉

そしてそれを書いたことを後悔しているかのように大急ぎで消すと、次の文章を綴《つづ》った。

それを見せられたとき、私はちょっと目を離すことができなかった。

彼女はこう書いていた。

〈あの車は、わたしを監視してたんじゃありません。あなたを見張ってたんです〉

3

翌日――

新橋四丁目から新富町の京橋税務署の近くまでというのは、徒歩では案外馬鹿《ばか》にならない距離があるが、私も生駒も報告しあうことがあったので、歩いてゆくことにした。川崎明《かわさきあき》男《お》・小枝子《さえこ》夫妻とは、午後二時に彼らの自宅で会う約束になっていた。

（小枝子さん一人をどこかに呼び出して、最近身の回りにおかしなことは起こってませんかと尋ねるだけで用が足りるほど、先方は小物じゃねえんだな。ガードが固い）と、生駒は頭をかいていた。

「で、織田直也は電話をかけてきたのか？」

大股《おおまた》で歩きながら、生駒が訊いた。すぐ前をふさぐようにしている三人連れの制服姿のOLたちを追い越してから、私は答えた。「かけてきたよ」

「なんと言ってた？」

「自分はもうあんたとは関《かか》わる気がないから、放っておいてくれ、と」

「それだけか」

「こっちの言い分も事情も聞こうとはしなかったな。先刻ご承知なんだろう」

霧雨は昨夜のうちに止《や》み、今日はまた好天だった。十一月が近いというのに、秋の気配などこを探しても見当らない馬鹿陽気で、生駒も私も上着を肩にひっかけて歩いていた。街路樹も、下がる様子のない気温に戸惑っているのか、真夏と変わらない青々とした葉をつけたまま埃《ほこり》をかぶっている。その様子には、なにがなし、嫁ぐタイミングを逃してしまった女性を思わせるところがあった。

風が強かった。立ち上がりの悪い温風ヒーターが吐き出しているような、生暖かい南風だ。銀座の街には、もっとも不似合いな風だった。

風が吹きつけてくるたびに、生駒はうるさそうに手をあげて顔を覆《おお》った。いくぶん出目の気味がある私のこの同僚は、風を嫌《きら》っている。どんなに気をつけていても目にゴミが入るからだそうだ。だが、今のしかめっ面《つら》は、風のせいばかりではなさそうだった。

「何を考えてるんだろうな、あのあんちゃんは」

そう吐き捨てて、鼻を鳴らした。

「おまえさんを尾けてた車のことは？　訊いてみたか？」

「訊いてみたさ」

直也は、（スクープ合戦か何かのせいじゃないんですか？　俺《おれ》にはわかりませんよ）と答えただけだった。（ただ、高坂さんが見張られてるってことに気がついただけなんだから。それとも、そのことも報《しら》せない方がよかったですか）

短い電話だった。直也は平板な声で話し、その口調には、ほとんど感情がこもっていないように感じられた。ただひたすら億劫《おっくう》がっているだけのように。

意識して、そう装っているのだと思った。

その証拠に、電話を切る直前に、彼はこう言った。

（三村さんにかまわないでください。あなたがあの人に迷惑をかけるようなことをやったら、俺も黙っちゃいませんよ）

それこそ願うところだと、私は思った。こっちには君に訊きたいことが山ほどある。君が出てきて〈黙っちゃいない〉としゃべってくれるのなら、行動を起こしてくれるのなら、どれだけ楽になるかわからない。

だが、私は口に出してそう言わなかった。七恵がずっと心配そうな視線を向けてきていたから。

彼女の部屋は、間取りも設備も直也の部屋と同じだったが、ちゃんと〈住まい〉になっていた。掃除がゆきとどいており、台所にはかすかな洗剤の匂《にお》いがした。水切りの上に、大きなざるに入れて、おそらく鍋物《なべもの》に使うのだろう、すぐ調理できるように下拵《したごしら》えした野菜が置いてあり、その上に真っ白な布巾《ふきん》が一枚かけられていた。昨夜は霧雨の肌寒《はだざむ》い夜だったから、織田直也のために、彼がやってきたらすぐに食べさせることができるように、支度していたのだろう。丸い小テーブルの中央に、籠に入れたハウスもののみかんがあり、彼女はそれを手にとって、ずっと所在なげに手のひらのなかで転がしていた。

私を部屋のなかへ招き入れると、七恵はドアをきちんと開け放し、ストッパーをかけた。私に手振りで椅子《いす》を勧めてから、ホワイトボードを手に廊下へ出て、しばらくして戻ってきた。察するところ、隣室に告げにいったのだろう。（来客ですので）と。

行き掛かり上やむを得ないとはいえ、よく正体のわからない男を、一人暮らしの部屋に入れるのだ。当然の処置だろう。また、そういうとき、隣室の住人が、気軽に頼みにできる存在だということは、彼女にとっては心強いことであるに違いない。

それでも、織田直也のときはそんな気配りはしなかったのだろうな、と思うと、やはり面白くないような気がした。

「彼女、美人か？」

いきなり生駒が訊いてきた。私は急に現実に引き戻され、ほとんど何も考えないうちに、

「うん」と答えた。

彼はにやっとした。「誰のことを言ってるんだ？」

「そっちは誰のことを訊いたんだよ」

「三村七恵のことだ」

「美人だよ。とびきりってわけじゃないが」

はっはあと、生駒は声をあげた。「たまにはいいこともある」

昭和通りを渡り、東銀座の方へ入ると、銀座の街も少しずつ雰囲気が変わってくる。ビルも多く、しゃれた造りの店も目につくし、堂々たる歌舞伎座《かぶきざ》の建物を仰ぐ街ではあるが、ちょっと脇道にそれると、ごく普通の住宅地の気配がそこはかとなく漂ってくるのだ。

新富町の方に近づくにつれて、その気配はさらに強まってくる。ビルもこぢんまりとした背の低いものが増えてくるし、あいだに混じるしもたやは、新興住宅地でお目にかかるような国籍不明のタイプのものではない。店先にクーラーの尻《しり》を出したラーメン屋や、小さな開業医の看板を見かけるようになる。口の悪い連中が「銀座のチベット」と称するこの新富町、明石町《あかし》の辺りは、銀座というきらびやかな大繁華街、大企業が社屋を並べている丸の内にとって、ちょうど、都会で一旗あげた人物が故郷に残してきた両親のように、昔の姿を残している懐《なつ》かしい町なのだった。

「例の警官、連絡がついた。会ってきたよ。なかなか面白い人物だ」

ときどき住居表示を気にしながら、生駒が言った。

「二人のあんちゃんのことを話したら、ぜひ会ってみたいと言っていた。毎日家にいるだけだから、電話をくれればいつでも上京しますと請け合ってくれたよ」

「透視能力者の手を借りて事件を解決したというのは、本当なのか？」

「本人は、本当だと言っていた。その能力者は女性で、今は結婚して九州の方にいるそうだ」

「じゃ、全面的にサイキックの存在を信じている御仁なわけだ」

「俺も驚いたんだが」と、生駒は首筋をぼりぼりかいた。「稲村徳雄《のりお》と同じことを言ってたよ。『信じる信じないの問題じゃない。それはそこにあるんです』とな」

心のうちで、その言葉を反芻《はんすう》してみた。それはそこにあるんです。

「もともと神奈川でとれた人で、定年のときは県警の捜査課にいたそうだ。万年平刑事だったが、腕はよかったらしい。俺もそういう印象を受けた。今六十二歳だが、かなりの切れ者だぞ。名前は村田薫。村に田圃《たんぼ》に薫君《かおるのきみ》の薫だ」

最後のところで私が変な顔をすると、生駒は破顔した。

「古典を読め、古典を。源氏物語だよ」

「学校を出て以来、お付き合いがない」

「うちじゃ女房がベッドのなかで読んでやがる。おかげで俺は、衣冠束帯で香をたきしめて『今夜よろしいでしょうか』とお伺いをたてなきゃならねえ。歌も詠《よ》んでな。挙げ句、『春はあけぼのでものの哀れよ』とかなんとか言われて追っ払われるわけだ」

「何か別のものとごっちゃになってないか?」

「おまけに、財産は全部女に握られてるってところも身につまされる。雅《みや》びやかなあの時代は、男にとっちゃ結構しんどいものだったらしい」

「その代わり、好きなだけ愛人が持てるじゃないか。ありゃ、やり放題の話だったという気がするな」

「源氏物語を習ってそういうところばかり覚えてるってことは、まともである証拠だ。おい、上着を着ろ」

生駒は足を止め、真新しい白壁の二階家を見上げた。

「せいぜい男前に見えるようにして行こうじゃないか。この家だ」

4

インタホンに応答したのも、ドアを開けてくれたのも男性だった。

三十代の半ばというところか。糊《のり》のきいた白いワイシャツにきちんとネクタイを締め、折り目のついたズボンを穿《は》いて、薄手のカーディガンを着ていた。教師と聞いたときからなんとなく眼鏡をかけた人物を想像していたのだが、それははずれていた。

「お待ちしておりました。私が川崎です」

小枝子の夫だ。

誰かと競っているかのようにきれいに掃除され、飾りつけられ、インテリアに気を配ってある客間に、私と生駒は通された。

納得はできた。これこそ小枝子の「巣」にふさわしい。私と一緒になっていたとしても、やはりこんなふうに家を磨《みが》き上げ、客に対していつ披露《ひろう》してもおかしくないように、室内を整えていたはずだ。

ただし、私と所帯を持っていたなら、応接セットのソファは本革ではなかったろうし、壁にかけてある、美術雑誌で見かけた記憶のあるタッチのリトグラフは、しゃれた画集から丁寧に切り抜いただけのものになっていただろう。一点の曇りも手の痕《あと》もないサイドボードのガラスごしに見える数々のカットグラスは、酒屋の名入りのコップに取って代られているかもしれない。その意味では、小枝子は正しい選択をしたのだ。

目の前の男は、この家の主人らしいくつろいだ姿勢で肘掛《ひじかけ》椅子にもたれている。左手首に、一見しただけではメーカーはわからないが、高価であることだけは確かな腕時計をはめていた。川崎明男は、これみよがしにローレックスを見せびらかすほどの俗人ではないのだ。

「お仕事中に、まことに申し訳ありません」

生駒が口を切ると、川崎は鷹揚《おうよう》な感じで手をあげた。

「かまいません。ちょうど授業のあいだですから」

彼は、小枝子の父親が勤めていた私立高校の理事長の一人息子だった。現在はそこの副理事長で、英語の教師もしているが、ここ数年以内に父親のあとを襲って、最年少の理事長に就任することは間違いない。どこも赤字経営に悩んでいる私立の教育施設のなかでは、彼の学校は異例とも言えるほどの高収益をあげており、それが、この若き二代目の経営手腕によるものだということは、業界では有名だった。

川崎と小枝子が結婚に至ったいきさつは、さすがの生駒も時間が足りなくて調べきれなかったようだが、どうやら、彼の方から小枝子を見初めたものであるらしかった。結婚して、約一年半になる。

彼は我々に灰皿を勧めたが、本人には喫煙の習慣がないようだった。彼の右手の人差し指と中指に、かすかにチョークの白いあとがついていることに、私は気がついた。

そして、彼はちゃんと結婚指輪をはめていた。

手のこんだレースのテーブルクロスの中央に鎮座している灰皿は、（ここに汚い吸《す》い殻《がら》など落としたら無礼討ちにしてやる）という雰囲気《ふんいき》を持っていた。生駒はいっこうに頓着《とんちゃく》せず、ハイライトを取り出した。

「まことに申し訳ありませんが、家内はお目にかかれません。お話は、私一人でお伺いいたします」

そう言ったとき、川崎の端正な顔の裏に、ちらっと何かがよぎった。

「あいにく家内は、ここ何日か具合が悪くて臥《ふ》せっておりまして」

「ほう、それはいけませんな。ご病気で？」

生駒の質問に、一瞬ではあるが、今度ははっきりと動揺を表わして、彼は答えた。

「実は、悪阻《つわり》でして。今三ヵ月なんですよ」

生駒は煙草《たばこ》を吸う仕草に隠して、ちょっと息を止めたようだった。

自分でも意識しないうちに、ごく当たり前のように、私は言った。「それは、おめでとうございます」

そこで初めて、川崎明男の肩から緊張感が抜けた。彼は口元をゆるめて微笑した。

「ありがとうございます」

短い言葉ではあったが、それが了解の合図だった。

本音は知らない。お互いにそれは突っ込まないことにしましょう。過去は問題にならない。我々はお互いにお互いの立場と役割を守って行動しているだけなのだから。

彼もまた困っていたのだろう。自分が合格した試験に落ちた者と向きあっているのだから。なにがしかの後ろめたさと、優越感がないまぜになった思いを抱きながら。

私と小枝子のことを、彼がすべて——文字どおりすべて承知しているということは、わかっていた。生駒が連絡をとったとき、彼の方からまずその話をして、よほどのことがない限り、お互いのために、高坂さんと私はお会いしないほうがいいと思いますが、と言ったそうだ。なかなかの紳士である。

それでも、(いえ、ちょっと風邪気味で)と言っても済むところを、わざわざ(悪阻で)と答えるところに、正直な感情がのぞいているな、と思った。

それはそれで構わない。正直はいちばんの早道だ。

「ご用件は、電話でも伺っておりましたから」と、川崎は切りだした。「だいたいのところは理解しているつもりです。家内のことをお気遣いくださいまして、痛み入ります」

仕事柄《がら》だろうか、彼の言葉の選び方、会話の進め方は、やや老成した感じがした。

「それでも、そちらの方で多少不愉快な悪戯《いたずら》を受けておられて、それに小枝子の名前が出ているというだけなら、私もお二人にお目にかかる必要はないと思ったのですが」

生駒がちらっと私の方を見てから、川崎に視線を戻した。「というと、こちらにも何か？」

川崎は、生徒の話を聞いているかのように穏やかな表情を保ったまま、頷《うなず》いた。

「家内あてに、白紙の手紙がきたことがありました。一通だけですが」

私と生駒は顔を見合わせた。

「いつごろのことでしたか」

「一週間ぐらい前でしょうか。その一通だけで、あとは続きませんでしたが」

「その手紙はどうなさいました？」

「申し訳ありません」本当に残念そうに眉《まゆ》を寄せて、「捨ててしまいました」

ちょうどそのとき、小さなノックの音がして、我々が入ってきたのとは違うドアから、女性が一人顔をのぞかせた。

一見して、地味な事務員タイプの女性だった。私と同年齢ぐらいだろう。チャコールグレイのスーツを着ている。スカートは節度のある膝丈《ひざたけ》で、化粧も淡い。すっきりと額を出したショートカットの髪に、耳元で銀のイヤリングが光っていた。

ドアを開けてはいるが、室内には踏み込まず、彼女はその場で深く一礼した。社員教育のインストラクターが勤まりそうな、流れるような動作だった。

「私の秘書の三宅令子《みやけれいこ》と申します」

川崎の紹介を受け、彼女はもう一度軽く頭をさげると、一度ドアの向こうに引き返し、すぐに小さなワゴンを押して戻ってきた。高級レストランで、客にデザートを選ばせるとき示されるようなワゴンで、その上にティーセットが一式載せられていた。

「彼女には、この家の方のこともいくらか手伝ってもらっています。客を大勢呼ぶときや、盆暮れの贈答品の手配など、私よりも家内と相談してもらった方がいいことがありますのでね。ですから、頻繁《ひんぱん》にここに出入りしておりまして、問題の郵便がきたとき、それを見つけたのも彼女でした」

川崎がそう言い終えたとき、まるで事前に打ち合せでもしてあったかのように、三宅令子が給仕を終えた。彼女は川崎の言葉を受けて、私と生駒に丁寧に頷いてから、そっとワゴンを脇《わき》に押しやり、いちばん端のオットマンのようなスツールに浅く腰を乗せて、両手を膝に揃《そろ》えた。

「はい。わたくしが見つけまして、すぐ副理事長にお見せしたんです」

彼女の声には、凛《りん》とした響きがあった。川崎の秘書として指示を受ける立場にあると同時に、他人に指示することにも慣れている女性であるように、私には思えた。

ふと、この女性と小枝子がどんな主従関係を築いているのだろうかと、好奇心がわいてきた。イニシアティブをとっているのはどちらだろう?

「奥さんにではなく、川崎さんに?」と、生駒が訊いた。

「はい、そうです」

川崎がフォローするように身を乗り出して、「私も仕事柄、たまに、中傷や嫌《いや》がらせの手紙を受けることがあります。そういうものは、なるべく家内の目には触れさせたくありません。ですから、自宅に来る郵便でも、できるだけ三宅君に先にチェックをしてもらうように計らっているのです。そして、たとえ家内宛《あ》てであっても、差出人の名前がなかったりして様子のおかしいものは、私に回してくるように頼んであります」

いくら夫婦のあいだでも、はっきり私信とわかっているものに対して、そこまでするのはどうかと思った。その感想が、私の顔に、そして生駒の顔にも浮かんでいたのだろう、川崎は軽く苦笑して、カップを手に取りながら、言った。

「勝手なことをするものだとお思いかもしれません。私も、普通の状態でしたら、そこまでは考えないでしょう。ただ、今は多少、事情がありまして」

「奥様は普通のお身体《からだ》ではありませんから」と、令子が言葉を添えた。

「そうです。それで、家内はちょっと気が立っております。それに、恥ずかしいことですが、わが校は伝統と同じくらい内紛でも有名なところです。私は近々父のあとを継ぐことになっていますが、まったく波風が立っていないわけではありません」

「金と人が動くところに、怪文書はつきものですからな」と、生駒が大真面目《おおまじめ》に言った。

川崎明男は、初めて歯並びが見えるほどの笑顔をつくった。急に若返って見えた。

「まったくそのとおりです。教育者の集団であるはずなのに、一皮剝《む》けば何が隠れているかわかったものではありません」

「いいじゃないですか。聖人君子に教えられて育った子供たちじゃ、社会に出たら、すぐにバラバラにされちまいますよ。耐久力はつけさせておいた方がいいです」

生駒はあっさり言って、華奢《きやしや》な金縁のティーカップが嫌がって身をよじるんじゃないかと思うほどぞんざいな仕草で、がぶりと紅茶を飲んだ。

「その手紙は――」私は話を戻した。「はっきり奥さんの名前宛てに来ていたんですね？ つまり、旧姓ではなくて、現在のお名前で」

川崎が視線で促し、令子が答えた。「はい、そうです。川崎小枝子様と書いてありました。住所もきちんとあっておりました」

「しかし、中身は白紙だった」

「そうです」

「で、捨ててしまわれた」

今度は川崎が答えた。「そうです。家内宛てであるのが不審な気もしましたが、まさかこんなことと繫《つな》がっているとは思いませんでしたので。ただ単に標的が家内になっているだけの、私の方の関係の嫌がらせだろうと思っていました」

「その後は何も？」

「はい。何もありません」

「おかしな電話がかかってきたことはありませんか？ 具体的に、奥さんの身辺に気をつけるように言ってきたり、話のなかで私の名前を出してくるような電話です」

川崎は私の顔にひたと視線を据《す》えて、きっぱり答えた。「ありません」

私も彼を見つめ返した。一秒にも満たない短いあいだだが、ほとんど睨《にら》みあった。川崎の目は、たとえどんな小さなことであっても、小枝子の生活にあなたの名前が出てくる余地はないと、言い切っているように見えた。

先に視線をそらしたのは私の方だが、それで（引き下がった）という感じは持たなかった。その必要もない。

「学校やこのご自宅の付近で、不審な人物を見かけたことはありませんか」

生駒が静かに質問した。声が抑揚を欠いているのは、笑いをこらえているからだと、私にだけはわかった。

「家の周囲をウロウロしていたり、あなたや奥さんのあとを尾《つ》けてくるような人物です」

「あるいは」と、私は付け加えた。「グレイの国産車を見かけたことはないですか？ 手がかりが漠然《ばくぜん》としてて申し訳ないんですが、つい昨夜、私はそういう車に尾けられたらしいんです」

川崎と令子は視線をあわせた。令子は、目を大きく見張っても理知的な感じが崩れない、めずらしいタイプの女性だった。

「ありませんね」と、川崎が代表で答えた。「まったく心当たりがありません。尾行とか監視とか、我々には縁のない話です」

生駒は大きな拳《こぶし》を鼻の下にあてがって、しばらくのあいだ小さく頷いていた。おそらくは私と同じことを考えているのだろう。だから、私は心にあったことを言った。

「どうやら、すぐにどうこう心配する必要はなさそうですね」

川崎明男は、ほっとしたように表情をゆるめた。

「私もそう思います」

「ただ、用心は怠らないでいただきたいんです。相手はどういう人物かわかりません。万が一でも、とんだご迷惑をおかけするようなことになってはいけない。それはご理解いただけますか」

川崎は顎《あご》を引き締めて頷いた。そんなことはあなたに言われるまでもない、という表情だった。

「近くの派出所に事情を話して、しばらくのあいだパトロールしてもらえるように頼んでみていただけませんか」

「川崎さんは名士だから、交番もイヤとは言いませんよ」と、生駒が付け加えた。

「わかりました。そうしてみます」

川崎は言い、鼻筋を指でなぞりながら少し考えていたが、やがて目をあげた。

「正直に申しますと、家内は、このことを知りません」

ほとんど反射的に、私は三宅令子の顔を見た。彼女は副理事長の顔を見つめていて、こちらには目を向けなかった。

「今も、臥せっているというのは嘘《うそ》でして。今日は病院に行く日なのです。実家の近くの病院ですから、今夜は泊まってくると思います。それで、お二人に来ていただくことができたというわけです」

「奥様はとても胎教に気をつかっていらっしゃるんです」と、令子が言った。「ですから、こんなことでご心配をかけるわけにはまいりません」

「賢明ですな」生駒が彼女に笑いかけた。「あなたは立派な秘書だ」

初めて、令子がかすかに微笑した。生駒の言葉を真に受けたわけではなく、彼女の「優秀秘書マニュアル」のなかに、「無礼な客に誉《ほ》められたときの微笑の浮かべ方」という項目があって、それに従っただけだろうが。

妊娠してからは特に、夜間自宅で小枝子を一人きりにするようなことは避けていること。日々の生活のペースは決まっており、何か変わったことがあればすぐにわかること。それらのことを確認し、多少談笑して、私と生駒は腰をあげた。長居する場所ではない。

玄関に出るために客間を横切ったとき、傍《かたわ》らの飾り棚《かざだな》の上に、花嫁姿の小枝子を写した写真が飾ってあることに気がついた。足を止めはしなかったし、首をよじって見ることもなかったが、大きなブーケを手にした彼女が、満面に笑みを浮かべていることだけはわかった。

式は盛大だったのだろう。


「惚《ほ》れてるな」と、生駒は言った。

道路に出て歩き始めると、二人ともまた上着を脱いで、せいせいした気分になっていた。信じられないようなことだが、今日は蒸し暑い。川崎家を出て、改めて感じた。

「惚れてないよ」

「いや、惚れてる」

「なんで」

「目付きでわかる」

「冗談じゃない」私は上着を肩に担《かつ》いだ。「大外れだよ」

生駒は目を剝いた。「誰もおまえが未《いま》だに小枝子さんに惚れてるとは言っとらん。早合点するな」

「じゃ、誰の話だ?」

「秘書だ、秘書」

私は立ち止まった。「三宅令子が?」

「そう」

「川崎に?」

「そうだ。ほかにどの組合せがある? それとも、おまえさん秘《ひそ》かに俺《おれ》に惚れてるか?」

「実を言うとそうなんだ」

「すまんが、俺は不倫は嫌《きら》いだ」

すれちがった女子中学生の二人連れが、珍奇なものでも見るように生駒と私を振り返ってから、どっと爆笑した。生駒は歯を剝いて笑うと、彼女たちに手を振ってみせた。

「それでなくても恥をかきかき生きてるんだ。道を歩くときぐらいは恥をかかないでいたいね」

「同感だ。真面目にやろう。高坂よ、秘書はボスに惚れるもんだよ」

生駒が私を姓で呼ぶのは、なにがし訓戒をたれようというときだ。

「惚れなきゃ働けねえからな。ボスがどんなにチンケな野郎でも、なにかの形で惚れる。どこかに惚れる。仕事ぶりかもしれないし、男ぶりかもしれない。機嫌《きげん》のいいときのボスにだけ惚れる秘書もいる。だが、必ずどこかに惚れる。彼女は、川崎の全部に惚れてるな。やつはいい条件が揃ってる。男前だしな」

「それが何か、この件と関《かか》わってくると思う?」

「さあな。ただ、俺は思ったことを言ってるまでだ。いい女を見ると、どんな男に惚れているか気になるから」

どこへ行くのでもそうだが、往路よりは復路の方が短く感じるものだ。我々はすぐに、「町」から「街」へ戻ってきた。和光の時計台が見えた。

「惚れてないな」と、生駒が言った。今度は私も引っ掛からなかった。

「誰が」

「おまえだよ」

「うん」

「俺はとっくにそうだろうと思ってたよ。いちばん確信がなかったのは、おまえさん本人だったんじゃないか?」

「そうでもない。そんなに未練たらたらに見えたか?」

「そうではなかった。ただ、小枝子さんにはえらく自尊心を傷つけられてるからな。傷ついたプライドを取り返したいばっかりに、人に惚れる――惚れ続けるってことはある。敗者復活戦を狙《ねら》うわけだ」

「それほど執念深くないよ」

四丁目の交差点で足を止め、信号待ちをしている人込みのなかに混じった。

「さっき、笑いをこらえてただろ？　俺と川崎が睨みあってるときに」

「おう」

「何がおかしかった？」

「男ってのは、こんなくだらねえことでも面子《メンツ》の張り合いをするんだなと思ったからだ」

私は笑った。

「本当だ」

「ただ、ちとひっかかるな」

同じことは私も感じていた。逆の立場だったら――と考えて。

「女房の昔の男が目の前にいる。しかも、自分の仕事の関係で、あんたの女房に迷惑をかけることになるんじゃないかと言ってきてる。俺だったら、理屈ではわかっても、感情的にはまず『図々《ずうずう》しい野郎だ』と思うね」

「うん」

「女房はもうてめえとは関わりねえよと思う」

「その通り」

「外面《そとづら》では抑えても、どっかで不愉快そうな態度をとっちまうと思うな」

「俺もそう思う。ところが、川崎にはそれがなかった」

「なかったな。檜《ひのき》の一枚板みたいにしゃんとしていただけで、一度だっておまえを汚ねえものでも見るような目で見たりはしなかった」

信号がかわり、人込みが一団となって動きだした。

「川崎明男は」

「よほど」

私と生駒は横断歩道に足を踏みだして、同時に同じ台詞《せりふ》を吐いた。

「人間ができてるんだ」

そう言いながら、横断歩道の今渡ってきた側に、その言葉だけでは割り切れないものを残してきたように感じていた。そして、生駒も同じ気持ちを抱いていることを、彼が肩ごしにちらりと新富町の方を見やったのに気づいたとき、確信した。

やがて私は、このとき残してきたかすかな疑問を、拾いに戻ってくることになる。

5

社に戻ると、机の上に伝言がふたつ残されていた。ひとつは、以前にインタビューした

「ミス・コンテストに反対し——」の会の代表者が、掲載された記事を見て連絡してきたというものだった。電話を受けてくれた記者がそばにいたので訊いてみると、

「わりと、喜んでるみたいでしたよ」と言う。

「こっちの言ってることを曲解しないでストレートに書いてくれてた、って。『そういうことはめずらしいんです、特に男の記者さんだとね』だって。取材に来た人と記事を書いた人、両方にお礼を言っておいてくださいって言うから、『あれはコラムだから、インタビューした野郎が記事も書いたんですよ』って教えてやったら、『へえー』なんて感心してた」

へらへら笑いながら話す彼の頭を、デスクが一発張りながら通りすぎて行った。

「外様に口をきくのに、『野郎』とはなんだ、『野郎』とは」

あの会の代表者は、その記事を書いたときの私が、一人もしくは二人の「サイキック少年」に振り回されていて、ほかのことを深く考えている余裕がなく、だから彼女の言ったことをそのまま書いただけだったのだと知ったら、そう喜んではくれないだろう。耳から手に降ろすだけなら、作文の得意な中学生でもできることだ。

そこで、はっと気がついた。

「インタビューか」

声に出してつぶやくと、乱雑極まる机の上をかきわけながら灰皿を探していた生駒が顔をあげた。

「なんだ。なんか思い出したか?」

「インタビューなら、名前が出る」

ちょっと考えてから、生駒は大きく頷《うなず》いた。「ああ、出る。『文　高坂昭吾』ってな」

署名記事と、大上段に振りかぶって考えていたから思いつかなかったのだ。

「八王子支局時代に、何本か書いてるか？」

私は頷いた。支局の記者はなんでも屋である。選挙も、スポーツも、犯罪も、地元の教育問題も、上下左右硬軟取り混ぜて扱うのだ。

「ただ、そう数はないよ。俺はインタビューは苦手なんだ。まるっきり拝聴するだけで帰ってくるか、突っ込みすぎて怒らせるか、どっちかでさ。それに、あの手の穏便なインタビューは、たいてい相手を持ちあげなきゃならないけど、それも下手だったしな」

「三年前にヨイショの記事を書いてもらった人間が、今になって『心にもねえことを書きやがって』と怒り狂って脅迫状を出す――」生駒は首をひねった。「ありそうもねえ」

「まあ、でも読み返してみるか。何かとっかかりになるかもしれない」

あまり気乗りしない思いで、そう言った。

もう一本の電話は、織田直也が辞めたあのガソリンスタンドの責任者からのものだった。折り返しかけてくれという。

電話すると、やや急《せ》き込んだ感じで、彼が出てきた。直也の行方がわかるかもしれないというのである。半信半疑ながらも、私は椅子《いす》を引いて座り直した。

「本人に会ったとか？」

「いやいや、そんなんじゃないんだけどね」

今日の昼すぎ、織田直也を訪ねて客が来たのだ、という。

「彼が半年ばかり前にアルバイトしてたコンビニの店長さんなんですよ。以前に一度、車でうちの前を通りかかって、織田君を見かけたことがあったもんだから、まだいるだろうと思って寄ってみたっていうじゃないですか。『うちを突然辞めていった子だから、見かけたときにはびっくりした。ここも辞めちゃってるんですか』って、驚いてましたよ」

「その店長、どこの誰だか訊《き》いてみましたか?」

「それは訊かなかったけどね、もっと役に立つことを訊いたんだよね、あたしゃ」

得意そうに笑って、

「織田君がそのコンビニを辞めたあと、半月ぐらいして、彼を訪ねて興信所の人間がやってきたって言うんです。『そのときは、興信所なんてうさんくさいものに、彼のことをしゃべるのは気が進まなくて、なんとなくいい加減な感じで追い返しちまったんですけどね、マスコミの人まで出てきて彼を探してるんじゃ、放《ほう》ってもおけないでしょう』って、難しい顔してましたよ」

直也が、ガソリンスタンドの麻子ちゃんに、「以前、興信所に追いかけられたことがあって」と話したというのは、あながち嘘ではなかったのだ。

「あたしゃね、その興信所の名前と電話番号を教えてもらいました」ガソリンスタンド氏は気分よさそうに続けた。「その興信所の人間はね、『彼の消息をつかめるようなことがあったら、ぜひ連絡してくれるように」って頼んで、コンビニに名刺を置いていったんだそうです。興信所の名刺なんざ珍しいからさ、店長さん、それをずっととっておいたっていうんです。だから正確にわかりますよ。教えましょうか？　コンビニの店長さんは、『私はこんなことに関わるのはイヤだから』って、ほうほうのていで逃げていっちまったけどね。あたしは平気だからさ」

教えられた電話番号で応対してきたのは、中年の女性の声だった。さよう、ここは「㈲東京リサーチ」である。いえ、興信所ではなく、失踪人《しっそうにん》を探し出すことを専門としているれっきとした調査会社であり、私は社長であると、きびきびと答えた。

用件はすぐ通じた。だが、織田直也については、現在は捜索を中断しているという。社長が個別の依頼の件について即答できるところをみると、小さな事務所なのだろう。

「なぜ中断したんです？」

「依頼人の希望ですよ。決まってるじゃないの」

生駒といい勝負のがらがら声で、女社長は断言する。

「ということは、彼が見つかったんですか」

「見つけられなかったわ」

それなのに依頼人が降りたとは、どういうことだろう。

「織田直也は、中学を卒業するとすぐに家出してるんですよ。ご存じでしょうが」

女社長は黙っているが、それは肯定のしるしだろう。

「ですから、おたくの依頼人は彼の家族でしょう？　そうじゃないですか？」

まず間違いないはずだ。彼の家族になら、なんとしても会ってみたい。

「なんとか連絡をとれませんかね」

女社長はムッとしたような声で言った。「依頼人の身元なんて教えられませんよ」

「わかりますよ。そこを曲げて頼んでるんです。記事にしようという気はないんですよ」

「信用できないわね」

「こちらも、まるっきり白紙というわけじゃないんです。彼の両親は、彼が子供のころに離婚している。その際、なにか財産争いのようなこともあったらしいですね」

女社長は、かなり長いこと押し黙っていた。やがて話しだしたとき、辺りをはばかるような低い声になっていた。

「まあ、いいわ。しつこく付きまとわれちゃかなわないから。でも、依頼人の名前や居所を教えるわけにはいきませんよ。だいいち、お宅が出かけて行ったって、彼女は会ってくれないに決まってるから」

「彼女？」

「ええ。依頼人は、織田直也の母親だったんですよ」

女社長の話は、簡潔で要を得ていた。直也の両親は彼が八歳のときに別れたのだが、その大きな原因はふたつあった。

ひとつは、母親と、直也にとっては祖母にあたる姑《しゅうとめ》との折り合いが悪かったこと。

「織田さんの家っていうのは、代々、板橋の滝野川でかなり大きな酒屋さんをしてたそうなんですよ。直也って子の父親はそこの四代目でね。一人息子。ところが、母親は元ホステスをしてて、ひとまわりも年下だったんです。そんなこんなで、姑さんとは最初からうまくいかなかったんでしょう。刃物沙汰《ざた》になったこともあったそうよ」

離婚のもうひとつの原因は、その酒屋を廃業しなければならなくなったことだった。

「織田さんが友達の借金の保証人になってましてね。夜逃げされちゃって、全部自分でかぶったというわけ。で、奥さんが愛想をつかしてね。別れるとき、確かにお金のことでも多少はもめたみたいだけど、それよりは、子供の親権争いの方が深刻だったみたいですよ。母親の方は、どうしても直也って子を引き取りたかったんだけど、認められなくてね」

その母親が、今になって直也を探している――

「ずっと気になってたって言ってましたよ。少し自由になるお金ができたんで、それで決心したんだって」

「じゃ、なぜ依頼を取り下げたんだろう？」

女社長はやりきれなさそうに言った。「今の旦那《だんな》に止められたんですよ。彼女、再婚してね。彼とのあいだにも、子供ができてるから。今さら、昔残してきた子供を探しだしてどうするつもりなんだ、ということになったわけ」

まあ、理詰めでいけばそういうことになるのかもしれないが……

直也の母親は、ほとぼりがさめたらまた調査を依頼すると言っているという。女社長も、その時には絶対に探しだしてみせると断言した。

「父親の消息は？」

「とっくに死んでましたよ。最後は野垂れ死にね。アル中で」

電話を切ったあと、舌の上に苦い後味が残った。

なんという環境だったんだろう。直也が育ってきた家庭は。

（離婚するし財産争いはあるし——サイキックがそんなところにいられるわけがないじゃない）

それだけに、直也の母親に会ってみたいという未練は残った。なんとか方法はないか——と考えてみたが、あの女社長の壁は厚そうだ。ドリルが要るだろう。

気分転換に、誰かがそばに放り出していった今日の夕刊を広げた。漫然と見出しを目で追っていって——

そのまま、息が止まった。

ベタ記事だ。紙面の片隅《かたすみ》に、見逃してしまいそうなほど小さく載せられている。心の内の逃げ腰で卑怯《ひきょう》極まりない部分では、なんでこんなちっぽけな記事を見てしまったのだろうと思っていた。気づかなきゃ良かった。

「白昼　聖橋《ひじりばし》から飛び降り」

小さな見出しに続いて、

「——午後一時ごろ、神田川にかかる千代田区御茶ノ水の聖橋の上から若い男性が飛び降りるところを通行人が目撃し、駆け付けた神田消防署のレスキュー隊員等の捜索により——まもなく引き上げられたがすでに死亡しており——所持していた運転免許証から身元が——」

宮永聡《さとし》、二十一歳。私立東京国際教育大学教養学部二年生。

あの、兄弟のような絵描《えか》きの卵の片割れ。

マンホールの蓋《ふた》を開けた二人組の片割れ。

頭のなかに、彼の描いた大きな信号が浮かんだ。永遠の赤信号。永遠のストップ・サイン——

第五章　暗　転

1

葬儀の日は曇天だった。頭のすぐ上まで空が下がってきているかのように、雲が低く垂れこめていた。

宮永聡《さとし》の自宅は、京葉線の海浜幕張駅から車で五分ほどのところにある。週末だったので、駅には、幕張メッセで行なわれている何かのイベントに向かう若者たちの姿が目についた。陽《ひ》が射《さ》していないというだけで、気温は今日も比較的高く、若者たちはみなカラフルな色合いのシャツやブルゾン姿だ。そのなかに、ぽつりぽつりと喪服が混じる。みな、宮永家をめざしてゆく弔問客であるはずだった。

検死や事情聴取などの警察の手続きがあったために、あいだに友引をはさんだために、聡の自殺から、今日の葬儀まで四日が経過していた。その四日間も、衝撃を鎮《しず》めてはくれたものの、痛みを癒《いや》してはくれなかった。むしろ増してゆくような気がした。打ち身が濃い青痣《あおあざ》になってゆくように。

父親に連れられて駅の階段を降りてくる稲村慎司の顔にも、その青痣がはっきりと浮いていた。笑いさざめくカップルたちや若者たちのグループに混じってやってくるのに、稲村父子《おやこ》二人がいるところだけ、色彩が消えている。駅前で落ち合う約束をしてあったのだが、二人の顔を見た途端、やはり、一緒に来たいという父子の申し出を、とことん撥《は》ねつけるべきだったと後悔した。

慎司は学生服を着て、詰《つ》め襟《えり》のボタンをきちんと上までとめていた。その上に、病みやつれた月のように蒼白《そうはく》な顔があった。ほとんど眠っていないのだろう、頬《ほお》の辺りがけば立ったように荒れていた。

「やはり、おいでにならない方がいいと思います」

会釈《えしやく》しながら近づいてきた稲村徳雄《のりお》に、私は言った。そして、うつむいている慎司の目をのぞきこもうとした。

「こんなことになった責任は、君にはないよ。全部俺《おれ》の責任だ。宙ぶらりんにしないで、彼らを警察に突き出してやるべきだった。その判断を誤ったのは俺なんだから」

慎司は黙って首を振った。

父親は言った。「高坂さん、それは結果論というものですよ」

「結果論以外に、何が言えます？」

「責任は、慎司にあります」稲村徳雄の静かな語調は変わらなかった。「あなたがどうお考えになろうと、私はそうだと思います。あなたがおいでになろうとならなかろうと、私は慎司を連れて参ります。ですから、どうぞ」

慎司は我々から離れ、少し危なっかしい足取りでタクシー乗り場の方へと歩いてゆく。彼に続こうとする父親の肘《ひじ》をつかんで、私は言った。「息子さんは十六歳なんですよ。まだ子供です」

「ですが、普通の子供じゃあない」

稲村徳雄はきっぱりと言うと、私を見つめ返した。

「行きましょう」

葬儀が行なわれている家というのは、どんな邸宅でも、いくらか小さくなって見える。たぶん、普通の状態ではその家が迎え入れるはずもないほど大勢の人間が、一度に出入りするからだろうが、詩的な表現をするならば、死者を悼《いた》んで家も肩をすぼめているのだ——とでも言えるかもしれない。

しかし、宮永聡の葬儀には、詩的な部分はどこにもなかった。山ほどの花と、多数の会葬者と、年若い死者の遺影と、あとは悲憤があるだけだ。

祭壇の前に座っている遺族のなかに、我々にはわからない特殊な宗教のための祈りを捧《ささ》げているかのように、ずっと床に臥《ふ》すようにして頭を下げている中年の女性がいた。周囲の会葬者の囁《ささや》きから、その女性が聡の母親であるとわかった。

この件に絡《から》んで、悲嘆に打ちのめされている母親の姿を見つめるのは、これが二度目のことになる。望月大輔《だいすけ》の母と、宮永聡の母と。そして死んだ二人の子供に共通していることは、なぜ死ななければならなかったのかわからないということだった。

彼らの死の理由と原因を、誰も知らない。私と慎司を含む、ほんの数人の例外を除いては。

望月大輔は、誰がなんのために開けたかわからないマンホールに落ちて死んだ。

宮永聡は、突然自殺した。真っ昼間に衆人環視のなかで聖橋《ひじりばし》から飛び降りて。なぜそんなことをしたのかわからないと、会葬者たちが囁いているのを、私は耳にした。

そう。彼は遺書を残していなかったし、死にゆく理由を家族に語ってもいなかったのだ。四日のあいだに、彼の死の前後の状況について、得ることができるだけの情報を掻《か》き集めた。そこでわかったのは、彼が口をつぐんだまま死んでいったということだけだった。同時に、なんとかして垣田《かきた》俊平と連絡をとれないものかと手を尽くしてもみた。それも徒労に終わった。

そして今、辺りをどれほど注意深く見渡しても、垣田俊平の姿は見当らない。喪服に身を包んだ人たちのあいだから頭ひとつ飛び出しているはずの、彼の顔を見つけることができなかった。

腹の底にこたえるような読経《どきょう》を聞いていると、七歳の子供の死も、二十一歳の画家の卵の死も、どちらも等しく自分の責任であるような気がしてきた。

稲村慎司は父親と並んで、私から少し離れたところに立っていた。二人のすぐそばに、声をあげてしゃくりあげながら泣いている若い女性がいた。友人らしい女性が彼女の肩を抱き、同じように泣きながら、相手の背中を撫《な》でていた。慎司は自分自身を責めるために、わざとその女性たちのそばにいて、彼女らの悲嘆の声を聞いているのだろう。

宮永家は今風のつくりの家ではなかったが、建て増ししたのか、家屋の脇《わき》に、そこだけはやや新しい感じのする、シャッター付きの車庫を持っていた。シャッターはずっと降ろされたままだったが、焼香の途中で一度、葬儀会社の人間らしい腕章をつけた男が二人、何か用でもあったのか、かがんで通り抜けることができる程度まで開けて、なかに入っていった。

そのとき、車のタイヤがちらりと見えた。

身を屈《かが》めてみると、暗がりのなかに、うっすらと赤いポルシェ911の車体を見ることができた。

マンホールの事件のすぐあと、車に詳しい同僚に、ポルシェは我儘《わがまま》で神経質な車だと教えてもらったことを思い出した。毎回毎回、エンジンのかかり具合や走りっぷりが違う。生きものなんだ、と言っていた。

その車が残って、乗り手が死んだ。

腕章の男たちが出てきてシャッターを元通り降ろすまで、あの台風の大雨をついて走る赤い車体を思い浮べていた。草叢《くさむら》のなかに転がっている黄色い傘《かさ》を思い浮べていた。

そのとき、誰かに背後からそっと肩を叩《たた》かれた。振り向いてみると、垣田俊平の痩《や》せこけた顎《あご》が、目の前にあった。

「俺が一緒にいたら、止められたのに」

最初に、彼はそう言った。私に向かって言っているというよりも、遠くに見える親友の遺影に話しかけているように見えた。

彼は私を、会葬者たちの輪の外に引っ張っていった。途中で、慎司が我々に気づき、表情を大きく崩して、近寄ってこようとした。すると、私が何か言うよりも先に、垣田がゆっくりと首を横に振って、(来るな)という意思を示した。慎司はじっとこちらを見たまま立ちすくみ、その肩に父親が手を置くのが見えた。

「出棺まで時間がある。少し歩こう」と、私は垣田に言った。できるだけ、この場から遠くへ離れたかった。理屈抜きでそうしたかった。慎司は、その気になれば、姿の見えないところにいても我々のやりとりを聞くことができるのだ――そう思ったから。

「あの子ですね」と、垣田は低くつぶやくように言った。「あの子、見てたんでしょう？俺たちのしたこと。見てたから、ハイアライまで追いかけてきたんだよな」

宮永家のある区画から二区画ほど離れたところまで来て、我々は歩調を緩めた。傍《かたわ》らの電柱に、宮永家への順路を示す表示が貼《は》ってあった。

いささかも迷わずに、私は「そうだ」と答えた。そうしておこう、と決めた。

「でも、そのあとどうするかを決めたのは彼じゃない。俺だよ」

酔っ払いのような足取りで歩きながら、垣田は黙っていた。

「君たちがやったんだな。あの子の言っていたとおり、車のエンジンを濡《ぬ》らしたくないからマンホールの蓋《ふた》を開けて水を流した――」

そう尋ねると、黙ったまま頷《うなず》いた。やがて、目を宙に泳がせたまま、小さく訊《き》いた。

「どうして警察に話さなかったんですか」

私は答えなかった。どう答えても言い訳に聞こえるだろう。それなら、彼が思っていることを、そのまま答えとして受け取ってもらった方がいい。

すると、垣田は言った。「俺たちに同情してくれたからかな。そうでしょう？」

「同情……」

「そうです。俺たち、馬鹿《ばか》みたいなことをやったんだけど、あの時はそれに気がついてなかった。とことん馬鹿だったから。だから、俺たちのこと、警察にしゃべっちゃ気の毒だと思ってくれたんでしょう？　そんなことしなくても、俺たちが自首すると思ってたんでしょう？」

わかってましたよ、と言った。「少なくとも、俺はわかってた。せっかく猶予《ゆうよ》をもらったんだ、自分たちでなんとかしなきゃいけないって、ずっと思ってた」

「宮永君はどう言ってた？」

垣田は質問には答えなかった。

「俺たち、『アロー』の記事、読みました」そう言った。「それでまた、聡に、『自首しよう』って言ったんです。『まだ間に合う、今ならまだ間に合うぞ』ってね……」

風向きのせいか、ここまで離れても、まだ線香の香りがした。宮永聡も一緒についてきているのかもしれない——と思った。

「静かだな」と、私は言った。「落ち着いてる。感情的には、こっちは君に殴り飛ばされても文句は言えないところなのに。なんであんな生殺し的なことをやったんだって、ね」

垣田は薄く笑った。くちびるの端でものを切ることさえできそうだった。

「そんなことしても、聡は戻ってこないからね」

そう言って、まぶたが弛《ゆる》んでしまった——というようにまばたきをし、手の甲で顎をこする。その手が震えているのがわかった。

「それに、聡を自殺させちゃったのは、俺だもの。俺が自首するって言うと、あいつは『おまえは俺の人生までめちゃくちゃにするつもりか』って言った。聡は怖がってたんです。警察に本当のことをしゃべったら、もう画家になる夢だって捨てなきゃならなくなる。何もかもおしまいだって。その気持ちと、俺との板挟《いたばさ》みになっちまったんだ」

目撃者の証言によると、宮永聡は、飛び込む直前まで、欄干にもたれて神田川を見おろしていたという。

発作的に、ぷつんと糸が切れるようにして、死へ落ちていったのだ。

「『檸檬《れもん》』へ絵の具を買いに行くっていって、出かけてったんだ。次の——作品を描くのに、どうしてもカドミウム・イエローが欲しいからって」

言葉を切って、また宙を見つめている。目の前にある家の門や壁や道端の看板を見ているのではなく、そのときの様子を頭のなかで再生しているのだ。そして考えている。もし、いっしょについて行っていたなら。もし、俺が行ってやると言っていたなら。

「マンホールの蓋を開けようって言い出したのは、聡だったんです」

淡々と、説明するだけの口調だった。

「俺、『そんなの無理じゃない？』って言ったんだけど、やってみたらできた。バールとジャッキを使って、梃子《てこ》にしてね。案外簡単だなって、二人で笑ったんです。あの時は本当に、そこに誰かが落ちるなんて考えてもみなかった。あそこは少しくぼんでて、大きな水溜《みずた》まりになってたから、ああしておいた方がかえって危なくないって思ってたんだ」

（近所の人たちだって、きっと喜んでくれる）

「でも、そんなの誰も信じてくれやしないって、聡は言ってた」ほとんど聞き取れないほど低い声で、垣田は言った。「無理だよ、そんな言い草、警察が信じてくれるわけがない。俺たちは犯罪者にされちまう、って。それほど怖がってたんです」

立ち止まると、やっと私の方を見た。

「こうも言ったんですよ。『黙ってりゃわかりゃしない。あいつらだって、なんにも証拠を握ってるわけじゃないんだ』。あいつらって、あなたとあの子のことですよ。もっとひどいことも言った。『俺があいつらを片付けてやるよ。そうすりゃ、もう心配しなくていいだろ』」

「彼、本気でそう言ったのかな？」

ちらりと脳裏をよぎったのは、尾《つ》けてきたあのグレイの国産車のことだった。後頭部の辺りを一瞬見ただけだったが、運転者はたしかに男だった。万にひとつ、ひょっとして、ということはある。

だが、気が抜けたように、垣田はだらりと首を振った。「言うだけはね。だけど、実行なんかできるわけない。だからあいつは、自分が死んでいっちまったんだ」

そう——現実に彼は自殺してしまった。

垣田俊平は、数日間まともな睡眠をとっていないようだった。疲労のせいで、足をひきずるようにして歩いている。どんなに日を選ぼうと、やはり今日は友引の葬儀であるに違いなかった。

何か言おうとして言葉に詰まり、垣田は何度も唾《つば》を呑《の》み込んでいた。

「俺たち、すっごい気があってたんです」

声を励まして、彼は続けた。

「友達になったのはでっかくなってからだったけど、なんか、ほかのヤツとは全然違うって思ってた。聡は言ってましたよ。オレたちのおふくろは、きっと、同じ粉ミルク、同じ紙おむつ、同じタルカム・パウダー、同じ離乳食を使ってたに違いない、って」

すっごい気があってた——そう繰り返して、低く付け加えた。「意見が正反対になったのは、今度が初めてでした。俺は自首したかった。聡は嫌《いや》がった。絶対に嫌だって。初めて意見が食い違っちゃった」

気が合ってた、でも意見が違ってた。どこかで聞いた台詞《せりふ》だと思ったら、稲村慎司と織田《おだ》直也のことだった。

「俺、聡の葬式が終わったら、警察へ行きます」

足元に視線を落としたまま、垣田俊平は言った。

「聡の自殺の原因がわからなくって、みんな首をひねってるんです。でも、家の人たちは、あいつの様子がこのごろおかしかったことを、事情を訊きにきた刑事さんに話したそうですよ。自殺の仕方が劇的だったんで、警察も気にしてるんだな。放《ほう》っておいても、そのうち『何かある』ぐらい感付かれちまうかもしれない。俺、そんなことにはしたくないんです」

宮永家の方を振り向くと、何かがしみているかのように、目を細めた。

「もう聡は死んじゃってて、弁解はできないんだ。勝手なことを憶測されたくない。自首して打ち明ければ、警察だって、そうじゃない犯人を取り調べるときとは違って、少しはこっちの言い分にも耳を傾けてくれるでしょう?」

「そうだね」と、私は言った。

「だから、お願いします。俺たちに会ったこと——あの日、ハイアライであったことは、忘れてくれませんか? 俺——いえ、俺たち、あくまで自主的に警察に話したんだって思ってもらいたいんです。いけませんか?」

その頼みをきくのは易しいことだった。ずっとそれを期待していたからこそ、彼らのことを誰にも話さないできたのだから。

私は頷いた。「ただ——」

「ただ、なんですか?」

「その気持ちがあったなら、宮永君を説き伏せて、彼が自殺なんかしないうちに一緒に警察に行けたらよかったろうに、と思ったんだよ」

垣田が素早く目をそらしたので、私は続けた。「もちろん、自戒をこめて言ってるんだけどね。俺ももっと君らに働きかければよかったんだ。放っておかないで」

「ヘンに説得されたりしたら、俺たち、余計に逃げだしたくなって、もっとひどい結果になってたかもしれません。だからそれは、いいんです」

ひと言ひと言、嚙《か》みしめるようにして、そう言った。それを聞いて気分が軽くなったわけではなかったが、これ以上、何もできることはなくなったということは、確認できた。

「俺、あの子にも話します。警察に行くよって」

垣田はやって来た方へ引き返し始めた。

「だから、もう何も気にしないでくれって、話します」

宮永家に戻り、彼がそのとおりにするのを、私は眺《なが》めていた。何も言わなくても、慎司はすべて察知しているかもしれない——と、生駒《いこま》に聞かれたら「また、はまってるな」と言われそうなことを考えながら。

話の終わりに、垣田が慎司の手をとって、握手するように握り締めた。感動的にも思える光景だったが、私は今ひとつピンとこないものを感じたし、慎司もほとんど無表情だった。垣田に右手を握られたまま、粘土細工の人形のような平たい顔つきで、じっと見上げているだけだった。

私がピンとこなかったのは、垣田が最初から最後まで、死んでしまった七歳の子供について、彼の言葉で語ろうとしなかったからだった。「たいへんなことをしてしまった」と言っているのも、子供が死んだからではなくて、自分が法に触れることをしてしまったから――だから「たいへんなこと」なのだと言っているように聞こえた。

今の若者は、案外そんなものなのかもしれない。

出棺のとき、人に押されて前の方にいたのと、学生服を着ていることとで、慎司は身内の者と勘違いをされたらしい。業者が白い菊の花を彼に手渡して、「棺に入れてあげてください」と言った。

慎司は少し戸惑った顔をしながらも、言われたとおりにした。ただ、菊を棺に納めるときには、左手でそうした。それに何か意味を感じているかのように。

霊柩車《れいきゅうしゃ》が出ていったあと、三々五々散ってゆく会葬者たちに混じりながら、稲村徳雄がそっと訊いた。

「慎司、おまえ、あの人から何か読んだのかい？」

慎司はぼうっとした目を父親と私に向け、「なんにも」と答えただけだった。そして、先にたって歩きだした。

私は稲村徳雄に、元警察官で、私よりはずっと頼りになるかもしれない人物を、慎司に引き合わせることができるかもしれない、と話した。あくまで、それを慎司が望むならばの話だが。

「それは有り難いことです」と、父親は言った。「その人が、私よりもうまく慎司を助けてくださるといいんですが」

「あまり期待されると辛《つら》いんですが。我々にもまだ、どんな人物なのかわからないんですから」

「藁《わら》にもすがりたい気分なんですよ」稲村徳雄は、淋《さび》しそうに笑った。「こういうことがありますとね」

慎司は小さな背中を見せて、我々より先に歩いてゆく。殺風景な埃《ほこり》っぽい道を、一人、てくてくと。

垣田俊平は約束を守った。

葬儀から三日後、彼の名前は新聞に載った。刑法に詳しい昔の同僚にあたりをつけて訊いてみると、あまり大きな罪に問われることはないだろう、と教えられた。

「マンホールの蓋を開けておいたら、そこに人が落ちて死ぬかもしれない――という危険を認識してなかったわけだろ？　たしかにドジな話だがね。過失致死だから、ま、二十万円以下の罰金刑だな。法律より、むしろ社会的な制裁の方が大きいだろうけど、最近は世間も忘れっぽいしなあ」

ひとつケリがつくと、ひとつお代わりがくる。ぼうっとしている場合じゃないよ、とでもいうかのように、その日の午後、またあの封書が届いた。八通目だった。

今度は「怒」と書いてあった。

その三日間は、「たまには働け」というデスクの仰《おお》せで、慎司のことも直也のことも棚上《たなあ》げにして過ごしていた。

「ここで他人の倍働いとけば、あとはまたしばらく勝手に泳がせてやるからな」

というわけで、多忙だった。おまけに、ぎりぎりになって五折の特集記事を全部差し替えるという離れ業をやってのけなければならなくなり、編集部全体がほとんど殺気立ってさえいた。うっとうしい手紙になど神経を立てていられる気分ではなかったから、ろくすっぽ見もしないで、他の七通といっしょに輪ゴムで束ね、今までどおりに机のいちばん下の引き出しのいちばん奥に放りこんでしまった。郵便物を配りに来ていた水野佳菜子《かなこ》が、なかば咎《とが》めるような表情でこちらを見ていたが、彼女にも声をかけはしなかった。

あれから、電話はかかってこない。通話録音できるようにつないだレコーダーは開店休業で、埃をかぶっている。生駒がまめに川崎明男に電話を入れて様子を訊いてくれているのだが、あちらも平穏無事だという。私の自宅の方にも、赤いペイントで物騒な落書きをされることはない。三日間、かなりあちこち飛び歩いたが、気がついた範囲内では、尾行されたこともなかった。

二日目の夜、一度だけ三村七恵に電話をかけた。といっても、また受話器を叩いてもらうだけだから、簡単な話しかできなかったが。

「何か変わったことは起こってませんか？」

ノー

「織田君が連絡してきたということは？」

ノー
「もし連絡があったら、頼むから教えてください。こちらも、決して彼のためにならないことを考えてるんじゃないんです」

返事なし。

「駄目《だめ》ですか」

黙っている。

「三村さん、ひょっとしてあなたは、織田君はもうあなたには連絡をとってこないと思ってるんじゃないですか？」

イエス
「なぜです？　彼、それほどまでして隠れたいんだろうか」

ややあって、イエス
直也の件では、稲村慎司からも連絡がない。慎司は彼を引っ張りだしたがっているのだから、精一杯〈呼んで〉いるはずだ。それでも通じないというのは、直也が応《こた》えていないからだろう。

さもなければ、最初から、空に向かって〈呼ぶ〉などということがあり得ないのか。

何があり得て何があり得ないんだか、自分でもわからなくなってきている。

コツコツ、と受話器が鳴った。もしもし？　という意味だろう。

「すみません。三村さん、謝りついでにひとつ訊きます。あなたは織田君を呼んでみたことがありますか？ 彼と連絡をつけるために、頭のなかで彼を呼ぶんです。やってみたこと、ありますか？」

七恵はずっと返事を寄越さなかった。受話器を握って待っていると、かすかな雑音に満たされた沈黙のなかに、またあの金属のきしむような音が聞こえる。ごく小さいが、最初にかけたときと同じ音だった。

これは何の音ですかと訊《き》いても、うまく答えをもらうためには、一晩かかるだろう。もどかしいものだ。だが、七恵はこのもどかしさのなかで、過去を生きてきた。現在も生きている。未来も生きていかねばならない。

やがて、ゆっくりと二回、指先で受話器を叩《たた》く音が聞こえてきた。

イエス。

私が「ありがとう」と言うと、電話は切れた。

2

鼻先にぶらさがっているスニーカーの爪先《つまさき》に、私は言った。

「危ないな。降りてこいよ」

スニーカーの持ち主は稲村慎司で、まだ緑色をした葉をびっしりとつけたすずかけの木に登り、大振りの枝にまたがって足をぶらぶらさせているのだった。

「大丈夫ですよ。落ちやしないもん」と、呑気《のんき》に答える。

彼が直也と会ったり、一人で頭を冷やすときにくるという、あの小さな児童公園だった。

慎司が言っていたとおり、好天の秋の午後だというのに、閑散としている。頭の上を走っている高速道路のために、陽射《ひざ》しはほとんどさしこんでこない。傍《かたわ》らのブランコの支柱に手をかけると、ひんやりと冷たかった。

「君の趣味が木登りだとは知らなかった」

「子供の頃《ころ》、やりませんでした？」

「うちの近所には柿《かき》の木しかなかったもんでね」

「柿の木って、登っちゃいけないの？」

「脆《もろ》いんだよ」

「へえ、知らなかった。世代の差ですね」

気持ちよさそうな顔をしている。すずかけの葉の色が頬《ほお》に映り、青ざめたように見えるが、降ってくる声は元気だった。

「お父さんから聞いたかい？」

「警察官だった人のこと？　うん、聞きました」

「会ってみる気はあるか？」

慎司が大きく頷《うなず》くと、黄色味を帯びた葉が二、三枚落ちてきた。「いっぱいあります」

「よし、じゃ、セッティングするか」

座り直し、足を並べて揺すりながら、見おろしている。真剣な目だった。

「取材する？」

「僕のこと、『アロー』に書くんですか？」

「書いてほしいの？」

「――わかんない」

「じゃ、こっちもノーコメントだ」

「ずるいなあ。でも、面白いね。僕が嫌だって言ったら書かないの？　普通はそんなことないんでしょう」

「ノーコメント」

あはは、と笑う声が聞こえた。「政治家みたいだね」

公園に来るなんて、ずいぶん久しぶりだった。腕を組んで歩く女性もおらず、手を引いて連れてくる子供も持っていないと、縁のない場所である。

「以前、言ってたよな。こんな能力を持って生まれてきたからには、他人のために役立てたいって」

ややあって、「うん」と返事をした。

「今度会うその元警察官が、君のためにそういう道を開いてくれることになるとしたら、当局は君の存在を世間から隠したがるだろうと思うよ」

「そう？」

「そうさ。顔を知られてちゃ、サイキック探偵《たんてい》も何もあったもんじゃない。芸能人と同じぐらい追いかけ回されるぞ」

「サイキック探偵か」慎司はつぶやき、また足を揺すった。

「カッコいいじゃないか」

「全然。てんでカッコ悪いよ。フィリップ・マーロウとは違うもん」

久しく、（僕を信じてくれる？）という台詞《せりふ》を聞いていない。慎司も疲れているのかもしれなかった。

「わざわざ来てくれて、ありがとう。だけどさ、うちの父さんも母さんも、どうして、高坂さんの顔を見るとあんなにうろたえちゃうんだろうね？　ヤクザでも来たみたいにさ」

私に会えば、嫌でも状況を思い出すからだ。もう慎司を――慎司の能力を、家のなかだけのものに止めておけなくなったことを、改めて思い出すからだ。

「もう、あんまり高坂さんを悩ませないようにするからね」

「それほど悩んじゃいないよ」

「そうかな。でも、緊張してるよ。わかるもの」足の揺れが止まった。「あ、そうか。ほかに心配事があるんだね」

手をあげて、彼のズボンの裾《すそ》を引っ張った。「降りておいで。さっきからそれが心配なんだ。枝がみしみしいってるぞ」

慎司は動こうとせず、黙っている。やがて、静かにこう言った。

「落っこちて死ぬなら、それでもいいんだ」

夕暮の風が吹き抜けて、すずかけの木を騒がせていった。

「僕がどうして台風なんか見に行くんだと思う?」

私は頭上を見上げた。「台風を見に行く?」

「うん。あの夜も、ツーリングの計画違いで台風に巻き込まれたわけじゃなかったんだ。最初から、嵐《あらし》を見に行ったんだもの」

「妙な趣味だ」

また、枝が鳴った。

「ほっとするんだ。ああいう——自然の大きな力を見てると。僕なんか、取るに足らないちっぽけなものなんだってわかるから。僕、ときどき、すっごく自分が偉くなったような気がしちゃうからさ。他人のこと、なんでもわかるから。そういう選ばれた人間なんだって思っちゃう。それって、嫌なことだよ」

最後の台詞は、苦い自己嫌悪《けんお》に満ちていた。

「直也、僕が呼んでも返事をしてくれないよ」

「そうか」

「もう、お別れなのかもしれない。僕ら、選んだ道が違うんだ。彼はね、この力を他人のために役立てることなんか不可能だって、いつも言ってた」

三村七恵の顔を思い浮べながら、私は言った。「そうでもないと思う」

「もし、本当にそうしようと思うなら、普通の人の力を借りようなんて思っちゃダメだって。マンホールのことで、僕が高坂さんにしたみたいにね。全部自分一人でしょって立つ気構えがないんだったら、他人の身に起こることに関《かか》わっちゃいけないってさ」

織田直也は、どういう試行錯誤を経た上で、その結論にたどりついたのだろう。いさかいを繰り返す母と祖母の姿を見、人生の目的を見失って酒に溺《おぼ》れてゆく父親と暮らしながら、彼らの本音を、苦悩を、夢や希望をまのあたりに知り、なおかつ自分の力ではどうしようもないとわかったとき、すべてを切り離して生きてゆく道を選びとったのだろうか。

「僕、わかんなくなった」と、慎司は小声で言った。「直也の言うことが正しいような気がしてきたから、わかんなくなっちゃったんだ」

その直也にも、君には見せてなかった一面があったんだよ、と言いかけたとき、今度は本当に不吉な音がして、枝がぐらりと傾いた。

「うわっ！」

叫びながら、なかば飛び降りるようにして、慎司が尻《しり》から落ちてきた。飛び付いて受けとめると、すずかけの葉が雨のように盛大に降ってきた。

枝は完全に折れはしなかったものの、幹との分かれ目がささくれだったように弾《はじ》けて、内側の白い肌目《はだめ》がのぞいている。

手を貸して立ち上がらせると、慎司はズボンをはたきながら、

「ああ、びっくりした。公共物破損かなあ。悪いことしちゃった」

そして、私の手を離すときに、ちょっと首をかしげて笑みを浮かべながら言った。

「誰か女の人のこと、気にかけてるね」

「え？」

「今、わかった。ごめんね。盗み見しちゃった」もうしないよ、というように手を背中に隠して、「悪いクセだなあ、僕の。でも、その人、いい人みたいだね」

「なんでわかる？」

「あったかかったから。僕が触れた〈記憶〉が、さ。この前の〈サエコ〉って人とは違うよ。全然違う」

そこまで言われてしまうと、その女性が（直也のガールフレンドだよ）とは話せなくなった。

「嫌《いや》なヤツだ」そう言ってやると、慎司は微笑した。

「そうだね。ホント、やなヤツだって自分でも思う。――だけど僕、ひとつわかったことがあるんだよ」

僕は原石を見るんだ、と言った。

「心のなかにいっぱい隠されてる原石をね。その人の心をつくってる原石。だから、それだけじゃ完全じゃない。その人が、それを取り出して研《みが》いていかなきゃね。前に〈サエコ〉って人をスキャンしたときは、まだそれがわかんなかったから、高坂さんがずっとその〈サエコさん〉のことで苦しんでるんだと思ってた。でも違うんだね。それはとっくの昔にしまいこまれてて、もう研かれたり取り出されたりすることのなくなった原石だったんだ」

あの時、慎司にひどく謝られて、逆に動揺したことを思い出した。俺けまだそんなにも小《さ》枝子《えこ》にこだわっているのか、と。

「だから、迂闊《うかつ》に過去をほじくり返して突き付けたりすると、かえってその人を混乱させちゃう。それがわかったんだ」

本当に久しぶりに、見ているこちらも気が軽くなるような笑顔をつくって、慎司は言った。

「今、すっと撫《な》でるみたいに触っただけだったけど、あったかかった。気持ちよかったよ。だからきっと、その女の人は高坂さんに必要な人なんだと思うな」

結局、三村七恵のことは話せないままになってしまった。

3

学友社の教育雑誌「みらい」の編集部は、神田須田町《すだちょう》にある共同ビルのワンフロアを占領して、なおかつ混雑をきわめていた。

「おう、ここだ、ここだ」と手を振る清水正紀《しみずまさき》のそばに近寄るまで、紐《ひも》でくくられたまま床に積み上げられている雑誌の山を、ふたつ乗り越えなければならない。私は首尾よく跨《また》ぎこえたが、生駒は見事に失敗した。

「ベルリンの壁は崩れるもんだ」と、彼が、そばの机で校正刷りをチェックしていた女性編集者に笑いかけると、相手は赤ペンで生駒の腹を突き刺す仕草を返してきた。

「だから無理に来なくてもいいって言ったのに」

「そうはいかねえ。俺《おれ》はスキャンダルは大好きだ」

清水は私が「アロー」に移ってからできた友人で、「みらい」の副編集長をしている。パラボラアンテナのような耳を持っており、お堅い雑誌で全国の善良な親たちに子供の正しい育て方を説く一方、教育業界の裏話に通じている人物だった。

「狭くてどうしようもないんだ。悪いね」

椅子《いす》を二脚、適当に拉致《らち》してきて勧めてくれながら、清水は言った。

「でも、〈洋明学園〉のプロフィールを知りたいっていうんなら、うちの特集を読むだけって用は足りると思うぜ」

〈洋明学園〉こそ、小枝子の夫川崎明男が副理事長を務めている名門高校である。

「もうちょっとプライベートなことまで聞きたいんだ。活字にできないような」

「たとえば？」

「川崎副理事長の女関係とか、さ」

清水は大笑し、大きな耳にはさんでいた煙草《たばこ》をとった。いや、禁煙パイポを取ったのだった。

「禁煙したのか」

「試みてんだよ。やり抜けそうだぜ」と、得意そうに鼻をうごめかす。ついでに耳たぶも。彼の耳をパラボラアンテナだというのは、象徴的な意味だけではないのである。

「編集者が禁煙するようじゃ、この世の終わりだ」生駒は不機嫌《ふきげん》そうにうそぶいた。

「俺が肺癌《はいがん》で死んじまうと、日本のよい子たちが将来を誤る——なんてことはないけどさ。赤ん坊が生まれたんで、決心したんだ」

「これだから、親父《おやじ》の権威ってもんが失《な》くなるんだ。だから教育雑誌が必要になる」

生駒は頑張《がんば》ったが、顔は笑っていた。

「で？　副理事長の女関係？」

「そう。スキャンダルがあるんなら、もろもろ何でも結構」

よっこらしょと足を組みながら、清水はずばりと言った。「彼は秘書とできてる」

生駒が横目で私を見た。

「三宅《みやけ》令子か？」

「そうだ。会ったことがあるのか？　いい女だったろ」こめかみに指をあて、「ここも切れる」

「夫人はそのことを知ってるのかな？」と、生駒が訊いた。

「知らないんじゃないかなあ。我々のあいだじゃ有名な話だが、こっちも、わざわざ夫人の耳に入れようとするほど馬鹿《ばか》じゃないですからね。みすみす家庭の平和を壊すこともないし、うちはその手のスキャンダルで儲《もう》けてるわけじゃないから、腹の足しにもならないし」

「どれぐらい続いてるんだろう」

清水は頭をかしげた。「俺が副編になったときには、もう始まってたよ」

これには驚いた。清水が「みらい」の副編になったのは四年前の春だと聞いている。それきり、べた凪《なぎ》の海のヨットのように動かないままでいるのだ。

「それじゃ、結婚前からじゃないか」

「そうさ。もともと川崎は、三宅令子と結婚したがってたんだ。親父の理事長の大反対にあって、泣く泣く諦《あきら》めたんだぜ」

「理事長はなんで反対したんだ？」

「身分が違う」清水は言って、ふき出した。「時代劇じゃないぜ。現代の話だ。上の方じゃ、そういうことがあるんだよな」

三宅令子は埼玉県草加市の出身で、地元の県立高校を首席で卒業し、すぐに洋明学園の事務局に就職して、二年後に副理事長の秘書になった。三年前に当時の副理事長が職を退いて、あとを川崎が襲ったときも、彼女はそのまま動かず、現在も彼に直属しているというわけだった。

「人柄《ひとがら》は申し分ないが、まず本人が高卒だろ？　おまけに家が小さいんだ。町の文房具屋でね。親父さんは中学しか出ていない。たしか兄貴が一人いるはずだが、彼もトラックの運転手かなんかをやってる。俺なんか、それでいいじゃないかと思うけど、毛並みの良いおうちはそうもいかないんでしょうよ」

「しかし、明男の夫人だってあそこの教師の娘だろ?」

「なんだ、詳しいじゃないか。そうだよ。でも、少なくとも大学出の両親で、親父はなかなか優秀な教員だ。相馬《そうま》さんって言ったっけなあ。もう定年退職してるけど、恐い先生で有名だったらしいし、がっちがちの理事長派でもあった。その娘なら、まあいいだろうというところだったんじゃないか。で、理事長が音頭《おんど》をとってまとめた結婚だ」

生駒は目をぱちぱちさせていた。「俺がつかんだ情報じゃ、明男が今の夫人を見初めたんだってことになってたぞ」

「ああ、そりゃ表向きのことですよ」清水がひらひらと手を振る。

「そうかねえ。俺も、表向きのことに騙《だま》されるほどヤワじゃねえつもりだが」

「ただ、フィールドが違うでしょう。いくら名手でも、象射《ぞうう》ち銃を持って南極へ行ったって、鯨は捕れないやね」

あっさりといなされて、生駒はむくれ顔になった。

通りかかった不運な女の子に「おーい、コーヒー三つ」と頼んでから、清水は乗り出してきた。

「ここだけの話だぞ。どうやら、密約があったらしいんだな」

「密約?」

「そう。理事長と副理事長の父子《おやこ》のあいだにね。三宅令子とは結婚させない。彼女と結婚するなら、おまえをここから追い出す。だが、俺の選んだ女性と所帯を持つのなら、ゆくゆくは理事長の席もすんなり譲るし——」

清水は意味ありげに目くばせをした。

「水面下でなら、令子との関係を続けていても、何も文句は言わないよ、ってなもんだ」

呆《あき》れたような沈黙のあと、生駒がうなった。

「とんでもねえ親父だ」

「そうですねえ。俺も、自分の娘をそんなところに嫁に行かせようとは思いませんよ」

「なぜ、そんなに三宅令子を嫌《きら》うんだ？」

怒る生駒に、私は言った。

「東大への進学率を自慢にしている高校の理事長夫人が県立高校卒じゃ、絵に描《か》いたような自己矛盾じゃないか。諸君、学歴なぞ問題ではない。人柄と能力こそが大切だ。東大なんぞへ入らなくたって、人生を切り開くことはできますぞ」

「そういうこと」と、清水が頷《うなず》く。「もともと、川崎明男は、東大、東大とわめく親父さんのやり方にかなり反発してた。それでも、反発しきって親父の懐《ふところ》を飛び出すだけの覇気《はき》はなかったから、結局言いなりになるしかなかったんだ。理事長の椅子には、それだけ魅力があったんでしょうよ」

「事実、明男はもうすぐ理事長になるんだろ？」

「十中八、九確実に。ひょっとすると年内かもしれない」清水は残り少ないカレンダーを見上げた。「今年の春、今の理事長が卒中で倒れてね。軽かったんで入院は短かったんだが、事実上、もう引退したも同然だ。今だって、明男が理事長を代行してる。ただ、彼の親父さんにはとりまきが大勢いるからね。明男が理事長になったとしても、いろいろうるさいことはついてまわるだろうな」

「呆れたな。彼ら、親父と息子だろうが。親子でいがみ合ってるわけか?」と、生駒が目を剝《む》いた。

「よくある話ですよ。〈学校だ〉と思うからピンとこないんでしょうけど、ただの法人だと割り切ればいい。どこにでもゴロゴロしている内輪揉《も》めと同じです。言うことをきかない身内の二代目よりは、腹心の部下の方が頼りになる、というわけ」

女の子がコーヒーを持ってきてくれたので、清水は愛想よく礼を言った。彼女の肘《ひじ》をつつき、私の方へ手を振って、「俺の友達。独身だぞ」と余計な注釈をした。

「だよな? それともあてができちまったか?」

女の子は「あら、でもあたしには彼がいるもん」と言いながら去って行った。

「理事長は息子に、今みたいな余計なおせっかいをしたわけだ」

「そういうわけ。ただ、親父にして権力者であったからして、ただ〈どうだ?〉なんてつっついただけじゃなしに、横車を押し切ったわけなんだ」

「しかし、今の夫人もよくそんな縁談を承知したもんだ。小枝子さんとか言ったっけな。まだ若いだろう?」

生駒の質問に、清水は頷いた。

「そうですね。まだ二十四、五じゃなかったかなあ。やっぱり美人ですよ。世間知らずのお嬢さんて感じの女性だから、こちらもお父さまの言いなりだったんじゃないかなあ。それとね、これは確認がとれないんで大きな声じゃ言えないんだけど――」

と、さらに身を乗り出してきた。

「小枝子夫人の方にも、ちょっと事情があったようでね。過去に一度――今から三、四年前らしいけど、結婚式の直前に話がつぶれたことがあったようなんですよ。もち、別の男だけどね。それが尾を引いてて、副理事長との縁談なら願ってもない、まとめちまおうという計算があったんじゃないかなあ。その相手がどんな男だったか、俺も知らないんですけどね。ガード、堅いから」

顔をしかめている清水に、(それ、俺だよ)と言ってやったら、椅子ごとひっくり返るかもしれない。同じようなことを思っているのか、生駒がにやついた。

「ははあ、あんたにも知らないことがある」

「そりゃね。だいいち、夫人のスキャンダルなんて、価値ないからね」

「価値のあるスキャンダルの方を聞かせてくれよ。川崎明男がつつがなく理事長になれそうなのは、今の夫人と結婚して、親父さんの意に逆らわず学校を運営しているからか？」

「とりあえずはね。それでバンバン繁盛もしている。でも、彼の代になったら、洋明は変わると思うよ。その変革のための資金を貯《たくわ》えておくために、今は明男も目をつぶって偏差値エリート養成所をやってるような節もある。だから、俺としちゃ、その変革は歓迎してやりたいけどね」

　いい店があるからと言って、清水は我々を近くの居酒屋に引っ張っていった。そこはどうやら「みらい」のスタッフの溜《たま》り場《ば》であるようで、だんだん人数が膨れあがり賑《にぎ》やかになって、なかなかお神輿《みこし》をあげるきっかけがつかめず、生駒と二人で店を出たときには、そろそろ十一時になろうとしていた。

「教育雑誌の編集者が、あんなに飲んだくれるとは」盛大にげっぷをもらしながら、生駒が言った。「日本の未来は明るいな。少なくとも、おかみが酒税を取りっぱぐれる心配だけはねえ」

　人通りの絶えた道を靖国《やすくに》通りの方へ歩いてゆくと、さすがに夜気が身に沁《し》みた。

「えらく正気だな。酔ってねえだろう」

「うん」

「何を考えてんだ？」

「計算が狂った」

「じゃ、電卓を使え。俺はそろばん三級だからあんなものはいらねえが。なんの計算だ？」

「三宅令子かと思ったんだ」ちらっと見上げると、生駒は金時の火事見舞いを地でいくような顔色をしていた。「あの脅迫状」

「なんでまた」

「やり方がセコいだろ？　ありゃ、本物の脅迫じゃないよ。本当にその気があって俺を震えあがらせようと思ってるんなら、もっとやり様《よう》があるじゃないか」

「いきなりズドン、か？」ちょっと笑い、生駒は顔を引き締めた。「確かになあ」

「尾行にしたって、いやに諦めがよかった。赤ペンキの落書きだってそうだ。わざわざ自宅までペンキを持って来てるんだぜ？　恨みを持って他人をつけ狙《ねら》う人間にしちゃ、えらく可愛《かわい》らしいよ」

「想像すると、そうだな。サロペットなんか着てきてたりしてな」

靖国通りに出ると、地下鉄の入り口はすぐそばだった。そこだけ煌々《こうこう》と明るい。

「ふりじゃないかと思うんだ」

「ふり？」

「うん。脅迫のふり。目的はまったく別のところにある」

「どんな」

「ああいうことをやって、さも俺を昔の恨みでつけ狙ってますというふりをして、そこに小枝子の名前を出せばさ、遅かれ早かれ俺は彼女とコンタクトを取ることになる。常識で考えればな。やっぱり気になるからさ」

「そりゃそうだ」

「それが狙いだったんじゃないかな」

私が言うと、生駒は足を止めた。

「あん？　どういうことだ？」

「この前も話したじゃないか。俺がこういうことを言っていったら、彼女の亭主は、たとえ理屈では割り切っていても面白くないに違いないって。それだよ。川崎明男を不愉快にさせる。火のないところに煙をたてるんだ」

駅の階段を降り始めると、急に自分の声が大きく聞こえだしたので、声を落とした。

「俺の方は、彼女とはもう何でもないってことがわかってるから、なんで今さら小枝子の名前が出てくるんだろうと首をひねってる。でも、川崎明男がそれを報《しら》された場合、そうストレートに納得するかな？　形として、俺を恨んでるぞ、仕返ししてやるぞという人間がいて、〈小枝子さんにも気をつけてあげた方がいいですよ〉と言ってるんだ。川崎も一緒に、ただ〈おかしいですねえ、なんで今さら女房が？〉とだけ思うかな？」

生駒はぽんと手を打った。「それより、〈ひょっとするとあの野郎と女房は、いまだに何かあるんじゃねえのか？〉と勘繰るのが自然だ」

「そう。少なくとも、少しばかり疑われてもしょうがない。その方が筋が通ってるからさ」

がらんとしたホームに出た。油と金属の匂《にお》いがする。

「こっちも、漠然《ばくぜん》とそれを心配したからこそ、小枝子とだけ話をしようとしたんじゃないか。まだ、今の段階ではそれでいいと思ったから。ところが、先方のガードが堅くて、結局は川崎に向かって話すことになった。で、彼の反応があんまり淡泊だったたんで、ついうっかりしちまったけど、普通はあんなもんじゃないはずだ」

「そうそう、そうだった」

「仮に、こっちがこっそり小枝子にだけ事情を話せていたとしても、彼女だってそう平気な顔をしてはいられないだろうと思う。気味が悪いからな。遅かれ早かれ川崎に打ち明けてしまうか、悟られるかするだろう。そうなりゃ、ことはもっと面倒になる」

生駒は芝居のように声色をつくって言った。「川崎は言う。〈なんでもっと早く話さなかったんだ?〉。小枝子は答える。〈心配かけたくなかったのよ〉。で、川崎は勘繰っちまう」

「そういう結果を招いて得する人間と言ったら、三宅令子しか思いつかなかったんだ。尾行してきたのは男だったけど、そんなのは金で人を雇ったってできる。電話の声も変えられる――」

「夫婦の仲をまずくして楽しめるのは、愛人だけだからな」

「だろ? ところが、彼女は確信犯だ。もっと肝が据《す》わってる。そんなまどろっこしい手を使って、川崎と小枝子のあいだをまずくしようなんてしなくてもいい。彼女はがっちり川崎を摑《つか》んでるわけなんだから」

「言ってみりゃ、彼女には〈川崎明男アパート〉の先住権があるんだからな」

「つい昨日、八通目がきた。〈怒〉という文字は書いてあったけど、戦術としては後退してる。電話もなし、尾行もなし、ペンキもなし。これは、期待どおりの効果がないと見てるのかな、と思った。で、考えたんだけど――」

「大外れだったというわけだ」

「そう。ご破算だよ」

轟音《ごうおん》をたてて電車がホームに滑りこんできた。

このままだと、今日はまったく編集部に顔を出さないことになるので、わざわざ戻ってきたのだが、そんな必要はなかったようだった。机の上には伝言メモ一枚ない。郵便物もゼロだ。

慎司と例の元警官を引き合わせる段取りができたなら、直也が見つかるまでこれでしばらくは手を引くことになるだろう、と思った。織田直也の捜索は、東京リサーチでもやってくれる。そうなれば餅《もち》は餅屋だ。あとの心配は、彼を見つけてからでもできる。

これまで泳がせてもらっていた分のツケが回ってくるのは、恐ろしくもあり楽しくもあった。なんだかんだ言っても、やはり好きでやっている仕事なのだ。

机の上を片付けているとき、ふと、置いてある本の位置が昨日と違っていることに気がついた。

おかしなもので、自分では勝手放題に散らかしていても、誰か他人の手が入ってそれをいじられたりすると、すぐにピンとくる。縄張《なわば》りを荒らされた野良犬《のらいぬ》みたいなものだ。

動かされているのは、あとから買い足したサイキック関連の本だった。失くなっているわけではない。位置が変わっている。

部屋の隅《すみ》の方で、記者が数人、椅子《いす》を引き寄せて、資料にでも使うのかビデオを観《み》ている。

乗り出して机ごしに声をかけてみた。

「ここにある本、誰かいじったか?」

いじりませんよぉ、という返事が返ってきた。森尾だった。

「面白そうだとは思ったけど、勝手にそんなことはしませんよ」

あとから買ったのは、みな俗っぽい本ばかりだ。「よくあたる霊感占い師百人」などという、頭から信じられないようなものまで混じっている。

「なにか失《な》くなってんですか?」

「いや、そうじゃないけど」

まあ、いいかと思いながら椅子を元へ戻して振り向くと、目の前に水野佳菜子が立っていた。

「お帰りなさい」

ぎょっとした。足音もしなかったのだから。

「猫《ねこ》みたいだな。まだ残ってたの?」

「用があったから待ってたんだもん」

両手を背中に回して、すねたような顔をしている。視線をさげて、机の足の辺りをにらんでいるのが険悪な感じだった。

「そりゃ、悪かった。なんだい?」

森尾がちらっと頭を動かして、こちらを見た。苦笑している。

「なんだよ」

佳菜子はふくれている。ふん、とくちびるを尖《とが》らせて、

「お客さんが来てたの」

「俺《おれ》に？」

「そうよ。五時半ごろに来て、ずっと待ってた。よっぽど大事な用だったみたいね。何時に帰るかわかりませんって言ったのに、ずうーっと待ってたわよ」

佳菜子は「ずうっと」のところでいやに力んだ。誰だろう？

「ポケベルで呼んでくれりゃよかったのに」

森尾が明るく、だが真面目《まじめ》な顔で声をかけてきた。

「カコちゃん、仕事の邪魔をするのは良くないよ。ちゃんと話せよ」

「女の人よ」と、佳菜子は言った。また机をにらんでいる。「あたしじゃ、用を訊《き》いても教えてくれないの。しょうがないかな、しゃべれないみたいだったから」

七恵だ。

私を見上げる佳菜子の目が剣を帯びた。

「へえ、心当たりがあるんだね。ふーん」

「ああ、あるよ。で、その人、どうした？　何時ごろまでいたんだ？」

「ずいぶんご熱心ですこと。あの人、だあれ？　どういう人？」

「いい加減にしろよ。ふざけてる場合じゃない」

「そーんなに大事な人なんだ。へえー」

「カコ！」と、森尾が怒った。「やめろよ、馬鹿《ばか》だな。早く預かったものを渡せよ。仕事なんだぞ。おまえ、給料もらってんだからな」

「森尾さんなんかに、おまえ呼ばわりされることないわよ！」

「預かったものって？」

佳菜子は反抗的に顎《あご》を突き出し、「あの人が誰だか教えてくれなきゃ渡さない」

森尾がすごい勢いで部屋を横切ってくると、佳菜子のうしろにまわり、彼女が背中に隠していた茶色い封筒をもぎとって、私に差し出した。

「バカ。ここは女学校じゃないんだぞ」

ちらっと私と視線をあわせると、

「その女性、言葉がしゃべれないみたいで。筆談で、それを渡してくれればわかるって教えてくれました。帰ったのは七時ごろですよ」

「ありがとう」

封筒を開けてみると、見慣れた七恵の字で書かれたメモが出てきた。

〈また、あのグレイの車を見かけました。昨夜です。うちのアパートの方を監視しているようでしたので、写真を撮りました。インスタント現像に出してプリントしましたが、ネガも一緒に入れておきます。わたしには、まるで心当たりのない顔です　三村〉

写真は六枚あった。連続写真のように、場面がつながっている。

間違いなく、あのグレイの国産車だった。運転者の顔はぼやけているが、あの時と同じ人物であるようだ。一枚目、二枚目では斜め右の方を見ているが、三枚目でははっきりレンズと視線があっている。四枚目で手のあたりがブレ始め、五枚目、六枚目では車は走りだしていた。

夜の写真だ。距離があるのにこれだけ撮れているところをみると、七恵はフラッシュを焚《た》いたに違いない。それに気がついて、相手は逃げだしたのだ。

なんてこった。

七恵は、万にひとつでも、撮られた人物がネガを取り返しにくるかもしれないとは考えなかったのだろうか？

第二日ノ出荘の七恵の部屋には、明かりが点《つ》いていなかった。ドアを叩《たた》いても返事がない。そのうちに、隣人が起きだしてきて、ドアから顔をのぞかせた。年配の女性だった。

「三村さん、お留守みたいですよ」

「どこに行ってるかご存じですか？」

「さあ……」と、平和そうにあくびをした。「そこまではねえ」

「申し訳ない、ベランダの方からでいいんです。ちょっと隣をのぞいてみてくれませんか？三村さんが留守なら留守でいいんですよ。確かめたいんですよ」

しばらくじろじろと私を品定めしてから、「ちょっと待っててよね」

隣人はすぐ戻ってきた。眠気がすっとんだという顔だった。

「窓が開いてるわよ。七恵ちゃん、そんな不精なことをする娘《こ》じゃないのに」

急いで建物の裏手に回り、建てこんだ家の隙間《すきま》を縫って窓の方へと近づいた。一階は、ほかの部屋の窓も真っ暗だったが、隣のアパートから漏れる光で、雨戸が引いてないことがわかった。窓が半分ほど開いているのが見えた。

ちょうど鍵穴《かぎあな》の脇《わき》に、丸い穴が開いているのも。

部屋のなかを覗《のぞ》き込むと、足を天井に向けているテーブルが目に入った。タンスの引き出しが抜き出され、部屋のなかは気の違った洗濯屋《せんたくや》の仕事場のようになっていた。

靴《くつ》を脱ぎ、ハンカチで手をくるんで部屋にあがると、明かりをつけ、扉《とびら》という扉を全部開けてみた。七恵はいない。姿が見えない。

そして、足元の畳の上に、血痕《けっこん》がふたつ。

本当に総毛立ったのはその時だ。

「おたくの電話で一一〇番してください」

入り口から覗き込んでいる隣人に頼むと、バネ仕掛けの人形のようにすっとんでいった。途中でなにか蹴飛《けと》ばしたのか派手な音が響いた。

畳の上の血痕は乾いていた。ほかにもあるかと探してみると、洗面所の床にもうひとつ残っている。私の頭のなかもこの部屋同様にひっくり返ってしまって、まともにものが考えられなくなった。

「一一〇番しました！」戻ってきた隣人が、大声で言った。

「三村さんの勤め先の電話番号をご存じですか？ 近くですよね？」

「ええ、みどり幼稚園。でも、こんな時間には誰もいな——」

言いかけて、隣人は唐突に口を閉じた。廊下の先の方を見ている。そして、「あら」と声を出した。

「帰ってきた」

ドアの陰から、びっくりしたように目を見張った七恵が顔を出した。

4

「何も盗《と》られたものはない、と」

駆け付けてきた警官は、首をひねりながら言った。七恵はこっくりと頷《うなず》いた。

「現金も無事、通帳も無事」警官はにやっと笑う。「阿呆《あほう》な空き巣が、ガラス切りを使って自分の手を切っただけだったというわけだ」

そういうことだった。ガラスの断面にも血がついているというのだ。大山鳴動、どじな賊が一匹。

「ちなみにお嬢さん、大事なものはどこに隠しておいでです？」

警官の問いに、七恵は彼を促して台所へ連れてゆき、小さな瓶《かめ》を指差した。

「糠床《ぬかどこ》ですか?」

頷いて、今度は米櫃《こめびつ》をさす。警官は破顔した。「たいへん結構」

警官には写真のことも含めて事情を説明したが、そばで聞いている七恵がいちばん驚いており、頭の冷えてきた私と、こういうことに慣れている警官は、どうやら同じことを考えているらしかった。

「ははあ」警官は部屋のなかを見回した。「私はかなり空き巣の手口を見ているが、これはどうも芝居がかってると思いますな」

その通りだった。

一見して、テーブルまでひっくり返っていたものだから動転してしまったけれど、ここにこうして七恵が無事でいる以上、乱闘も暴力沙汰《ざた》もなかったわけだ。そして、彼女の留守にただ写真を探していたのなら、引き出しのついていないテーブルをわざわざひっくり返す必要など、どこにもなかった。しかも、隣人に気づかれないよう、音をたてずに。

これは、ふりだ。

写真を探しているようなふりをしてみせている。そう思った。たまたま今夜、七恵が友達の結婚祝いのパーティで夜遅くまで部屋をあけていなかったなら、こんなことはしなかっただろう。

だいいち、もし本当にせっぱつまって写真が欲しかったのなら、部屋のなかに潜んでいて、帰宅した七恵を捕まえればよかったのだ。その方がずっと手っ取りばやい。これだけ部屋をヒステリックに荒らしながら、それをためらうほどお人好《ひとよ》しではあるまい。

ということは――

尾行者は、顔ぐらい見られても痛くもかゆくもないわけだ。

ただ、痛いしかゆいと思っていると、こちらに信じ込ませたがっている。それほど重大なことがかかっていると思わせたいのだ。

なぜだろう？

「難しいですなあ」と、警官は言葉とは逆なのんびりした口調で言った。「ここを監視されてたって言ってもね。あんた、マスコミの人でしょ？　いろいろあるでしょうからな」

「ただ、三村さんは無関係ですからね。ですから、写真を探しているようなふりをしたということより、それ以前に、昨夜《ゆうべ》彼女を監視してたということの方が気になりますよ」

「だって、あんた、しょっちゅうここに出入りしてるんでしょう？」警官はなんでもないことのように言った。「そんなら、あんたが来るんじゃないかと思って張ってたんでしょうが。違うの？」

違うんですよ、と言っても、ほとんど信用されなかったようだった。

「ま、パトロールは強化しましょう。明日また伺いますからね」

警官たちが引き上げていき、隣室の女性も、

「七恵ちゃん、今夜はうちに泊まりなさいよ。布団《ふとん》、敷いておいてあげるから。こんなところじゃ寝られないもんね」と言って消えてしまうと、彼女と二人になった。私は、ひとつだ

け正常な位置で生き残っていたフロアソファに陣取り、七恵はスカートを広げてぺたんと床に座っていた。ちょっと途方にくれているように見えた。

「無鉄砲な人だ」

苦笑しながら、私は言った。七恵はくたびれたように首をあげてこちらを見た。

「いいですか、今度誰かに監視されるようなことがあっても、簡単に写真なんか撮っちゃいけませんよ」

七恵はあちこちをきょろきょろと見渡して、ホワイトボードを探しているようだったが、どこにもぐりこんでしまったのか、見当らない。私は手帳を出し、ボールペンを抜いて手渡した。

〈わたしも、あなたを監視してるのは、商売がたきの人だとばっかり思ってました〉

「我々は普通、そんなことはしませんよ」

七恵は大げさに（あらまあ）という顔をした。

〈なぜ、あなたは監視されたり尾行されたりしてるんですか〉

「さっぱりわからないんですよ」

〈心当たりがないんですか〉

「全然ね」

〈織田さんはあの夜、あなたがたの仕事にはこういうことはつきものだから、あなたはご自分で、どうして監視されているか、理由を知っているだろうと言ってました〉

「彼は勘違いしてるんですよ」

〈織田さんはかんちがいなんかしません。人の心を読むんだもの〉

ストレートに来たので、私は七恵の顔を見た。彼女はきっぱり頷いた。

〈あの夜だって、そうです。あなたを監視している人がいることも、空気のなかにその人の考えが流れていて、それを読んだから、わたしを通して教えてきたんですよ〉

「へえ」と声に出して言うと、七恵はちょっと気を悪くしたような月付きになった。

「じゃ、教えてください。彼、僕を監視してたのはどういう人間だと言ってました?」

〈その人は、ただ退屈してただけだって〉

「ははあ。なるほどね。それなら、今夜から枕《まくら》を高くして眠れるな」

〈本当です。だから、そんなに危険は感じなかったけど、気分のいいものじゃないから教えてあげたらって、わたしに言ったんですから〉

それだけ書くと、(ご不満ですか?)という手つきでぐいと手帳を差し出してきた。

私はゆっくり言った。「あなたはずいぶん彼を信頼してるんですね」

大きく頷く。

七恵の手から手帳を取り上げて、彼女が書いた文章を読みなおしてみた。

(空気のなかにその人の考えが流れていて)

直也は危険なくらいしょっちゅうオープンになっていると、慎司は言っていた。オープンになると、夜、人けの絶えた駐車場で張り込んでいる人間の思念など、酔っ払いの胴間声と同じようにはっきり聞き取れるのかもしれない。

本当にサイキックだったなら。

七恵がそばに寄ってくると、私の手を下敷きに文章を書いた。

〈織田さんの能力のことはご存じなんでしょう?〉

「ええ、知ってますよ。でも、信じてはいませんね」

七恵は驚いたようだった。〈どうして?〉

「目の前で見せてもらったことがないんですよ。それに、彼自身、そういう力を持っているとは言ってなかったし。むしろ否定的でしたよ」

〈こわがってるからです〉

「どうして?」

七恵はしばらく考えた。そしてこう書いた。〈一眼国《ひとつめこく》というおはなしをご存じですか〉

つかまえて見せ物にしようと、一つ目の人間の住む国を探しにいった人間が、逆につかまえられて見せ物にされるという話だ。

「知ってます」

そういうことです、という表情で、七恵は私を見上げた。

〈わたしは、盲腸にかかったときに、彼と知り合ったんです〉

「盲腸?」

〈夜中にお腹《なか》が痛くなって、どうしようもなくていたときに、彼がドアをノックして、具合が悪いんですかときいてくれました。びっくりしましたよ。それで、あとになって、どうしてわかったのかきいてみたら、はなしてくれたんです〉

一字一字、確かめるようにして書いてゆく。

〈わたしは、こどものころに、家の近くの化学工場で爆発があって、それが原因で、声をなくしました。田舎に帰ると、ほかにも何人か、同じ障害をせおった人がいます。薬品のまじった煙で、喉《のど》が焼けたんです。でも、命が助かっただけ、運がいい方でした〉

「ご家族は?」

〈父はその工場の技師でした。事故で亡《な》くなりました。母は、事故のために、肺を半分とってますから、寝たり起きたりのくらしです。兄夫婦といっしょに住んでいますけど〉

「なぜ、あなた一人が東京へ?」

〈地方では、なかなかわたしにできる仕事がないんです。やっとこちらで見つかったので、出てきました。いつまでも、兄をたよっているわけにもいきませんし〉

「子供たちを教えてるんですね?」

七恵は頷いた。〈ろうあの子供たちに、手話をおしえたり。みどり幼稚園は、とてもめずらしいんですが、そういう子供たちを健常者といっしょにあずかっているんです〉

こうして見ると、「健常者」というのは嫌《いや》な言葉だった。性根の腐った人間でも、五体満足なら「健常者」なのだ。

〈織田さんの話をきいたとき、おどろきました。わたしみたいに、あったはずの能力が消え

てしまったからじゃなくて、余計な能力があるから、あの人は苦労してるんです〉

少し考えてから、

〈それでわたし、世の中への考え方が少し変わりました〉

「彼は最近、連絡してきますか？」

七恵は首を横に振った。

「まったく？」

〈あの夜いらい、呼んでもダメみたいです。近くに来ていることはあるのかもしれないけど〉

「あなたが心配だから」

〈きっとね。やさしい人ですから〉

七恵は目を伏せた。ひどく心細げに見えた。

佳菜子があれだけ苛《いら》ついてくれたのも、不思議ではないと思った。祝いごとがあったからだろうが、今夜の七恵は薄化粧をして、仕立てのいいスーツを着ている。髪はきれいに編んで、頭のうしろでまとめてあった。よく似合っていた。

〈織田さんとわたしは〉

と書いて、七恵は手を止めた。そのあとをどう続けていいか、わからないようだった。二人のあいだの信頼関係は、簡単に言葉にできるような種類のものではない、と言われているような気がした。

ボールペンを握りながら、こちらに横顔を見せて、じっと考えている。

もしも慎司がいて、このときの心理を読まれたなら、（妬《や》いたんだね）と言われるだろう。

私は手帳を脇に置くと、唐突に七恵の腕をつかんで、彼女を身体《からだ》ごと自分の方へ引っ張り寄せた。そのまま強くくちびるを重ねた。七恵の手からボールペンが落ち、床に転がった。

驚いて、一瞬びくっとしたが、七恵は私を押しのけようとはしなかった。かすかにワインの味がした。

くちびるを離したあとも、しばらく彼女を手放す気になれずに、そのまま抱き締めていた。七恵はおずおずと私の肩に頭をあずけてきた。彼女の方からも離れようとはしなかった。

身体をずらして抱きなおそうとしたとき、ドアにノックの音がした。今度は七恵がパッと離れた。

「七恵ちゃん？　布団、敷けたわよ」

結局、朝まで第二日ノ出荘にいた。アパートの入り口のドアにもたれて、所在なく煙草《たばこ》ばかりふかしながら、白々と明けてゆく空を眺《なが》めていた。

あのグレイの車。運転席の男。何が狙《ねら》いなのかわからないし、それほど恐れる気持ちはなかったが、今夜はもう七恵の眠りを破る者はいないと確信が持てるまで、気になって離れられなかったのだ。

（重症だね）と、慎司に笑われるかもしれない。

5

「ここんとこ、よくよくツイてないな。また行き違ったぜ」

出先から戻ってくると、前の席の同僚が声をかけてきた。第二日ノ出荘の騒ぎから数日後のことで、もう夕暮れだった。

「誰と？」

「この前のときは美形が来てたらしいけど、今日はかわゆい坊《ぼ》っちゃんだ。さっきまで、そこで」と、私の椅子《いす》を顎《あご》で示し、「座って待ってた。三十分ばかり前に帰っていったよ。稲村君とか言ってたな」

ああ、やっぱりと思った。

「どんな様子だった？」

「えらくしょんぼりしてたな。元気なかったよ」

昨日発売の他社の雑誌に、垣田俊平が手記を発表しているのだ。「苦い後悔・友への祈り」という題で、事件のいきさつから宮永聡の自殺にいたるまでの経緯を綴《つづ》ってある。もちろん、慎司と私についてはまったく語られていないし、本人が書いたものではなく、インタビューをまとめただけではあろうが、読んでいて気分のいいものではなかった。

こういうものを取り上げた側の意図も不明瞭《ふめいりょう》だった。彼らのぽかんとした常識のなさを揶《や》揄《ゆ》しているようでもあり、二人の友情とやらを持ちあげているようでもある。斜め読みした生駒は、「クズだ」と吐き捨てていた。

いちばん気に入らないのは、望月大輔とあの子の両親の心情を思いやる気配りに欠けていることだった。おまけに、垣田の作品がいくつか写真で紹介されている。若手の美術評論家が、「鋭敏なセンス」を誉《ほ》めるコメントを寄せていた。

扱いもメインではないし、大広告を打てるほど大手の雑誌ではないから、慎司がこれに目をとめないでいる可能性もあった。気づかないでいてくれるといいんだがと思っていたのに、そうは問屋がおろさなかったらしい。元気がなかったというのは、また、あれこれクヨクヨと考えているからだろう。

「俺《おれ》も途中でちょっと出ちまったからわからないが、カコちゃんと話し込んでたぜ。聞いてみたら？」

ところが、その佳菜子の姿も見当らなかった。早退したらしい、という。

「あれ？　じゃ、あのかわゆい坊っちゃんといっしょに帰ったのかなあ。頭をくっつけて、いやに親密にしゃべってたからね」

彼らがにわかに友好条約を結んでしまったというのも解《げ》せない話だ。

このところ、佳菜子もひっそりと口をつぐんで暮らしていた。私とは決して視線を合わせようとしないし、話しかけてもこない。多少は窮屈でも、もう放《ほう》っておいてやるしかないと諦《あきら》めていたので、そのままにしておいた。

それが、一昨日《おととい》の夜、深夜帰宅するときに、乗っていたタクシーが軽い追突事故に遭ったとかで、昨日は一日休んでいた。怪我《けが》はしていないと言っていたが、今朝顔を見ると、ひどく青ざめていた。デスクが驚いて呼びつけたほどだった。やはり具合が悪いのかもしれない。

時間を見計らって、慎司の自宅に電話してみたが、まだ帰っていないという。稲村徳雄に訊《き》いてみると、やはり問題の手記のことを気にしているらしく、

「慎司はえらく怒っていました。もう関《かか》わるなと言ってきかせておいたんですが」

「怒ってた？」

「はあ。こんなのひどいよと口を尖《とが》らしておりました」

「うちに来てたときは、しょぼんとしてたようですよ」

「あれも気分が不安定なんでしょう。例の警察の方とは、来週お目にかかることになったそうですね？」

「ええ」

慎司の方からそう指定してきたのだが、これがいかにも学生らしくて可愛《かわい》かった。

（試験があるんだ。それが済んでからにしてくれる？　そしたら、何にも気にしないで集中できるもんね）

ほっとすることでもあった。彼は普通の生活もちゃんと送っている。

「帰ってきましたら、お電話をさせます。少し話相手になってもらいたかったんでしょう。ご多忙のところを申し訳ないんですが」

「かまいませんよ。今夜は夜中まで社にいますから、こちらからも折りを見てまた連絡してみます」

今とりかかっているのは、今年に入って連発した悪質なひき逃げ事件の特集だった。全体に交通事故が増えているとは言え、あまりにも多発しすぎている。もう事故と言い捨ててはおられないのではないかというデスクの発案で、年末まで通しで六回の集中連載をやろうという企画だった。

たいがいそうなるのだが、編集部から会議室へ、最後は行きつけの店へと流れていって、運転免許を持っていないデスクと、大学時代には陸送のバイトで学費を稼《かせ》いでいたというカーマニアの記者との喧々諤々《けんけんがくがく》を拝聴していると、「電話ですよ」と呼ばれた。慎司からだった。

「編集部にいた人に、こっちにかけてごらんって言われたんだ」

声が小さい。時計を見ると、十時を過ぎている。

「家にいるの？」

「うん。今帰ってきたんだ」

「ずいぶん遅いね」

「ちょっとね」

本当に元気がない。

「垣田俊平の手記のことなら、もう気にするな。あの事件のことじゃ、散々話し合ったじゃないか。彼のやっていることに腹を立てたって、なんにもならないぞ」

「――それはわかってた。でも、僕……」

言い淀《よど》むように口をつぐんでしまう。

「試験勉強があるんだろ？　頭を切り替えろよ」

慎司は唐突に言った。「ねえ高坂さん、最近、不愉快なこと、ない？」

「え？」

「嫌なこと。ない？」

脅迫状の一件がちらっと頭をかすめた。「どういう意味かな」

「うん……べつに、いいんだ」

「おかしいね。なんだい？」

「いいよ。ホントにいいんだ。あのさ、来週、行くからね。刑事さんに会いに。その時にね。じゃ、さよなら」

逃げるように電話を切ってしまった。

一時間ほどたって、また電話に呼ばれた。今度の相手も、慎司と同じような台詞《せりふ》を吐いた。

「こちらにかけてみるように、親切に教えてもらいましてね」

あの、誰のものともわからない声だった。

「もしもし？　聞いてますかね？」

「聞いてますよ」

奥の座敷を占領して、スタッフがおだをあげている。デスクの声が大きい。やりあっている同僚も声を張り上げている。電話の声は、ともするとその騒音にかき消されてしまいそうだった。

「もしもし？　いやにお賑《にぎ》やかですな」

「あんた、何を狙ってるんだ？」

「わかりませんか」

「わからないね。人を尾《つ》けまわしたり、ペンキで落書きしたりして、何が面白い？」

相手は声をたてて笑った。「このあいだは、とんだ失敗をしましたよ。写真を撮られるとはねえ。でも、まあそんなことはどうでもいいんだ。あたしには顔がないんだから。高坂さん、あんたが思い出さない限り、誰にもあたしの正体なんかわからないよ。あんた、死に物狂いで考えてみたかい？　自分のやってきたことをさあ」

「生憎《あいにく》だが、そんなこけ脅しにはのらないね」

「ほう、強気に出ましたな。何が起こったって、あたしは知らないよ」

落ち着けよと、自分に言い聞かせた。

「なんと言われても、身に覚えがないものはないんだ。でも、あんたがそれほど恨みに思ってるんなら、言ってみちゃどうです？　いったい俺が何をやったのか。話してくれるなら、いくらでも時間を割いて聞く用意はあるんだ」

離れたところから、デスクが私の顔色を読んだらしい。脇《わき》で熱弁していた記者の肩をぴしゃりとはたくと、(黙れ)と示した。それで全員がこちらを振り向いた。

「あたしがどうして、あんたにそんな親切にしてやらなきゃならんのです? ごめんだね。せいぜい、頭を悩まして考えてみなさいよ」

デスクが客を押《お》し退《の》けるようにして近づいてくると、傍《かたわ》らに立った。(例のです)と目顔で教えると、耳を寄せてきた。

「小枝子さんには会いましたかあ」

面白がっているような口調で、相手は続けた。

「元気だったでしょう? 幸せに暮らしてるよねえ。気の毒に、彼女もあんたなんかに関わりさえしなけりゃよかったんだよねえ」

「俺と彼女はもう何の関係もないんだよ。なぜ彼女にこだわる?」

「そりゃ、あたしの勝手さ。あたしの好きに選ばせてもらうよ」

、、、、、
選ばせてもらう。

「勝手もクソも——」

「あと一週間だけ、時間をあげますよ」妙に平たい声で、相手は言った。「一週間、よおく考えてごらんなさい。それで答えが出なかったら、お気の毒だね」

「おい!」

電話はそこで切れた。叩《たた》きつけるように受話器を置くと、デスクが赤い顔を振り向けてきた。目が光っている。

「本当に身に覚えがねえのか？」

「あったらこんなとこにいやしません」

「隠し立てするとただじゃおかねえぞ」

「よしてくださいよ。いちばん苛々してるのは俺なんだ」

デスクは太い眉《まゆ》を寄せた。「敵は本気だ」

「本気――」

「期限を切ってきてる。枷《かせ》をかけてきてる。本気で何か仕掛けてくる腹なんだ。おまえもそのつもりでいた方がいい。一週間たって何も起こらなかったら、笑ってしまえば済むことだ。小枝子さんてのは、あの小枝子さんだろ？　彼女に連絡はとってみたか？」

「ええ、事情は話してあります。気をつけてもらうように、周囲にも頼んでありますよ」

「ほかには？　ほかに、とばっちりを食いそうな心当たりはないか？　家族はもちろんだが、ほかによ？　念のためだ。いないのかよ？」

七恵しかいない。

6

彼女は在宅していた。まだ寝支度にかかってはいなかったが、こんなに遅くいったい何事かという態度でドアを開けた。

そして、パッと花が咲いたように明るい顔になった。身体《からだ》の前で素早く両手を動かし、問いかけるように見上げてから、あわてて奥に行き、ホワイトボードを手に戻ってきた。私は言った。

「残念ながら、織田君が見つかったわけじゃないんです」

七恵の手が下がった。目に見えてがっかりしている。

「面倒なお願いがあって来たんですよ」

不思議そうに首をかしげると、手振りで（どうぞ）と示した。靴《くつ》を脱いでいるとき、台所にかけてある小さな鳩《はと》時計から鳩が飛び出し、零時を報《しら》せた。

部屋のなかはきれいに片付けられていた。何事もなかったかのように、ちゃんと整頓《せいとん》されている。あれから何度か連絡も取り合ったし、隣人からも話は聞いていたので、窓ガラスを針金の入った丈夫なものにしたこと、アパートの出入口にも鍵《かぎ》をつけ、入居者にはキーを配って、毎晩零時になったら施錠《せじょう》することにしたということも、聞いていた。今夜はギリギリだったわけだ。

「向こう一週間、この部屋を空けて、どこか友達のところにでもいらしていてほしいんです。あるいは引っ越すか。もしあてがなかったら、僕の方で手配してもいい。お願いします」

七恵はこちらに背中を向け、やかんに水を満たして、コンロにかけた。一連の動作を終える間に、考えていたらしい。振り向いてテーブルに近寄ると、すぐに書いた。

〈この前のどろぼう騒ぎのことだけで、そんなことをおっしゃるわけじゃなさそうですけど、理由をきかせてもらえなかったら、返事はできません〉

「質問抜きでは駄目《だめ》ですか」

〈だめです〉

「あの泥棒《どろぼう》のときにも、できたら引っ越した方がいいとお願いしたはずですけどね」

〈わたしみたいなのが部屋を借りるのは、案外たいへんだってことを忘れてるでしょう〉

ちょっと文句を言うように上目遣いで私を見て、

〈嫌《いや》がる大家さんが多いんです。ここの持ち主のような方はめずらしいんですよ〉

間抜けな話だが、そんなことは一度も考えもしなかった。七恵は、きれいに暮らしているしっかりした店子《たなこ》だろう。勤めもきちんとしている。それが、障害があるからといって、ただそれだけで、それほど嫌《きら》われるとは。

〈ごめんなさいね、でも、例外を認めるときりがないからって、言われますよ〉と書いて、質問の答えを促すように、小さく頷《うなず》いた。

結局、全部説明することになった。七恵はまばたきひとつせずに聞いていた。途中で一度だけ立ち上がり、コンロの火を止めて、熱湯をポットに移し替えた。そういう家庭的なことをしている彼女を眺《なが》めていると、話して聞かせていることの真実味が薄れてしまうような気がした。

「と、いうわけです」私は軽く両手を広げてみせた。「笑い事じゃありませんよ」

七恵は微笑して、書いた。〈笑ってません〉

「一週間でいいんです。どこか安全な場所にいてくれませんか。相手はここを知っているし、一度踏み込んでもきてる。心配なんですよ」

〈あれは写真のことがあったからでしょう?〉

「そうとは限りませんよ」

軽くくちびるを嚙《か》みながら、ペンの先でホワイトボードをぽんぽんと叩き、考えている。

〈あなたご自身には、危険はないんですか? それがいちばん気になると思うけど〉

「わかりませんね。こっちにきてくれるならいいんですが。ただ、あの様子だと、僕を直接標的にするんじゃなくて、僕の周囲の人間に狙いをつけてるようなんです。正直言って、そのほうがはるかに怖いんですよ。どういう理由であれ、身から出た錆《さび》を自分で引き受けるなら、まだ気が楽なんです。ほかにとばっちりが行くことのほうが恐ろしい。それはわかるでしょう?」

七恵はゆっくり頷いた。

〈脅迫される理由に、心当たりはないんですか〉

「ない、と百万回も言ってるような気分ですよ。あるいは、ただ単に僕が能天気に忘れてるだけのことかもしれないんですがね」

〈一週間、考えてみるんですか〉

「必死でね」

しばらくのあいだ、七恵はテーブルに頬杖《ほおづえ》をついて、じっと「黙って」いた。ホワイトボードを見つめている。

やがて、書き始めた。〈織田さんが〉

自分でも驚くほどの勢いで、私は言った。「彼は関係ない」

七恵は手を止めて私を見上げ、軽く首を振ると、書き続けた。

〈わたしに、あなたとは関わるなと言ったことがあります〉

「彼の件では知らん顔をしろってことでしょう?」

〈それだけじゃなく、あなたと関わってもいいことはないから、と〉

彼女の言葉を二度読み返して、目をあげた。「どういう意味だろう?」

〈わかりません〉

ゆっくり手を動かして、七恵は文章を拭《ぬぐ》った。いいことはないから、という文字が消えてゆく。

「彼はあなたに忠告したんですね」

七恵は答えなかった。部屋のなかに沈黙が落ちた。

そっとボードを引き寄せて、彼女は書いた。〈わたしはここにいます〉

「でも――」

〈一週間なにごともなくても、それで済むとはかぎらないでしょう? 相手が約束を守る人かどうか、わからないですよ。それに、身のまわりには、ちゃんと気をつけます〉

「怖くないんですか？　この前のようなことじゃ済まないかもしれないんですよ」

〈あなたはこわくないんですか〉

同情してくれているような、悲しそうな顔をしていた。

「怖いですよ」と、私は答えた。

〈わたしなら、平気ですから。あなたを脅している人が、どうしてわたしに目をつけるのか、その理由がわからないし〉

彼女の顔を見つめて、私は訊いた。「本当にわからないですか？」

七恵は目を伏せたまま、文章を書いた。ボードを私の方へ押しやると、立ち上がってシンクの方へ行った。

〈あなたにはわかりますか〉と、書いてあった。

また、こちらに背を向けたまま、背伸びをして、食器棚《だな》の上の方から、客用に揃《そろ》えてある茶器をおろし、扉《とびら》をしめる。七恵が移動すると、床に小さな足音がした。

私が立ち上がり、彼女のそばに寄っても、手を止めようとしない。背中からそっと腕をまわして抱き寄せると、やっと手をおろした。

束ねて編んだ髪を右肩に垂らしているので、華奢《きゃしゃ》なうなじが見えていた。うつむいている頭から、甘い香りがする。

蛇口《じゃぐち》から、ぽとりと水滴が落ちた。

七恵は私の腕のなかで静かに振り向くと、顔をあげた。そのまま、何か懸命に捜し物をしているかのように、しばらく私の目のなかをのぞきこんでいた。

「答えが見つかったかい？」と、私は訊《き》いた。「気が済むまで探していいよ」

彼女の目の縁が、ふっと緩んだ。

力を抜いて、私の襟元《えりもと》に額をつけ、安心したように小さくため息をもらした。私が腕に力をこめると、七恵も抱擁を返してきた。首を下げると、彼女の頰と耳たぶが、やわらかく頰に触れた。

七恵を抱いて、明かりを消すと、部屋のなかに闇《やみ》が満ちた。この闇のなかには、敵意も危険もなく、考える必要さえなかった。あとはただ、頭のなかに夜が溢《あふ》れるのにまかせれば、それでよかった。


「――ちゃんと五十音があるの？」

そう尋ねると、七恵は頷いた。それを肩で感じた。

並んで横たわり、天井を見上げていると、ひどく平和な気分だった。私の片腕を枕《まくら》に、ぴったり寄り添っている七恵の体温が、じかに伝わってくる。

私からよく見えるようにと、彼女は布団《ふとん》から少し手を出した。日の前の薄闇のなかに、彼女の細い手が影絵になって浮かんでいる。

手話のあかさたなを、ゆっくりやって見せてくれた。

「『未知との遭遇』みたいだな」

右手をあげて、一緒にやってみた。

「あなた、は？」

七恵は一本指で私をさした。

「わたし、は？」

自分の胸の中央をさす。

「その辺はわかりやすいんだな……。どれぐらいで覚えられる？」

七恵はびっくりしたように首を持ちあげ、私を見た。

「そうだよ。覚えるさ」

首をかしげ、指を一本立てる。

「一ヵ月？」

違う、違うと手を振る。

「一週間か」

今度は軽く胸をぶたれた。

「一年？　そんなにかかる？」

七恵はこっくりした。

長いな……と思った。七恵と楽に意思を通わせることができるまで、かなり辛抱しなければならない。少しも億劫《おっくう》には感じないけれど。

織田直也にはそんな必要はなかったはずだと、また思った。

「俺もサイキックならな」

そうつぶやくと、七恵の肩が動いた。うつぶせに姿勢をなおし、肘《ひじ》をついて、ゆっくり首を横に振っている。

「よくない？」

絶対に、という感じで深く頷く。私も肘をついて半身を起こした。

「教えてくれないか。彼、どんなことをやって見せてくれた？」

七恵は足からそっとベッドを抜け出ると、足元に落ちていたシャツを拾って袖《そで》を通し、台所からホワイトボードを持って戻ってきた。私は枕元の小さなスタンドをつけた。

枕の上にボードを置いて、まぶしそうに目を細めながら、七恵は書いた。

〈わたしの考えてることは、みんなわかると言ってた〉

「そう。じゃ、手話もボードもなしで話ができたわけだ」

〈近くにいるときはね〉

「ほかには？　稲村慎司に聞いた限りじゃ、彼、移動することもできたらしい」

七恵は目を見張った。

〈テレポーテーション？〉

「そうだね」

見たことないわ、というようにかぶりを振った。そして、私のこめかみを指で軽くつつくと、口の前で手をぱっと動かす。我々がよく、（あの人は口が軽いから）というときに示す動作と同じだった。

「頭に――直接話しかける？」

七恵は頷く。

「慎司と交信してたらしいからね」

違う、と首を振って、自分の胸を指さした。

「君と？ 君の頭のなかに直接話しかけてきたの？」

〈できるの〉と、書いた。

私は笑った。「君も能力者かな」

まさか、というように七恵も笑った。

〈それに、能力者ではない人間と交信するのはすごく大変だから、織田さんも、わたしには一度しかやってくれたことがなかったわ〉

「大変というのは？ 彼が？」

〈どっちも〉と、七恵は書き、思い出したように顔をしかめた。〈ほんの二、三こと話しただけだったけど、あとで一日頭が痛くて動けないくらいだった〉

そんなことがあり得るのかと、考えてしまった。七恵も〈信じられないでしょうね〉と言いたそうな顔をしている。

やがて、こう書いた。

〈わたしも能力者なら、もうちょっとあなたの役に立てるでしょうにね〉

「今で充分だよ」そう言いながら、頬にかかっている後れ毛をかきあげてやると、彼女は小さく手刀を切るような仕草をした。

「ありがとう？」

そう、と頷く。そして子供のように頬杖をつき、しばらくぼうっとしているようだったが、やがてペンを握りなおすと、考え考え書き始めた。

〈織田さんは〉と書いて、ちらっと私を見た。

「うん」

〈以前、よく言ってたことがありました〉

「何を？」

〈わたしに〉と書いてまた考え、〈ふさわしい人を見つけてあげるからねって〉

七恵の文字を見つめながら、私も考えた。

「彼、自分じゃ駄目だと思ってたのかな？」

彼女はちょっとくちびるを引き締め、見えない目盛りを読むように目を細くした。

〈というより、たぶん、わたしじゃ駄目だったんでしょう〉

「どういうことかな」

〈織田さんがいてくれると、わたしは安心だったけど〉と書いて、七恵は真顔になった。

〈それって、あの人を便利に使ってることでもあって〉

虚をつかれるような言葉だった。

「――ずいぶん厳しいね」と言ってみた。「誰にだってそういうところはあるよ。隠してるだけで」

七恵はゆっくり頷いた。

だが、織田直也にはそれが見えた。見えたから――

ひどく場違いな感じではあったが、頭に浮かんだのは、ガソリンスタンドの麻子ちゃんの顔だった。あの屈託のない、よくも悪くも自分のことしか考えていない娘。直也は彼女と親しかった。

それは、麻子が文字どおり裏も表もない娘だったからかもしれない。〈薄っぺらい〉と言う人は多いだろうが、その軽さのなかに、直也を安堵《あんど》させてくれるものがあったのかもしれなかった。

〈わたしは織田さんのこと、好きだったけど〉

そう書いて、七恵は私を見上げた。私は黙って手をのばし、彼女の髪に触れた。

〈あの人が怖かったし、かわいそうでもあったわ〉

「彼が苦しんでたから？」

いいえ、と首を振って、〈ときどき、ひどく意地悪になったから。あの人には何でも見えてたから、人を信用することが、とても難しかったみたい。それを、わたしにも言うことがあったの〉

「たとえば――」考えると、自然と顔が歪《ゆが》んだ。「君が信用している人間や、友達のことを悪く言うというか――彼らの本音はせいぜいこんなもんだよと君に教えたりしたとか」

七恵は大きく頷いた。

自分はどこまで見抜かれていたのだろう――不意にそう思い、身体《からだ》の芯《しん》が冷えるような気がした。直也は何を以《もっ》て、七恵に、私と関《かか》わるといいことはないと忠告したのだろう。

彼は何を見ていたんだ？

一眼国に住む、たった一人の二つ目の人間。

七恵の顔に、私の抱いた不安がそのまま映ってしまっていた。それを消すためだけにちょっと笑ってみせると、彼女はちゃんとそれを承知しているように、少しだけ微笑した。そして急に真面目《まじめ》な表情になると、起き直り、私を指さし、続いて両手で胸をかきむしるような仕草をした。

「何かな、それは」

七恵は同じ動作を繰り返した。

「あなたが――」

勘というより、彼女の表情でわかった。

「心配？」

そう、と頷いた。

「俺のことなら心配しなくていい。大丈夫だよ」

今度はなかなか頬笑《ほほえ》んでくれなかった。

7

「てめえでてめえの過去を調べるっていうのは、案外難しいもんだなあ」

生駒の感想を待つまでもなく、私もそれは実感していた。他人のことを調べる技術ならそこそこ身につけているつもりだが、いざそれを自分に応用しようと思っても、そううまくはいかない。鼻の頭をよく見ることができないのと同じようなものだ。

生駒が中世の異端審問官そこのけの厳しさとしつこさで追及してくるので、三日もたつと、いささか疲れてきた。

「もっと吐け」と、簡単に言ってくれる。

「もう胃袋まで吐いたような気分だよ」

「うちの由美子が便秘で悩んでよ、とっかえひっかえいろんなメーカーの薬を飲んでるんだ。腹はぺったんこになってるのに、『まだ溜《た》まってるみたいな感じがするんだもん』。腸まで出しちまわねえとスッキリしねえんだろう。この際、おまえもそうするといい」

「他人ごとだと思いやがって」

「そりゃそうだ。俺には後ろ暗いことが山ほどあるからな。こんなに苦労しねえ」

とは言うものの、「じゃ、たとえばどんなことがあるんだよ」と訊いたら、彼も首をひねっている。

「案外ねえんだよ。いや、以前に話した超能力ブームのころの、自殺した子供、な？　あれはある。でも、言い逃れをするわけじゃねえが、あれだって俺一人でやらかしたことじゃねえ。そうなんだよ。俺らの商売は確かにいろいろ人の気に障ることをやろが、一人でやるわけじゃない。うしろに雑誌や新聞の看板を背負ってるからやれることでな」

こりゃ反省材料だなと、大きな手で頭を抱えている。

ひとつふたつ、「これかな？」と思うものが見つからないではなかった。ひとつは民事裁判に関わるもので、四年ほど前に取材したものだ。よくある境界争いだが、相続が絡《から》んで泥《どろ》仕合《じあい》になったケースだった。ちょうど、八王子の地価が異様に高騰《こうとう》し始めたころのことだったので、土地問題の特集のなかで取り上げたのだ。

「原告側を取材しているところに、被告側の家の主人が殴り込んできた、と」

「そう。へべれけに酔ってて、金属バットを持ってた」

「怒り酒だな。乱闘になったのか？」

「多少ね。でも、すぐ収まった。バットを取り上げたら急におとなしくなったよ。ただ、『覚えてろ！』と怒鳴られたな」

あまりあてにしないで調べてみると、当のご本人はもう死亡していた。裁判の方はまだ続いていたが、双方ともくたびれていて、今は和解調停の最中だという。

もうひとつは、多少被害妄想《もうそう》の気のある女性の件だった。

「これが、最初はちょっとヒヤッとさせられてね」

市内のラブホテルで小火《ぼや》があり、消火の現場を写真に撮って掲載したのだが、そこに偶然写されていたために、上司との不倫がばれて退職させられた、と訴えてきたのである。

ところが、調べてみると、彼女は依願退職であり、社内には不倫相手などいない。言い分に、まったく根拠がないのだ。

「なんだ、デタラメじゃねえか」

「そうだよ。ただ本人は大真面目で、目に涙まで浮かべて食い下がってくるんだ。ディテールもちゃんと話してくれる。非常に秩序立った妄想というやつですな」

「でも、それなら恨まれるのは写真を撮ったカメラマンじゃねえのか？」

「彼女が支局に乗りこんできたとき、最初に応対したのが俺だったんだ」

「要領が悪い」

「しょうがないじゃないか。問答無用でいきなり摑《つか》みかかってこられたんだぜ。おまけに、そのあとで強姦《ごうかん》罪で告発されかけたんだ。笑うなよ」

「無理だ、無理」生駒は吠《ほ》えるように笑った。

「支局のフロアで、十人近くの人間の目の前でそんなことをやってのける方法があるんなら、教えてもらいたいと思ったね」

「すげえ早業だ」

「ただ、結果的にはそれで助かったんだ。彼女の親が出てきて、娘の様子がおかしいことに気がついてくれたから。父親はただカッカしてたけど、母親はすぐピンときたらしい。おかげで警察に引っ張っていかれないで済んだよ」

「おまえも結構、波瀾万丈《はらんばんじょう》の人生を送っとるな」

「あのときの親父《おやじ》の方が、いまだに娘の言い分を信じて俺を疑ってるとすると、恨んでるかもしれないな」

「そりゃねえだろう。馬鹿馬鹿《ばかばか》しくってやってられねえ」

生駒の言うとおりだった。支局に訊いて調べてもらうと、すぐわかった。彼女は専門の医者にかかり、すっかり健康を取り戻して、結婚もしている。

「一度、挨拶《あいさつ》に来ましたよ。謝ってました」というのである。

「なんにもねえなあ」と、生駒はそっくり返って天井の蛍光灯《けいこうとう》を仰ぐ。「おい、高坂。おまえよ、どっかで女の子をひっかけて、犯して殺して山のなかにでも埋めてるんだったら、吐くのは今だぞ」

椅子《いす》を蹴《け》とばしてやった。

川崎家とは頻繁《ひんぱん》に連絡をとった。応対するのはいつも明男か三宅令子だったが、二人とも異口同音に、その後は何も起きていないと答える。のみならず、令子は少し笑ってさえいた。

「たいへんですね」と言われると、間抜け面《づら》して「はあ」と答えるしかない。

「でも、本当に笑い話にできるように、気は抜かないでいてください」

「承知しています。任せてください」

このところ密に関わっているという点では、稲村慎司も除外するわけにはいかない。ただ、いたずらに彼を混乱させることは避けたかったので、父親にだけ、簡単に事情を話した。彼は真面目に仰天した。

「そりゃいけない。あなたは大丈夫なんですか」

「はあ、なんていうことはないんです。ただのこけ脅しである可能性も大きいんですよ。ただ、念のために」

あたしの好きに選ばせてもらうよ——不気味なのは、その台詞《せりふ》だけだった。

「よく気をつけるようにいたします。ご心配なく。慎司はこのところ、試験勉強で家にこもっておりますし、学校からも早めに帰っておりますからね」

「頑張《がんば》ってるんですね」

「はい。勉強のことで頭がいっぱいなのか、ろくに話もしてくれません。それほどむきになることもないと思うんですが。たまに、ふらっと散歩に出かけることもありますが、陽《ひ》のあるうちに帰ってきます。とにかく、こちらは大丈夫ですよ」と請け合ってくれた。

生駒は、「いちばん心配なのはおまえさん本人だな」と、顔をしかめる。

「そりゃ、なんとでもなるよ。なるようになるさ」

「そういやあ、おまえ、大学時代には陸上の選手だったんだもんな。逃げ足は速いか」

「駅伝だぜ」

「ちょうどいい。襲われたら、箱根まで走って逃げろ。往路の新記録がつくれる」

結局最後は笑い話になってしまうのは、切迫感がなかったせいだった。一週間という期限は気になるものの、なんと言われてもこちらに思い当る節がないものだから、今ひとつあわてふためく気分になりきれないのだ。

「逆恨みってのがいちばん怖いんだ、阿呆《あほう》が」と怒る、デスクがいちばん真剣だった。もっとも、「全部片がついたら迫真のルポが書けるだろう」とも言っているから、ちゃんと計算はしているのだ。

七恵とも頻繁に会った。というより、毎晩通っていた。どうしても抜けられない用があるときだけ電話をかけたが、あとはもう彼女と同居しているようなものだ。

「照れることねえや。一緒にいてやれ。それがいちばん安心だ」と、生駒は真顔で言う。四日目の夜には、「一度俺にも紹介しろ」と主張して、第二日ノ出荘までついてきた。

彼の与太話に、七恵は笑い転げていた。声が出ないので、あまり笑わせるとかえって身体に毒なんじゃないかと、見ている方がハラハラするほどだった。

七恵が笑いすぎて涙をふきながら台所に立った隙《すき》に、生駒はしみじみと、「いい娘だなあ」と言った。

「金星《きんぼし》を当てたな。俺も十年ばかり若返りたくなったよ」

あとで七恵も、〈いい人ね〉と言っていた。〈いつもあんなふうに、二人でかけ合い漫才をやってるの？〉

「たまにおひねりが飛んでくるよ」

私といるときに、怯《おび》えた様子ではないが、ふと電話を気にしたり、窓の方へ目をやることがあった。

「彼か？」と尋ねると、うん、と頷《うなず》く。

「連絡が来そうな気がする？」

わからない——と、首を振る。そのときだけは、少し淋《さび》しそうな顔になった。

そうやって過ごしていると、期限はみるみる近づいてきた。あと一日を残すだけとなった六日目の午後が、慎司と元警察官を引き合わせることになっている、約束の時だった。

8

村田薫は、古い映画を連想させるような風貌《ふうぼう》を持っていた。「鉄の男」である。日焼けして、半白の見るからに剛《こわ》そうな髪を短く刈りこんでいる。この年代の人にしては長身で、肩が厚い。挨拶を交わしたとき、彼の着ている鋼色《はがねいろ》のウールのスーツから、ほんの少しナフタリンが匂《にお》った。

「東京は久しぶりです」少し嗄《しわが》れた低音で、ゆっくり言った。「いつ来ても、よくわからん街です」

「迷われましたか」

「いえいえ、そういう意味ではありません」と、微笑した。

午後三時、社の会議室のなかだった。村田薫は窓を背にして椅子にもたれ、佳菜子が日本茶を持ってくると、小声で礼を言った。

慎司は三十分後に来ることになっている。陽射《ひざ》しは明るく、細く開けた窓の向こうから、新橋の街のざわめきが立ち昇ってくるようだった。

広いテーブルの上には、こちらで用意した小さなテープレコーダーがあるだけだ。村田氏は何も持ってきていなかったし、何も必要ないと言っていた。

(私は科学者じゃありませんし、彼と話をするだけで充分ですよ)

元刑事はテーブルに両手を載せ、口の端を少し歪めて、ほとんど表情のない真っ黒な目で、私の顔を見ていた。この人物が刑事だったときには、こうしてまともに見つめられただけで、(すみませんでした)と白状してしまった犯罪者が何人もいただろう。強い視線だった。心のうちにある感情を瞳《ひとみ》に映さずに他人を見ることができるのは、優秀な刑事か、一片の良心もない犯罪者か、狂人だけだと思う。

「それで」と、彼は静かに訊《き》いた。「今はどうです。あなたは彼を――いや、彼らですな、二人いるのだから。彼らを信じておられますか」

私はテーブルに視線を落とした。

「正直言って、まだわからないんです」

そう答えたとき、自分の声が緊張していることに気がついた。まるで面接試験だった。

「信じてやりたいとは思うんですが」

「それはよくない」まったく語調を変えず、首も動かさずに、村田は言った。「それがいちばんよくないことです」

「なぜです？」と、生駒が問うた。

「そういう感情に寄りかかって判断をためらうと、そこに隙ができるからですよ。保留するのはいい。だが、ためらってはいけません」

「隙ができる——」

「そうです。他人を騙《だま》す人間は、その隙に手を入れて、相手を操りますからね。ちょうど指人形のように。だから、あなたが彼らに騙されているのだとしたら、それはあなたが、彼らに手をつっこむ隙を与えたからだ。信じてやりたいと、好意的に——ある意味では上から見下ろして考えることでね」

それは違う、と言いかけた私を、軽く手のひらを見せただけで遮《さえぎ》ると、村田は続けた。

「信じてやりたい、などと逃げてはいけない。そんなふうに思うのは、彼らに本当に騙されていた場合、あなた自身の面目を救いたいからでしょう。こっちにもその気があったんだ、まったく足をすくわれたわけじゃないと、自分に言い訳したいからです。だが、それでは駄《だ》目《め》だ。信じるか、信じないか、あるいはまったくデータを集めるだけの機械になりきって、すべての予断や感情移入を捨てるか、どれかに徹することです」

これには参った。「そんなことができますか？　彼らをじかに見ていて」

「できませんな」人を食ったようにあっさりと言って、微笑した。「できません。ですから、こういうことが繰り返し起こっているわけだ」

生駒がふっと吹き出し、頷いている。

「稲村慎司という少年が本当のサイキックだったなら、あなたのなかのそういう保身的な感情も、ちゃんと見抜いているでしょう。彼があなたに、くどいほど何度も『信じてくれ』と言ったのは、そういう甘い感傷を抜きにして、事実として自分を認めてほしいということです。それをあなたは理解しておられない。また、彼が非常に奸智《かんち》に長《た》けたペテン師だったとしても、彼があなたのそういう感情を見抜いているということには変わりありません。それを利用して、あなたの鼻面をとって引き回しているわけだから。どちらに転んでも、あなたにはあまり面白い話ではありませんな」

猛烈に反駁《はんばく》したいと思いつつも、方法が見つからなかった。こういうのを「グウの音も出ない」というのだろう。

「気持ちはわかる」と、生駒がにやつきながら言った。「グウ、ぐらい言ったらどうだ？」

村田が笑った。穏やかな笑顔だった。「同じ失敗は、私もずいぶんやりました。あなただけのことじゃありませんよ」

「何人ぐらい知っておられます？　いわゆる『サイキック』を」

村田は首をかしげながらうなじを撫《な》でている。「さあ……三十五年間警察にいて……そう自称している人間で、五、六人というところでしょうか。本人がそれと気がついていなくても、『ああ、これはそうだな』と思う人物になら、十人以上出会っていますよ」

「まさか。そんなことがありますか？　本人が気づいていないなんて」

「ありますとも」と、頷いた。「能力が非常に小さくて、現われ方が偶発的だからわからないだけです。ひょっとすると、あなた方お二人だってそうかもしれない」

思わず生駒と顔を見合わせた。彼は言った。「俺《おれ》は違うが、女房はそうかもしれん。あいつには何も隠し立てできねえから」

「それはまた別の話だ」村田が笑った。「但《ただ》しこれは、『家族も騙される』ということには関連してきます。生活を共にしている人間同士は、自分でも無意識のうちに、たくさんの情報をやりとりしているものなんですよ。この椅子に座るときはいつもどんな姿勢をとっているか。どんなふうに靴《くつ》を脱ぐか。風呂《ふろ》上がりには、どれくらい身体《からだ》を冷ましてから服を着始めるか。お互いにちゃんとわかっている。ただ、それを情報としてとらえていないだけでね。だからある日、たとえばあなたが椅子に座ったとき、いつもと違う足の組み方をしたら、奥さんは違和感を覚えるわけです。何かあったのかな？　と思う」

村田の声は低いが聞き取りやすく、言葉は明快だった。

「そういう人間の目を眩《くら》ますのは、非常に易しいことです。ネタがたくさんありますからね。密着して暮らしているのだから、ひっかけられたらすぐにわかると思うのが間違いです。テーブルマジックというのがあるでしょう？　目の前で、コインやカードを消したり出したりする。すぐそばで。でも、タネを知らなければ見抜くことはできません。それどころか、離れた舞台の上で同じものを演じて見せられたときよりも、はるかにどきりとします。それと同じだ。とりわけ、親の場合は、この子のことなら何でも知っていると思いがちですから、隙だらけになっていますしね」

彼は湯呑《ゆの》みを取り上げ、ゆっくりとすすると、テーブルの中央あたりに視線を向けながら続けた。

「今までお話を伺ったかぎりでは、これからやってくる少年は、封を切っていない封書の中身を読んだり、目隠しをして黒板に書かれた文字をあてたりしているのではない。そういう、立会人についての情報がなくてもできる種類の離れ業を見せているのではありませんね。ですから、ペテンかどうかを見分ける方法は、簡単です」

顔をあげ、私を見た。

「彼に、あなたも答えを知らない質問を投げてごらんなさい。あなたにもわからない、情報を持っていない事物について、何が読み取れるかを訊いてみるんです。そして、少年がそれについて話したことを、あと追いで調べていけばいい。但し、調べてゆく過程を彼に見せないこと。それを繰り返すんです。一回や二回ではいけない。調子が悪いんだと言われたらそれまでです。しつこく、辛抱強く、何回も繰り返すんです。そうすれば、ペテンは続きませんよ。残るのは本物だけです」

村田はふうと息を吐いた。

「ところが、これが案外難しい。まったく答えを知らないが、その気になれば調べることができるという事柄《ことがら》は、なかなか見つからないものですよ。心当たりはありますか」

私より先に、生駒が言った。「あの封書はどうだ？」

「今それを考えてた」私はつぶやいた。「でも、あれじゃ大きすぎるよ」

生駒には黙っていたが、最近ちらりとそれを思ったことがないわけではないのだ。

ただ、恐ろしかった。もしもまた、マンホールの事件と同じようなことの繰り返しになったら、慎司をとことん傷つけることになる。彼を試しながら便利に利用するのは、いちばん避けたいことだった。

「そんなことはあるもんか。その辺に転がってる机や椅子の来歴より、はるかに調べやすいしな」生駒は力んだ。「それに、もしもあれが解決できればこっちだって助かる。やってみる価値はあるぞ。慎司を危険に巻き込むわけじゃないんだから」

「気が進まないな。ほかのものだっていいじゃないか」

「妙な手加減をするな。それが禁物だと言ってるんだ」

黙って我々のやりとりを聞いていた村田が、静かに割り込んだ。「あてがあるんですね？」

「あります」と、生駒は断言した。

「では、それは私にも教えないでください。彼と話してみて、よしと思ったら私が切りだします。それから、見せてください」

非常に厳格だった。慎司が怖がらなければいいが、と思った。

「あなたが透視者を使って解決されたというのは、女性の失踪《しっそう》事件でしたな」椅子を鳴らして乗り出しながら、生駒が言った。

「そうです。もう二十年近く昔の話ですが」

そのころ、神奈川県下で、十八歳から二十五歳ぐらいまでの女性が突然行方不明になるという事件が、四件連続したことがあったのだ。県警は威信にかけて大捜査網をしいたが、手がかりは少なく、解決は望み薄だった。

「私は当時、捜査の本流からははずされていました」と、村田は言った。「失踪女性の一人には、多少いりくんだ男関係がありましてね。その方面を洗っていたんです。ただ、あの事件では、犯人が被害者の知り合いである可能性はほとんどなかった。識とは考えられなかったんです。ですから、念のために調べているという感じでした」

「透視者とは、何がきっかけで知り合われたんです？」

「彼女は——仮に名前を明子としましょうか。明子は被害者の一人の友達でした。聞き込みにいったときに、出会ったんです」

彼女の方から、（ひょっとするとわたしは役に立てるかもしれません）と言ってきたのだということ。

「最初は、私も信じることができませんでね。世迷《よま》いごとだと思いました。しかし、明子は熱心で、必死でした。それに……ほだされたとでも言いますか。まあ、害になることでもないだろうと考えたわけです」

「彼女はなぜあなたに？」

村田は私に笑いかけてきた。「村田さんを信用できると思ったから、と言っていました。

私と話しているときに、私の内側に、非常に厳重に管理されているスクラップブックみたいなものを見つけたんだそうです。ああ、この人は口が堅いなと思ったそうですよ。それに、私なら怖くない――とも感じたそうでした」

生駒がちらりと私を見て、何か言いたそうな顔をした。

村田は続けた。「私は明子を、彼女の友人が最後に姿を目撃されている場所へ連れてゆきました。ボウリング場の専用駐車場でしてね。彼女はそこに、恋人と遊びに来ていたんです。帰るときになって、恋人が忘れ物をしたことに気がついて、彼女をその場に待たせたまま五分ほどいなくなった。で、戻ってきたら彼女がいなくなっていた――というわけです」

他の失踪事件も、それと似たり寄ったりの状況で発生していた。手がかりは皆無に近かったという。

「明子はそこで――幌《ほろ》つきのトラックを見ました」記憶をたぐるように、わずかに顔を歪《ゆが》めながら、村田は言った。「緑色の幌に、黄色いペンキのはねがついている、というのです。私はがっかりしました。彼女をからかいましたよ。〈なんでナンバーを見てくれないのか〉とね。明子は黙っていました。そして、ほかの女性たちがいなくなった場所にも連れていってくれというんです」

他の三ヵ所のうち、二ヵ所で明子は同じトラックを見た。一ヵ所では、大股《おおまた》で歩み去る男の後姿を見た。その背中に、鳥が大きく翼を広げた形のワッペンがついていることも。

そして、（すごくヘンな臭《にお》いがする。まるでものが腐ってるみたい）と言った。（どろどろの——真っ黒な水も見えるわ。池かしら。まわりにゴミがいっぱい積んであるの。古タイヤとか、車輪みたいなものもある……）

「自動車のスクラップ工場かと思いました。その周囲に、池か、川か、とにかく水があるところ。作業服に鳥の形のワッペンをつけているところ。とりあえず、それを目星にして探してみたんです」

「で、見つかったんですね？」

「二ヵ月かかりました。烏山《からすやま》の奥の方でしてね。倒産した小さな運送屋でしたよ。社員寮だけがまだ残っていて、再就職先のない社員が、追い立てに抵抗して、一人だけ残っていました。寮の裏手に小さな汚水だめがありました。とても人が暮らしているとは思えないような、バラック同様の寮の窓に、背中に鳥のワッペンがついたジャケットが干してあるのを見つけたときには、さすがに足が震えたものです」

しばしの沈黙のあと、私は訊いた。「その男が犯人だったんですね？」

村田は頷いた。「四人の女性の遺体は、その汚水だめの底に沈められていました」

生駒が腕組みをして、低くうなった。

「もっとも、それはあとになってわかったことです。私一人の力では、どうすることもできませんでしたからね。幸い、捜査本部の方も、女性の失踪現場にいつも同じタイヤ痕《こん》が残っていることに気がつきまして、そこから車種を割り出し、ローラー作戦で調べていたんです。彼のところにも、遅かれ早かれ捜査員が訪ねていくことになっていました。私はそれを口実に、彼に会いました。そして、緑色の幌つきトラックを見ましたよ。黄色いペンキがはねていた。元の会社の車だったんです。名前だけ消して、勝手に乗り回していたらしい。私は彼にかまをかけてみました。『トラックの荷台に、女性の髪の毛が落ちてるな。恋人のかい？』と。彼は真っ青になって逃げだしましたよ。それで御用でした」

軽く肩をゆすって、

「あとで、同行した刑事に訊かれましたよ。『たしかに変り者ではあったけど、おとなしそうな男で、実際、これはシロだなと思ってた。どうしてわかったんですか？』とね。私は本当のことを答えることができませんでした。明子との約束でしたからね。彼女は、世間に騒がれることは望んでいませんでした。ただ友達の仇《かたき》を討ちたかっただけだから、と」

「しかし、その後も――」

「ええ、ときどき彼女の力を借りました。当たったこともあるし、はずれたこともある。そうこうしているうちに、仲間のあいだでは隠し切れなくなって、一度は捜査課長に会ってもらったこともあります。でも、我々のあいだでは、彼女の存在は極秘扱いになっていました」

「現在は？」

「彼女は幸せに暮らしていますよ。結婚して、子供もいます。そこにこぎつけるまで、たいへんでしたがね。『他人のことがわかりすぎると、恋もできない』と嘆いていたことがあります。実際、明子は一度、自殺をはかったことがあるんです。彼女が三十歳のときでした。それを境に、私は彼女に頼ることをやめたんです。非常に酷なことを要求しているのだとわかったからですよ」

「それは——わかるような気がします」

村田の意志の強そうな顎《あご》の線に、初めてゆるやかな表情が表れた。グラスのなかの角氷が、かたりと溶けたような感じだった。

「昔、明子は私にこんなことを言ったことがあります。村田さんは一人しかいないし、わたしも一人しかいない。できることには限界があるわよね、と。もちろん、私と出会っていっしょに仕事をするようになる以前から、彼女はその特殊な能力を持っていました。少女時代からです。そのころから今までに、山ほど恐ろしいものを見てきたというんですよ。スーパーのレジに並んでいるとき、すぐうしろに立っている主婦が、怪しまれずに姑《しゅうとめ》を殺してしまうにはどうしたらいいかしきりと考えている——夜道ですれ違った車の運転席にいた若い男が、手ごろな若い女性を物色している——」

たじろいだような顔で、生駒が額を撫でている。

「すべてわかったし、放《ほう》っておけば彼らがそれを行動に移すだろうと確信も持てた。でも、どうしようもなかったと言うんです。『わたしには何にもできないもの。その人たちを追いかけていって、そんな恐ろしいことはやめなさいって言ったところで、どうにもならないでしょ？　黙って見過ごすしかなかったんです。それだけだって、死ぬほど辛《つら》いことだった』

——そう言いましたよ」

慎司の言葉を、私は思い出していた。（直也はね、全部自分一人でしょって立つ気構えが

ないんだったら、他人の身に起こることに関《かか》わっちゃいけないって言ってたよ）

「そんな彼女に、さらに重荷を負わせるように、私は、起こってしまった悲惨な出来事を再構成させてきた。そのたびに、彼女は被害者たちといっしょに、少しずつ死んでいたのかもしれません。彼女がすり切れてゆくように、私は拍車をかけていたんですよ。幸い――そう、本当に幸いです――彼女は、年齢を重ねるに連れて、少しずつ能力が衰えてゆきました。あるいは、制御する力の方を強くしていたのかもしれない。そして彼女が三十二歳のときに、我々は協力関係を断ちました。その後は、年賀状のやりとりをする程度です。それで良かったのだと思っています」

確認するように、ゆっくり頷《うなず》いている。

「ただ、私と彼女とのことは、県警の一部では有名な話になっていました。超能力ブームの頃《ころ》、新聞に取り上げられてしまったのもそのせいですし、その後何人かのサイキックに知り合うことができたのも、そのおかげです。ただ、彼らのなかには、明子ほど強い力を持っている能力者はいなかった。もし、今日これから会う少年が本物だったなら、明子と同じだけのことができるサイキックに、久しぶりに巡り合ったということになります」

我々が黙りこむと、廊下を隔てて向こう側にある編集部から、ざわめきや電話のベルが聞こえてくる。向こうとこちらとが同じフロアにあるとは思えないほど、雰囲気《ふんいき》が違っていた。それはそのまま、この能力に関わっている者と関わっていない者との差を象徴しているようにも感じられた。

「私のお守りをお見せしましょうか」

明るい口調を取り戻して、村田が言った。上着の内ポケットに手を入れ、小さな白いものを取り出してみせた。

首にかけることもできるように、紐《ひも》がつけられていた。小指の半分ぐらいの大きさで、象《ぞう》牙《げ》かプラスチックか——不思議な形をしている。動物の牙《きば》のようにも見えるが、それにしては先が丸まっているし、根元に穴があいている。そこに紐を通してあるのだ。

「なんだと思います？」

村田の質問に、生駒は考え込んでいる。「わかりませんなあ」

「ダッフルコートに、ボタン代わりについているやつじゃありませんか？」と、私は言ってみた。

「ええ、ええ、そうです。たぶんそうだったんでしょう。誰かが落としていったんでしょうな」村田は笑った。「四年ほど前、まだ現役でいたころに、六歳になる私の孫が、近所の神社の境内で拾ってきたんです。その神社のご神体は、昔そこにあった池に住んでいた龍《りゅう》だと言われてましてね。だから、『おじいちゃん、これなんだろう』と訊《き》かれたとき、私は言ったんですよ。『これは龍の牙だよ』とね」

「龍の牙——」

「ええ。孫は不思議がりましてね。龍ってどんな生きものか、怖いのかと尋ねるんです。『怖くはないよ』と、私は答えました。孫を脅かしたくはなかったのでね。『これを持っていると、おまえを守ってくれるよ、きっと』と言いました。すると孫は、『だったらおじいちゃんが持ってなよ。悪いヤツに怪我《けが》させられたりしないようにね』と言ったんです。それ以来、ずっとお守りにしてるんですよ」

大事そうにそれを手のなかに包み込むと、村田は言った。

「ときどき思うんですがね……。ことによると、我々は本当に、自分のなかに一頭の龍を飼っているのかもしれません。底知れない力を秘めた、不可思議な姿の龍をね。それは眠っていたり、起きていたり、暴れていたり、病んでいたりする」

私は黙って彼の顔を見ていた。生駒も同じだった。

「我々にできることは、その龍を信じて、願うことぐらいじゃないですかね。どうか私を守ってください。正しく生き延びることができるように。この身に恐ろしい災いがふりかかってきませんように、と。そして、ひとたびその龍が動きだしたなら、あとは振り落とされないようにしがみついているのが精一杯で、乗りこなすことなど所詮《しょせん》不可能なのかもしれない。なるようにしかならんのです」

老刑事は、自分が通りすぎてきた様々な過去がそこに映し出されているかのように、自分の手を見つめていた。

「稲村君というその少年がサイキックであるならば、彼もまた、龍を起こしてしまった人間なのだろうと思います。彼はそれを乗りこなそうとしている。少なくとも、自分の望んでいる方向へ頭を向けさせようと。私はそれを手伝うことができるかもしれない。最後の最後のところでは、彼を救えるのは彼自身しかいないんですが、それでも、手を貸すことぐらいはできるかもしれません」

そして、優しいと言っていいような笑みを浮かべた。

「早く彼に会ってみたいものだ」

だが、慎司は現われなかった。待っても、待っても。

彼が病院に担《かつ》ぎこまれたという報《しら》せを受けたのは、それから三時間後のことだ。

9

佐倉市内の救急病院だという。

とりあえず駆けつけてはみたものの、最初はよく事情がつかめなかった。慎司の両親も取り乱していて、話が通じないのだ。

「警察から電話をもらいまして――」

「この地元のですね？」

「はい。夕方五時半ごろ、工業団地の近くの倉庫の裏手で慎司が倒れているのを、通りかかった人が見つけてくれたそうで。学生証から身元がわかったというんです」

十一月なかばの午後五時半といえば、もう陽《ひ》はとっぷり暮れている。

「そんなところで何をしてたんです？」

「わからんのです」稲村徳雄は額に浮いた冷たい汗を拭《ぬぐ》いながら、震えていた。「まったく見当もつきません。学校に問い合せてみたら、今日は休んでいたというし——朝は普通に出て行ったのに」

佐倉工業団地と言えば、あのマンホールの現場のすぐそばだ。嫌《いや》でもそれを考えた。まだ終わってないとでもいうのだろうか。

同時に、やはりあの脅迫の件が頭に浮かんだ。とばっちりは、慎司の方へと向いていったのだろうか。

「あわてるなよ。今日はまだ六日目だ。まだあと一日残ってる」

生駒に肩を叩《たた》かれたが、素直に頷く気にはなれなかった。

「敵が律儀《りちぎ》な野郎だとは限らないだろ」

「あの子を狙《ねら》う理由がねえ」

「理由なんか——」

「いいから、ちょっと落ち着け。表へ出て二、三回深呼吸してこい」

重傷だという最初の漠然《ばくぜん》とした説明が、詳しいものに変わってゆくと、状況はますます暗くなってきた。医師の説明によると、慎司は何者かによって相当激しく殴打《おうだ》されているという。

「脳震盪《のうしんとう》を起こしていますし、全身のあちこちに打撲傷があります。それと、発見現場はかなり急な坂を降りたところでして、坂の脇《わき》に狭い階段もついているんですが、どうやらそこから落下したようですね。左の大腿骨骨折《だいたいこつ》は、そのとき生じたものでしょう」

「助かりますか？」と、父親がすがるように訊いた。

「若いですからね。筋肉もやわらかいし、心臓も強い。大丈夫ですよ。ただ、頭を打っていることが気になります。詳しい検査は、とにかく今の状態を乗り切ってからでないとできませんからね。警察から事情をきかれましたか？」

「はい。ただ、こちらにも何がなんだか……」

「救急車のなかで、息子さんはうわごとを言っていたようですよ」

稲村徳雄は妻の手を握り締め、おろおろと私の方を見上げた。

「なんと言ってたんです？」

「殺されちゃうよ、と。二度繰り返してそう言ったそうです。よほど恐ろしい目に遭わされたんじゃないでしょうかね……」

手術室と集中治療室は、長いリノリウムの廊下のつきあたりに位置していた。そこまで近付くことは許されず、手前の廊下のベンチに沈み込んで、ただ、待った。

警察の話では、所持品は荒らされていないという。現場付近には目撃者もない。慎司を発見してくれた人物も、最初は酔っ払いでも寝ているのだろうと思ったという。日頃から人通りの少ない場所なのだ。

殺されちゃうよ。その言葉の意味を考えると、じわじわと首を絞められているような気がしてきた。

夜十時ごろになって、また医師が出てきた。稲村夫妻が駆け寄った。

「ひとまず集中治療室に移しましたが、面会は当分無理です。ご両親も一度帰宅されてはいかがですか?」

そのとき、廊下の反対側の端から、不規則な足音が聞こえてきた。近づいてくる。私と生駒は顔を見合わせ、振り向いた。

明かりを落とした白い廊下をやってくるのは、七恵と——

「誰だ?」目を細くしながら、生駒が低く訊いた。

信じられない反面、やっと来たかという気もした。

「彼が織田直也だよ」

初めて会ったときと同じように、シャツに色褪《いろあ》せたジーンズを穿《は》いて、七恵に支えられるようにして歩いてくる。左足をひきずり、頭が痛んでいるかのように、顔を歪《ゆが》めて。ちょうど——今、この廊下の先で慎司が味わっているのと同じ苦痛を、彼もそっくり引き受けているかのようだった。

まるで鏡。まるで双子だった。一人が傷つけば、もう一人も同じ場所から血を流す。

棒立ちになって、彼らがやってくるのを眺《なが》めていた。彼の方がずっと背が高いので、肩を貸している七恵も、どうかするとよろけそうだった。我に返って駆け寄り、手を貸すと、それまで我々の姿など目に入らないかのように廊下の向こうばかりを見ていた直也の目が、やっと動いた。

「やあ」と、かすれた声で呼びかけてきた。胸の奥の方のどこかに血がからんでいるような声だった。

「もういいよ」と、彼は七恵に言った。「ありがとう。手を離してよ」

七恵はすぐには離さなかった。彼女も蒼白《そうはく》で、逆に直也にしがみついているかのようにさえ見えた。

「いいんだ」直也は目元で薄く頬笑《ほほえ》んで、七恵の手に手をかぶせ、優しく引き離すと、壁に手をついて身体《からだ》を支えた。私が手を出して抱えようとすると、目を閉じて首を振った。「いいんです。触らないで。大丈夫だから」

「医者を呼んでこよう」

踵《きびす》を返しかけた生駒にも、「いいんです」と断った。「俺《おれ》、怪我はしてないから。本当に平気ですよ」

壁にもたれたまま、よろりと手をあげ、廊下の先を示して、私に訊いた。「慎司はこの向こうにいるんだね」

私は頷いた。「でも、会えないよ。重傷なんだ」

「うん。わかってる。ただ、できるだけそばに行きたいんだ」

直也はゆらりと足を踏みだした。「聞いてやらなくちゃ」

七恵が半泣き顔で手を差し伸べたが、直也はそれをやんわりと振り払った。そして、壁伝いにゆっくり歩いてゆくと、手術室へ続く廊下がコの字型に折れているところで、壁に頭を持たせかけ、立ち止まった。

そのまま、微動だにしない。お互いにすがりつきあっているような格好で、稲村夫妻が彼を見ていた。

「何があったんだい？」

小声で七恵に尋ねると、彼女は最初、ただ首を振るだけだった。やがて、やっと気を取りなおし、震える指で病院の白い壁に、〈夕方、急に訪ねてきたの〉と書いた。

「来たときからあんな様子で？」

七恵は頷いた。〈しばらく、起き上がれないくらいだった〉

壁にそらで書く文字と、身振り手振りと、少しだけ私にも読み取ることができる手話とをちゃんぽんにして、彼女は説明した。

〈起き上がれるようになると、この病院のことを話してくれて、連れていってくれ、と。一人じゃ歩けなかったんです〉

「なんでここがわかったんだ？」と、生駒が目を見張った。

「彼にはわかるんだよ」

今や、直也は身体を丸めるようにして、ベンチに座り込んでいた。頭を垂れているので、骨張った背中しか見えない。

近寄ることさえはばかられるほど、彼は深く自分のなかに入りこんでいた。七恵が近づいてゆき、遠慮がちにその背中に手を置いたが、彼は頭を上げることも、身動きすることもなかった。

そうしているうちに、次第に、空気が重くなったように感じ始めた。

気のせいだ——そう思った。だが確実に、両肩に、腕に、負の電荷のかかった空気がじんわりと降りてくるのを感じる。見えない輪がすぼまってくるように。病院のこの一角だけ、重力の法則が狂ってきたかのように。

生駒がネクタイを緩めながら、「息苦しくないか?」と訊いてきたときにも、返事ができなかった。

大きな、でも我々の目には見えないものが、空を行ったり来たりしている。丸まった直也の背中が、それを受けとめ——

(さながらパラボラアンテナのように)

投げ返し——

(慎ちゃん、あんたはこれを頭のなかに持ってるんだよ)

それが自分のすぐそばを通過してゆくのを感じる。

(ごめんねやっぱりがまんできなくて)

稲村夫妻は、身を寄せあったまま、じっと直也を見つめている。直也の背中に手を置いていた七恵が、怯《おび》えたようにさっと手を離し、彼から離れた。後退《あとずさ》りしてきて、壁ぎわにいた私の肩にぶつかると、また飛び上がりかけた。腕を抑えてやると、振り向いて身体を寄せてきた。

「なんだ、これは」生駒の顔も強《こわ》ばっていた。

そのままで、十数分ほどたったろうか。直也がゆっくりと身を起こした。それとほとんど同時に、端のドアが開いて医師がやってきた。

「ご両親だけ、どうぞ。顔を見たいでしょう？　ガラスごしですし、まだ昏睡《こんすい》状態ですから話はできませんが、容体は一応安定しています」

稲村夫妻は飛んでいった。あとに残された我々も、ドアのすぐそばに立っていた。

直也がゆっくり立ち上がった。

「どこへ行く？」

生駒が呼び止めると、彼はほんの少しだけくちびるを動かして、

「帰る」と答えた。「もう大丈夫だよ、慎司は」

彼はまだふらついていた。左足も引きずっている。壁に沿って手をつっぱりながら、かろうじて歩いていた。

「一人じゃ無理だ。ここにいなさい」

「平気ですよ」

そして、いくぶんぼうっとした顔を私に向けると、

「あんたのせいじゃないよ」

すぐには意味がわからなかった。「なんだって？」

「慎司のこと。あなたのせいじゃない。あなたには関係ない。慎司のヤツ、ちょっと失敗し

たんだ。それだけ」

小さな声で、何かつけ加えた。（あれほど言ったのに）とつぶやいたように聞こえた。「あいつ……ホントに……正義感ばっかり強いから」

両手で肘《ひじ》を抱いていた七恵が、一歩踏みだして彼に近づいた。直也は頬笑んだ。

「心配しないで。大丈夫だよ。いろいろありがとう」

そっと手をのばすと、七恵の肘に手を置いた。

「そんな悲しそうな顔しないでよ。ね？」

目を上げると、直也は彼女の肩ごしに私を見た。きれいに澄んだ目で、この目から隠しおせるものなど何もないように思えた。

直也はまた七恵に視線を戻し、彼女の肘を優しく叩くと、くるりと背中を向けて、歩きだした。はっとしてあとを追おうとすると、鋭く振り向き、

「ついてくるな」と言った。

七恵が両手で口元を押さえている。彼はしばらく彼女を見つめてから、

「さよなら」と言った。

ゆっくりと、一歩一歩遠ざかってゆく。追いかけよう、と思いながら、彼の落とすひょろ長い影が廊下の向こうに消えてゆくまで、私も生駒も動くことができなかった。

片開きのドアが、音もなく閉まる。

「おい」

夢から醒《さ》めたように生駒がつぶやき、私は走りだした。廊下を突っ切ってドアを押すと、そこは救急車用の車寄せだ。コンクリートの地面に、私と生駒の足音が響いた。

なんの遮蔽物《しゃへいぶつ》もない灰色のコンクリートの地面に、背中に救急病棟の明かりを背負い、痩《や》せた影を案内人のように身体の前に落として、直也がゆっくりと歩いてゆくのが見えた。足取りは少しふらついており、両肩が落ちている。

声をかけようとしたとき、彼が足をとめた。そして――

その姿が、足元から消え始めた。

ほかに表現のしようがない。夜が目に見えない消しゴムになり、彼を消していこうとしている――

大学の卒業前に、最後の呑気《のんき》な貧乏旅行だと思って、一ヵ月ほど中国へ行ったときのことを思い出した。敦煌《とんこう》のあたりでも、観光コースからもう一足のばすと、延々と続く黄色い砂《さ》漠《ばく》だけの土地がある。そこで出会った砂嵐《すなあらし》は、手をのばせば届く距離にいる人の姿さえかき消してしまった――

それと同じだった。

消えてゆく。だが、直也が透明になっていくというのではなかった。足元から目に見えないほど細かい粒子になり、夜風にさらわれて飛び去ってゆくかのようだった。それもほんの一瞬のあいだ、脈がひとつ打つほどの短い時間に。

彼が消え去るのを見届けたとき、自分が息を止めていたことに気がついた。

直也が立っていた場所から見通せる位置に、点滅している赤信号が小さくあった。さっきまでは、彼がいたからそれが見えなかった。

今は見える。

そして、直也はいない。

姿が見えなかった。隠れる物陰さえないがらんとした駐車場に、背後には病院の明かり。救急専用入り口という看板が明るくともっている鉄柵《てっさく》の向こうにも、彼はいない。

「今のはなんだ?」

荒い鼻息と一緒に、生駒の声が聞こえた。

あたりを見回している。そうしなくても、もうここで直也を見つけることはできないことが、私にはわかっていた。

「消えたんだ」

「なんだと?」

「見ただろう? 消えようと思えば消えられるんだよ、彼は」

そして、行きたい場所に行くことができるのだ。

〈非常口〉のランプの青い光の下で、生駒の顔は粘土のような色に見えた。

「気でも狂ったか?」

「ああ」彼と視線を合わせて、私は言った。

「狂ったのかもしれないな」

第六章　事件

1

うつらうつらしながら、夢を見ていた。

何処《どこ》ともわからない街だった。少し風が吹いている。空は曇っているようなのに、辺りは妙に明るい。

夢だな——と思いながら、街角に立っている。

低いブロック塀《べい》の上にスチール製のフェンスが立てられていて、私はそこにもたれていた。フェンスの向こう側には小さな公園のような開けた場所があった。色褪《いろあ》せた感じの水色の上っ張りを着た子供たちが大勢いて、手をつなぎ輪になっている。その中心に、同じように上っ張りを着た七恵がいて、手を打って歌いながら子供たちに笑いかけていた。

彼女は歌っている。

初めて七恵の声を聞いてるんだ……と思った。それがちっとも不思議ではなく、ごく当たり前のことのようにも思えた。夢のなかでなら彼女も歌うことができる。話すことも、声をたてて笑うことも。

聞き覚えのない歌だった。童謡のようでもあり、賛美歌のようでもあった。賛美歌など一度もまともに聴いたことがないのに、そんな気がした。

七恵は私に気がついていなかった。呼んでも聞こえないようだった。やっぱり夢だ……聞こえないはずはないからな。そう思って、何度か声をかけた。そうしているうちに、きっと目が覚めてしまうだろう……

そのとき、歌っているのが七恵ではないことに気がついた。歌声は、どこか外から聞こえてくる。

子供たちの輪から少し離れた場所に、白いシャツを着た織田《おだ》直也がいて、じっと彼らを、七恵を見つめながら、歌っているのだった。

彼の声だった。

直也も私には気づいていなかった。そこでは、私は全然居ない人間だった。直也は口元にかすかな笑みを浮かべながら歌い続け、子供たちは飛び回り、七恵は笑っている。

彼を呼んでみた。

直也はゆっくり頭をあげ、私を見つけた。

彼は歌うのをやめず、微笑を消すこともなかった。ただ、そのままゆっくりと背を向け始めた。回転する台の上に乗っているかのように、すうっとうしろを向いてしまう。そして遠ざかってゆく。彼の足が見えないのに、彼は行ってしまう。

追いかけようと、フェンスを越えようと思う。するといつのまにかフェンスは高くなっていて、見上げると、そのてっぺんは雲のなかに消えている。急いで直也の背中を目で追いかけると、彼は遠くに行ってしまっている。

それでも、その背に何か赤いものがついていることはわかる。ペンキのように赤く、乾かずに流れ続け、彼が遠ざかってゆくその道に、何か重いものを引きずった跡のように、それがうっすらと残されてゆく。

血だ。

そう気がついたとき、足元がふらりとした。身体《からだ》が揺れ始め、視界がぶれ、直也を呼び止めようとして声を出すと、その声も震えている。何度も彼を呼ぶ。次第に声が出なくなり、あまり身体が揺れるので周りが白っぽくぼやけてゆく——

目を開けると、七恵がのぞきこんでいた。彼女も目を見開いている。

私の肩に手をかけ、揺すぶっていたらしい。最初に意識したのは、その手のぬくもりだった。熱でもあるんじゃないかと思うほどに温かい。

やっと現実が戻ってきて、彼女の部屋の天井が見えた。もう一度確認するように、ああ夢だったんだと思った。

スタンドが点《つ》けてあり、光が目に痛くないように、少し向こうへ押しやってある。七恵はだいぶ前から目を覚ましていたのかもしれない。

「ごめん。起こしちゃったらしいな」

七恵は首を振り、指先で私の額に軽く触れた。汗をかいていたらしい。

「うなされてた？」

うん、と頷《うなず》く。

「夢をみてたんだ」

七恵は、(どんな夢?)というように首をかしげた。夜中に病気の子供のそばに付き添っている母親みたいな顔をしている。

「今、何時かな」

首をのばすと、枕元《まくらもと》の目覚まし時計が見えた。午前二時だった。ということは日付もかわり、例の「一週間」という期限が過ぎて、二日目に入ったということになる。

今まで、慎司の大怪我《おおけが》というアクシデント以外は、何も起こっていなかった。

彼は危険な状態を乗り越え、一度は意識も戻っていた。が、そのとき顔を見ることができたのは両親と担当の警察官だけだったし、口をきくことはまだできないようで、ぼんやり目を開いてはいたものの、何も見ていないように見えたと、稲村徳雄《のりお》は肩を落としていた。その後はまたとろとろと眠ったままだというから、いったい何があったのか、正確に彼の口から説明を受けることは、まだ当分できそうにない。

そんな状態だから、彼を襲ったのが、やはり、私を脅迫している名無しの人物であったのかもしれないという疑いも捨てきれなかった。

「俺《おれ》はそうは思わねえな。例の脅迫はやっぱりブラフだよ」と生駒《いこま》は言う。

「おい、考えてみろよ。敵は何もしなくたって目的を達したようなもんだ。一週間の期限を切って、俺たちをおたおたさせたんだからな。案外、最初からそういう狙《ねら》いなのかもしれねえ。こっちを混乱させて楽しんでるんだ。こんなことを続けられたら、結構じわじわ効いてくるぞ」

たしかにそれには一理ある。が、私はすんなり納得しきれない。本当にそれだけだろうかと思う。「狼《おおかみ》が来た!」ごっこに興じているだけだとは――

七恵がまだ心配そうな顔をしているので、私はちょっと笑ってみせた。

「夜中のこの時間帯は、悪い夢を見やすいんだ」

彼女は右手を立て、人差し指の側で顎《あご》を二度叩《たた》いた。(本当?)という手話だった。

「ホントさ。一日のうちで、血がいちばんゆっくり流れる時間帯だから」

七恵は(怪しいなあ)というように顔をしかめた。それでも、毛布を引っ張り上げて肩を包んでやると、うつぶせのまま、すとんと枕の上に顎を載せた。

彼女も、このところずっと眠りが浅いようだった。寝ているんだろうと思ってふと見ると、ぱっちり目を開いていることもある。そんなときは、(どうした?)と訊《き》いても、返事をしない。

「学生時代の友達に――」

天井を向いたまま話しかけると、七恵は首を動かして私を見た。

「夜中、どんなに熟睡してても、地震が起こる前には必ず目が覚めるっていうヤツがいた。トイレに行きたいわけでも何でもないのに、出し抜けに目が覚めたときには、一〇〇パーセント確実に地震がくるっていうんだよ」

ようやく、七恵はクスッと笑った。

「そう、おかしいだろ。でもヤツは大真面目《おおまじめ》でね。眠っているときには、脳の普段使ってない場所が起きて活動してるから、そういう勘が働くんだと言ってたな……。だからひょっとすると、今だってそうかもしれないぞ。グラッと――」

そう言って頭を動かしたとき、電話が鳴った。

七恵はビクッとした。音量を絞ってあっても、闇《やみ》のなかではトーンが大きく聞こえる。私は最初のベルが鳴り終えないうちに起き上がってベッドを出、二度目のベルが鳴り始めたところで受話器を取った。こちらが何も言わないうちに、生駒の声が聞こえてきた。

「起きてたのか？」

「ああ、起きてた」

「いい勘だ」生駒の声は低かった。「今、座ってるか？　座って聞いた方がいい」

彼ははっきり目を覚ましている人間のしゃべり方をしていた。ちゃんと服を着て靴《くつ》まで履いているかのようなしゃべり方を。

「何があった？」

尋ねると、彼はさらに声を落として言った。「今説明してやる。七恵さんには、できるだけ怖がらせないように、順番を考えて話してやれよ」

七恵は起き上がっていた。じっとこちらを見ている。

「よく聞け。警察がおまえを探してる」

あまり驚いたので、すぐには顔に表情が出なかったようだった。

「自宅で連絡がつかなかったんで、連中、あわてたんだ。それで俺にお鉢《はち》が回ってきた。その場所を教えたから、おっつけ刑事が行くはずだ」

「なぜ俺を？」

生駒は大きく息を吸いこんだ。「昨夜《ゆうべ》遅く、川崎小枝子《さえこ》が何者かに拉致《らち》された」

今度は驚きが外に現われたのか、七恵がしゃんと座りなおした。

「俺が知っているのは、今のところそれだけだ。彼女が拉致された。で、警察はおまえを探してる。どっちに転んでも愉快な用じゃあるまい。頭をしゃっきりさせて待ってろ」

生駒が言ったとき、アパートの入り口にノックの音が響いた。

刑事は二人、申し合わせたようにグレイの背広を着込んでいた。一人がしゃべり、一人が観察し、二人で退路を塞《ふさ》いでいた。

説明は簡潔で要を得ていた。小枝子は昨夜十一時半ごろに自宅近くの路上から拉致され、それきり行方がわからない。犯人とおぼしき人物から最初の電話があり、川崎明男が一一〇番通報をしたのが午前一時三十五分ごろのことだった。

「我々はあんたのお迎え部隊だ」と、刑事は言った。「これから川崎家へ行ってくれ。あとのことは、そこに詰めている者の指示に従えばいい」

「どういうことです？」

「川崎夫人を誘拐《ゆうかい》したと連絡してきた人物は、今後の交渉相手にあんたを指名してきてるんだ。理由はあんたがよく知っているはずだとも言っている」

なぜ? と問う必要はなかった。刑事もそれを承知しているようだった。

(あたしの好きに選ばせてもらうよ)という声が、耳に甦《よみがえ》った。

「事情は我々も聞いている。川崎明男が話してくれた。まだ断定はできんが、あんたを脅迫していた人間が、いよいよ脅しを実行にかかったようだ」

二人の刑事と私と七恵は、芝居の立ち稽古《げいこ》をしているかのように、台所の床に立ったまま話していた。床の冷たさが足を伝って這《は》いあがってきた。

「かなり面倒なことになると思うが、覚悟していてもらいたい。我々も、あんたと人質を危険にさらさないように最善を尽くすつもりだ」

「と言っても」と、片割れの刑事が口を開いた。「あんたが最初からこれに一枚嚙《か》んでいるという可能性もある。大いにある」

牽制《けんせい》するような口調だった。彼ら二人はこういう分担で縦糸と横糸の役割を果たしているようだった。

「ごもっとも」私が言うと、七恵が(信じられない)というような視線を投げてきた。

刑事は七恵に言った。「我々は疑うのが商売でね。恋人かな?」

彼女は顎を引いて頷いた。刑事が妙な感じで眉《まゆ》を上げたので、私は言った。

「彼女からあれこれ聞き出すなら、手話のわかる人間を呼んできた方がいい。警察にそういう人間がいればの話ですが」

「婦警を呼ぼう」刑事は言って、私に向き直った。

「すまんが、足を肩幅に開いて両手を上げてくれ」

言われたとおりにすると、刑事はさっと検索するように身体検査をし、それが済むと、親指でドアを示した。

「よし、行ってくれ。外に出たら、別のお迎えが来る。ここにも警護をつけるから、あとのことは気にせんでいい」

「お願いします」

片割れが吸い付くように寄ってくると、私の肘《ひじ》をつかみながらドアを開けた。廊下へ出るとき、七恵に何かひとこと言い置いてやろうと思ったが、何も思いつくことができなかった。

彼女は軽く手を動かし、言葉を投げてきた。

意味はすぐわかった。(いってらっしゃい)だった。そう言って送り出せば、必ず(ただいま)と帰ってくるはずだと信じているのかもしれなかった。

外に出ると、頭上には星がまたたいていた。夜気は澄んでおり、いい加減な欠け方をした月が、誰かにぽんと投げ上げられ、そのまま空に引っ掛かってしまったかのように、いい加減な角度で見おろしていた。

刑事と二人、早足で表通りに向かって歩いてゆくと、うしろからタクシーが一台静かに追い越してゆき、二メートルほど先で停止してドアを開けた。乗りこむとき、刑事に頭を押さえられた。

「もう一台尾行がついてくるが、うしろを気にしないでください」

運転手に扮《ふん》した刑事は、車を出しながら言った。

「降りるときには、ごく普通にふるまってほしい。どこで犯人が見ているかわからないから。ちゃんと金を払うふりをするんだ。とにかく落ち着いて行動する。わかりましたね」

「メーター」

「なに？」

「メーターを倒してないんですよ」

刑事はにやりとした。「その意気だ」

2

川崎家には、一階にだけ明かりが点いていた。

真っ先に出てきたのは川崎明男だった。きちんとネクタイを締めていた。仕事から帰ったばかりの格好で、上着だけ脱いだという感じだった。

すぐには言葉もなく、彼は私を睨《にら》んでいた。青ざめ強《こわ》ばった顔で、身体の脇《わき》に垂らした腕がぶるぶる震えていた。その震えを止めようとするようにぐっと拳《こぶし》を握ってから、彼は言った。

なったのはおまえのせいだ、と言いたいのはわかっている。

「申し訳ありません」と、私は言った。

彼は力なく首をうなだれ、額をさすった。「すみません。いや──あなたを責めたって仕方ないのはわかってるんだが──」

川崎の背後のドアを通って、ずんぐりした身体つきの男が近づいてきた。灰色のスーツを着ており、上着のボタンはすべてはずしてあった。

「高坂昭吾さんだね」と問いかけてきた声は、見事なバリトンだった。「こちらへ」

ぴったりとカーテンを閉ざされた居間のなかには、スーツ姿の男たちが四人いた。ずんぐりした男は、私を応接セットのテーブルの前に陣取っている小柄《こがら》な男の前に連れていった。

相手は立ち上がったが、私の肩までしか背が届かなかった。

「警視庁捜査一課特殊犯罪捜査班の伊藤《いとう》警部です」

穏やかな声で、ほとんど緊張感が感じられなかった。彼は手早く周囲にいる部下たちを紹介してゆき、最後に「我々被害者対策班では、私が指揮官です。ご面倒をおかけするが、これからは、どんな細かいことでも私の指示に従っていただきたい。よろしいかな」

「わかりました」

先程のバリトンの男が、私に座るように促した。彼は中桐《なかぎり》巡査部長と紹介されていた。覚えられたのは、指揮官と彼の名前だけだった。二人とも五十年配だが、中桐刑事の方が年長に見える。

テーブルの上には、白い電話機が据《す》えられていた。録音機がつないであり、傍《かたわ》らにヘッドホンが置いてある。その横にもう一台、録音機に似た機械が据えてある。たぶん、音声の増幅器だろう。大判の地図が広げてあり、二ヵ所にだけ赤いしるしがつけてあった。川崎家の場所と、小枝子が拉致されたという現場だろう。川崎家を中心に、五センチ間隔ぐらいで円が描いてあった。

この前やってきたときに感じた、部屋のなか全体を支配している装飾的な雰囲気《ふんいき》が、すべて消し飛んでいた。おそらくは小枝子が丹精しているであろう観葉植物の鉢が、ぞんざいに脇に押しやられている。仕切りのドアを開け放って、二人の刑事が出入りしているが、向こう側の部屋には無線機を置いてあるらしい。小枝子が手本にしていたインテリアの本には、そんなたぐいのものが部屋に持ち込まれたときのことなど書いてなかっただろう。

「とりあえず、現況をご説明しましょう」と言って、伊藤警部はテーブルに手を載せた。身体には不釣《ふつ》り合《あ》いな大きな手だった。

「小枝子夫人がどういう状況で連れ去られたのかは、我々にもまだわかっていません。わかっているのは、今夜夫人が何かの用で家を出て、この地点で――」

と、地図の上の赤い印を指で示した。

「何者かに拉致されたらしいということだけです。ここは狭い十字路ですが、人けのない場所で、今までのところ目撃者はおりません。悲鳴や人の争う物音を聞いたという情報も入っていない。しかし、現場には夫人の靴が片方落ちていました」

警部は私の目をまっすぐ見据えて話していた。反応を見られているのだとわかった。

川崎明男がのろのろとやってきて、尻《しり》からどすんとソファに腰をおろした。私はちらっと彼を見上げた。

「あなたは留守にしてたんですね」

「君に咎《とが》めだてされる筋合いはない」唾《つば》を吐くようにしてそう言うと、頭を抱えた。「大事な会合があったんだ」

「それに、一週間という期限も過ぎていた」と、伊藤警部が口をはさんだ。

「たった一日ですよ」

「たしかに。しかし、それが怖いところです」今度は中桐刑事が言った。「どんなことであれ、誰が相手であれ、一度期限を切られると、人間はやはりそれに寄り掛かってしまうものだ。期限が過ぎれば、どうしても気が弛《ゆる》む。これればかりは人情でどうしようもありません」

「それに、最初から、私はさほど深く気にしていたわけじゃなかった」首を落としたまま、川崎が言った。彼が長いため息をもらすと、吐いた息からアルコールが匂《にお》った。

「どうして今さら、君のことで家内が狙われなきゃならない？　筋が通らないじゃないか。脅迫してきている人物が、小枝子と君が別れたことを知らないでいるのなら、まだわかる。だが現実にはそうじゃない。おかしいじゃないかね」

しばしの沈黙のあと、伊藤警部がゆっくりと私に顔を向けた。「正直に答えていただきたい。川崎小枝子さんとあなたは、本当に関係が切れていたのですか？」

「切れていました」と、私は答えた。「三年間、まったく音信不通です。最初の脅迫電話で彼女の名前が出されて、そこで初めて連絡をとりました。それまでは、彼女が結婚していたことも、ここに住んでいることも知らなかったんですよ」

いっそにこやかとでも言いたいような口調で、警部は言った。

「ほかの人間ならともかく、我々には嘘《うそ》は通じませんよ。余計な手間がかかるだけだ」

「嘘はついていません」

「私は信じない」川崎が不意に言って、顔を上げた。とろんと曇ったような目で、私の左耳の辺りを見ていた。「君の言い草など信じない」

「それはあなたの勝手ですが」

二人の刑事は素早く視線を交わすと、私と川崎をじっと見比べた。秤《はかり》の両端に我々を載せて、どちらの方が重いか調べているかのような目付きをしていた。

「なんとおっしゃられても、僕は本当のことしか言ってない。奥さんとはもう無関係の関係だった。それだけです」

川崎は急に声を張り上げた。「じゃ、なんで家内がさらわれた？　え？　なぜだ？　君と関係がなかったんなら、なぜだよ？」

摑《つか》みかかってきそうな勢いの彼を、中桐刑事の腕がそっと押さえた。

「おやめなさい」と、刑事は言った。「少し休んだらどうです？　電話がかかってきたら、すぐお知らせしますよ」

川崎はまだ私を睨んでいたが、視線を動かして刑事を見ると、空気を抜かれたようになった。彼はぐったり立ち上がった。「顔を洗ってきます」

ちょうどそこへ、三宅《みやけ》令子がやってきた。あわただしく玄関のドアを開け閉《た》てする音が響き、顔をあげると彼女が立っていた。

化粧気のない白い顔に、まっすぐ結ばれたくちびるが一本の線を引いていた。地味な仕立てのワンピースを着ていたが、足は裸足《はだし》だった。とるものもとりあえず、目に付いたものを身につけて飛んできたという感じがありありとしていたが、それでも彼女はひどく美しく見えた。

中桐刑事が素早く立ち上がり、洗面所から戻ってきた川崎と令子の肩を抱くようにして、台所へと連れていった。低い声が聞こえたが、何を言っているのかはわからない。令子が「副理事長――」と話しかける声を残して、中桐刑事が台所のドアを閉め切った。

伊藤警部はゆっくり振り向くと、私に向き直った。

「さて、これがどういうふうに始まったものなのか、聞かせていただかなくてはなりませんな」

私はこれまでの経緯を説明した。説明のあいだに、警部は一度私を遮った。一度は白紙の脅迫状について話しているときで、

「今、それはどこにあります？　捨ててしまったのですか？」

「編集部の机のなかに置いてあります。八通全部」

警部は部下に指示を出し、取りに行かせた。二度目に遮ったのは、稲川慎司の負傷について話したときだった。

「その少年は、あなたのまったく個人的な知り合いですね？」

「そうです」

「古くからの？」

「いえ、最近です」

「彼とは今、話のできる状態ですか？」

「昨日はまったく駄目《だめ》でした。まだ半分昏睡《こんすい》状態のようですね」

警部は頷《うなず》き、手元の手帳を繰った。「三村七恵さんですか、あなたと親しい女性ですね。彼女とは？」

「ここ一ヵ月ぐらいの付き合いですよ」

「なるほど」警部はぽんと手帳を閉じた。「妙ですな。誰にしろ、恨みをもってあなたをつけ狙《ねら》い、脅迫している人物は、あなたとの関係がいちばん古くなっている女性を狙ってきたということになる」

「ええ。それが妙なんです。最初から変だと思ってました。なぜ今さら小枝子さんの名前を出してきたのか、さっぱりわからないんですよ」

警部は人差し指で窪《くぼ》んだ顎《あご》を叩《たた》きながら、しばし考えた。

「あなた方お二人でしたことが、誰かの恨みをかっているという可能性は考えられませんか」

私は即座に首を振った。警部が（ほう）という表情を浮かべた。

「自信がありますか？」

「このことが始まってから、嫌《いや》になるほど何度も考えてみたんですよ。調べてもみた。でも思い当る節がないんです。少なくとも、自分で考えつく範囲内ではないんです。これが僕個人のことじゃなくて、たとえば『アロー』全体に対する脅迫で、たまたま僕がその具体的な標的として選ばれただけだというならまだ理解もできるんですが」

伊藤警部はゆっくり頷いている。

「わからないことだらけです。なぜ僕なのか。なぜ小枝子さんの名前が一緒に出てくるのか。これまで、相手から僕に直接電話がかかってきたのは二度だけですが、そのときにも訊《き》いてみたんです。どういうことだ、話してくれるなら聞く用意はある、とね。だが、まったく答えてくれない。手がかりになる言葉ひとつ投げてこないんです」

「相手の声は聞き分けられますか？　つまり、もう一度聞いたらそれとわかりますか？」

「わかります」

「となると――」警部は指先を合わせ、上目遣いに天井を眺《なが》めた。「あとは犯人に訊いてみるしかありませんな」

私は反射的に電話に目をやったが、それは沈黙していた。隣の部屋から、部下の一人が警部を呼んだ。彼は身軽な感じで腰をあげた。

ややあって戻ってきたときも、表情にはなんの変化も表れていなかった。声音も変わっていない。

「なかったそうです」腰をおろしながら、警部は言った。

「何がです？」

「八通の脅迫状ですよ。あなたに教えてもらった場所には、見当らなかったそうです」

3

電話がかかってきたのは、午前三時二十分のことだった。夜のいちばん深いところから抜け出しかけ、緩みかかっていた緊張の糸が、音を立てて張った。その音が電話のベルよりはっきりと耳に届いた。

川崎が受話器に手を起き、伊藤警部を見る。ヘッドホンをつけた中桐刑事が録音をスタートさせて、警部に向かって頷いた。

「川崎です」

かすれた声を出して、川崎が応対した。右の眉がひくひく動いている。相手の言葉に、そうだ、そうだとせっかちに二度返事して、

「小枝子は無事か？　無事でいるのか？」

相手は答えていないらしい。川崎は疲労でうっすらと脂《あぶら》の浮いた顔を私に向け、受話器を差し出してきた。

「君と代われと言っている」

耳をつけると、人間の肉声とは思えない、嗄《しわが》れた声が聞こえてきた。

「やあ、こんばんは。いや、おはようと言った方がいいかな？」

過去に二度聞かされている、あの誰ともわからない声とは違っていた。それに意表をつかれて、すぐには返事ができなかった。私を見つめている伊藤警部が前屈《まえかが》みになって乗り出し、（どうしました？）というように眉を上げた。

「もしもし？　高坂さんだろ？　俺《おれ》だよ。久しぶりだな」

「前と声が違ってるな」

「そうかい？　ちょっと調整の仕方を変えてみたからね。そんなに驚くなよ。ちゃんと予告しておいたとおりになっただけじゃないか」

伊藤警部に頷いてみせて、私は言った。「一週間の期限は過ぎてるな」

「こっちにもいろいろ都合があったものでね」

「小枝子さんは無事か？」

相手は低く笑った。「気になるかい？」

「当たり前だ。なんで彼女を巻き込む？　どういうつもりだ」

「あれ、まだわからないの？　おめでたいな。あんた、自分のやったことのツケを払ってるだけなんだ。思い出せないのかい?」

「思い出せないね。まるっきりゼロだ。そっちこそ、何か勘違いしてるんじゃないのか?」

挑発《ちょうはつ》してみれば少しは反応があるかと思ったが、相手はまた笑っただけだった。だが――どうもそれだけではないような気もする。息を切らしているような感じなのだ。

「もしもし?」

「電話を長引かせるつもりなんだろうけど、そうはいかないよ」急に早口になって、相手は言った。「川崎小枝子はたしかに俺があずかってる。証拠を見せてやるよ。一度しか言わないからよく聞けよ。佃《つくだ》大橋をこえて、清澄《きよすみ》通りに出る。商船大学を通りすぎてしばらく行くと、永代通りに出る小さい交差点の少し手前に、『アイリス』っていう深夜営業のレストランがあるんだ。そこの男用の洗面所をのぞいてみな。ただし、あんたが行くんだぞ。ほかの人間じゃ駄目だ。いいな。これからだってそうだぞ。要求に従わなかったらすぐわかるんだからな」

「要求? いったい何を要求――」

こちらには最後まで言わせず、じゃあな、待ってるぞと素早く言って、電話はいきなり切れた。が、その直前に、また息をはあはあ言わせているような音声が聞こえた。

「どうだ?」と、伊藤警部が隣室に声をかけた。ちょっと間があいて、厳しい顔立ちの若い刑事が顔をのぞかせた。彼の背後で、無線機に向かって早口にやりとりしている声が聞こえる。

「つかみました。湾岸の埋立地の公衆電話です。向かっています」

私の斜向《はすむ》かいにいた川崎が椅子《いす》の肘《ひじ》を握り締めた。

「わかるんですか？」

「わかります」

「こんなに早く？」

「逆探知の技術は進歩してますからね。一分もらえれば充分です」

伊藤警部は立ち上がり、無線機のある部屋に移動した。中桐刑事と我々は居間に残ったが、ここで今なにを待てばいいのかはわかっていた。川崎は何度も顔の汗を拭《ぬぐ》い、中桐刑事はテープを巻き戻してはヘッドホンで聞きなおしている。

急行するパトカーと、走る警官たちの姿を想像した。ここには数人の刑事たちがいるだけだが、夜の闇《やみ》のなかにはもっと大勢の男たちがいる。銀色の電波の声が飛び交っている。たったひとつの公衆電話目指して突進する彼らの足音を聞きつけた犯人が逃げるよりも早く、そのうちの誰かの手が彼の襟首《えりくび》に届くかもしれない。

心がふと現実を離れ、報道協定という壁の向こうで待機しているであろう、同業者たちのことを考えた。私自身は誘拐《ゆうかい》事件の報道を扱った経験がなかったが、話は耳にしたことがある。この川崎家の近くでも、そこここに、新聞販売店や喫茶店を借り切って前線基地を設けた彼らが、協定解除の瞬間を待ち、短距離走者のように身構えているはずだった。

十分か十五分ほどの待機だったが、長かった。警部が戻ってきて元の場所に座ったとき、全員が号令をかけられたように頭をあげた。

「惜しいところでした」と、警部は言った。平坦《へいたん》な口調だった。

川崎は深々とため息をもらすと、頭を抱えてうずくまってしまった。彼の背後に寄り添っていた令子が手をのばし、彼の背に手を置いた。彼らがそういう形で触れ合うところを見せたのは、初めてのことだった。

何事もなかったかのような顔で、中桐刑事がテープを巻き戻し、再生した。伊藤警部は東京二十三区の地図を取り出し、相手が指定してきた場所を確かめている。こちらも冷静な様子だった。

「次の機会を待ちましょう。望みは充分にあります」と、川崎に言った。彼は顔をあげて頷いたが、最初は目を閉じていた。まぶたを開けると、

「かえってまずいことになったのではありませんか?」と、震える声で訊いた。

「それはご心配なく。我々も細心の注意を払って行動しています」

警部は私の方を振り向いた。「相手の声が違っているというのは本当ですか?」

「確かです」

「いずれにせよ、ボイスチェンジャーを通しているようですな」中桐刑事がテープをにらみながら言った。

「しかし、妙だな」

「なんだね?」

「犯人ですよ。いやに息遣いが荒くありませんでしたか」

私は頷いた。「ええ、そうでしたね。まるで喘息《ぜんそく》にでもかかってるようだ」

「以前にもあんなことが？」

「ありません」

川崎明男がいきなりテーブルを叩いた。「そんなことはどうでもいい！　犯人の心配なんて——」

三宅令子が、そっと彼の腕をつかんだ。「副理事長」

「行っていただけますかな？」と、警部が私を見た。

「ええ、もちろん」

「危険かもしれませんよ」

「向こうは僕の顔を知ってるんですよ。ごまかしはきかない」

「よろしい」立ち上がりながら、警部は言った。「車と尾行班を手配します。マイクをつけていっていただく。周囲を気にしないように。もし接近してくる人間がいて危険を感じたら、すぐ逃げてください。いいですね？」

「冗談じゃない」悪意を剝出《むきだ》しに、川崎が言った。

「もとはと言えばみんな君のせいなんだ。何があっても逃げずに小枝子を取り戻してくれよ」

「そのつもりですよ」と、私は言った。「でも、あなたに頼まれたからやるわけじゃない」

彼は蒼白《そうはく》になって引き下がった。川崎よりもはるかに落ち着いている令子が、目顔で私に謝罪するようなそぶりを見せた。

装備を整え、細かいが厳しい指示をいくつか受けたあと、捜査指揮本部と捕捉《はそく》班からの準備完了の連絡を待っているあいだに、私はそっと中桐刑事に訊いてみた。

「もうひとつ、気になったことがあるんです」

「なんですかな」

「あの電話の主は、ひとことも言いませんでしたね。警察には報《しら》せるな、あるいは、警察には報せてないだろうな、報せたらただじゃおかないぞ、と」

ずんぐりした刑事はゆっくりと顎を頷かせた。

「そんなものですか？」

彼は首を振った。「これまで、私はそういうケースにぶつかったことはありませんな」

しっくりこない気がしたんですがね――と言ってみるまでもなく、刑事がそれを考えていることはわかった。眉間《みけん》に、かすかにしわが寄っていた。

「アイリス」はすぐに見つかった。道路沿いにくるくる回る看板が出ている。店は総ガラス張りで、ところどころにペイントでポップアートを気取った絵が描《か》き殴ってあった。

また偽装タクシーで近づき、わざと店の裏手の方から行ったので、正面に停《と》まる前に、専用駐車場をぐるりと半周することになった。停められている車は三台。そのうちの一台は明らかに改造車だ。

「ゆっくり降りるんですよ」車の前後を確認してから、運転手役の刑事が言った。「うしろを振り返らないこと。店内には先発した捕捉班が何人か詰めています。彼らを目で探さないこと。あとは指示にしたがってください」

この時刻だというのに、店内には客がぱらぱらといた。席を決めるような素振りで、素早く見渡した。窓際《まどぎわ》のひと組みは、あの改造車に乗ってきたらしい、崩れた服装のティーンエイジャーたちだった。あとは中央の二人がけの席にアベックがひと組み。端のボックス席では中年の男が一人、新聞を広げている。手前のカウンターには若い男が二人、それぞれ面白くなさそうな顔でコーヒーをすすっている。そのうちの一人が、私と同じように、左耳にコードレスのイヤホンをつけていた。

カウンターに肘をついて頭をもたせかけ、巧みにそれを隠すような姿勢をとっている。その気で探さなければわからないだろう。

(すぐ洗面所には行かないように)と指示されていた。(できるだけ引き伸ばして行動してください。犯人が、本当にあなたがやってくるかどうか確かめるために、どこかで観察しているかもしれない)

ウエイターが出てきて、窓際の席へ案内してくれた。ティーンエイジャーたちのそばを通り抜けると、彼らのふかしている煙草《たばこ》と、汗の匂《にお》いがむっと鼻をついた。

席に腰を落ち着けてコーヒーを頼むと、左耳のイヤホンが囁《ささや》いた。「店内に、見覚えのある顔はいますか?」

口を動かさないように簡潔にしゃべれと言われていたので、そうした。「いません」

「よろしい。では、探してください」

ゆっくり立ち上がり、通路を歩いていると、入り口のドアを開けてまた一人客が入ってきた。ぴったり五分後だった。刑事だ。

洗面所は狭かった。個室がひとつ。小便器がひとつ。曇り止めしたガラスに洗面台。ペーパータオルのホルダー。洗面台の上には何もない。タイル張りの床の上にも何も落ちていない。クズ入れに手を突っ込んでかきまわしてみたが、出てくるのは使用後のペーパータオルだけだった。

個室に足を踏み入れた。掃除が行き届いていない。ご多分にもれず、ここでも物臭な客が多いらしく、ペーパーホルダーの紙は切れており、剝出しの使いかけのロールが狭い三角棚《だな》に載せられていた。タンクの蓋《ふた》まであげてみたが、なかには水が溜《た》まっているだけだ。

何もなし。

「見つからない」

ワイシャツの衿《えり》の下になっているワイヤレスマイクに話しかけると、イヤホンが言った。

「よく探してみましたか」

「ええ。それに、物を隠しておけるような場所じゃないですよ」

「もう一度よく見てください。落ち着いて」

あちこち動き、ひとつひとつ確かめた。不自然なものは何もなく、発見もない。屈みこんで洋式便器の裏側を覗《のぞ》き込んだとき、脇《わき》の下に吊《つ》ってある小型の無線機が、スッとあばらを撫《な》でた。

不意にぶうんという音がした。振り返ると、さっき新聞を広げていた中年の男が、おぼつかない足取りで入ってくるところだった。酔っ払いだ。彼が入り口のスイッチを入れたので、換気扇が回り始めたのだ。

男は眠たげな目付きで私を眺め回し、ぼんやり立っていた。やがて、平たい口調で言った。

「あんたに金を払わねえとクソもできねえの？」

道を開けて彼を通すと、ぶらぶら歩いていって個室に入り、大きな音をたててドアを閉めた。

イヤホンが言った。「どうしました？」

「人がきたんですよ」声を殺して言った。「部外者みたいですが」

「わかりました。出てください。婦警が婦人用の方も探してみましたが、何も発見できませんでした。かつがれたのかもしれない」

廊下に出ると、さっきのティーンエイジャーたちがレジで支払いをしているところだった。彼らが出てしまうのを待っている間に、考えた。

奥へ戻ろうとするウエイターを呼び止めて、訊いてみた。「ちょっと。今夜、そうだな、ここ一時間ぐらいのあいだに、洗面所に何か忘れ物はなかった？」

ウエイターはすぐに答えた。「ああ、あの財布ですか？ 女性物ですよ」

レジの下をのぞきこみ、すぐに取り出した。「でも、革が光っている。

革製の赤い札入れだった。まだ新品で、連れが忘れたらしいんだけど」

「なかを見ていいかな？」

「どうぞ。でも、お金もカードも入ってないし……」ウエイターは妙な笑い方をした。「男性用トイレのクズ入れのなかに捨ててあったんですよ」

開けて探ってみると、たしかに現金はなかった。薄いプラスチック製のカードが一枚あるだけだ。

産婦人科の診察券だった。「川崎小枝子」と、名前が書いてあった。

「あったろう？」

電話の主は、開口一番にそう言った。午前五時になるところだった。

「俺は約束は守るんだ。ちゃんと彼女をあずかってるってわかったか？」

「声を聞かせてくれ。無事かどうか確かめたい」

「無理だね。今、眠ってるから。睡眠不足は胎教によくないんだ。知らないのかい？」

できるだけ引き伸ばすように言われていたから、あれこれ考えてはいた。ゆっくりと機嫌《きげん》をとるような口調を保って、私は切りだした。

「なあ、取引しないか」

「取引？」

「そう。理由は知らないが、あんたは俺を恨んでるんだろ？　だったら、俺が小枝子さんの代わりに人質になろうじゃないか。その方が筋だ。彼女は関係ないんだから。どこへでも指定の場所に、俺一人で出かけていくよ。代わりに、彼女を返してくれ。どうだ？」

電話の向こうの人物の荒い息遣いは、前の電話のときよりはおさまっていた。だが、いくぶん苦しそうに呼吸していることに変わりはない。ヘッドホンでモニターしている中桐刑事が、顔をしかめてその呼吸音に聞き入っている。

「駄目《だめ》だね」と、相手は答えた。

「どうして」

「あんたじゃ金にならない」

伊藤警部がぐっと乗り出した。

「金？　なんだ、結局はそれが目的か」

「当然だよ。俺はあんたに人生をめちゃめちゃにされたんだ。その償いはしてもらう。そして、取れるものは取れるところから取る。だから、川崎夫人を選んだんだからさ」

相手の言葉の内容より、言葉の選び方が気になった。違う、と、直感で感じた。以前の二度の電話の相手ではない。しゃべり方が若いのだ。

「俺がどういうふうに君の人生をめちゃめちゃにした？」

不可思議な心理の加減乗除の法則に従って、川崎明男が私を「あなた」と呼ばずに「君」

と呼び捨てるようになったのと同じように、相手を呼んでみた。すると素早い反応が返ってきた。

「君なんて呼ぶな!」

「なぜ」

「そんなのどうでもいい! 俺をバカにするなって言ってるんだ」

「バカにしちゃいないさ。それで、いくら欲しい? めちゃめちゃにされた人生を修復するのにいくら必要だ?」

片目で壁の時計の秒針をにらみながらしゃべっていた。一分になるところだ。川崎が食いつくような顔つきでにじり寄ってくる。早い息遣いが耳元に届いた。

「一億円」と、相手は言った。「またかけるよ。警察がうるさいからな」

「警察? なんの話だ?」

「報せたんだろ? わかってるぜ」

そら来た、と言って、がつんという音が響いた。受話器を放《ほう》り出したらしい。一分二十秒経過。すぐに、大きな雑音に続いて別の男の声が聞こえてきた。私は伊藤警部に受話器を差し出し、ほとんど同時に彼が受け取った。

「今まで話してたんだ。必ず近くにいる!」

初めて、警部の声が大きくなった。表情が険しく変化し、目がきつくなった。

しばらくして、信じられないという顔で、彼は言った。「なぜ見つからないんだ」

警部が受話器を置いたとき、川崎が訊《き》いた。顔が汗で光っていた。「今度はどこです?」

「北区です。赤羽駅前の電話ボックスだ」

依然として無表情のまま、中桐刑事はまたテープを巻き戻している。そして、ぽつりと言った。「羽根が生えてるのかもしれませんな」

「だが、人間であることに間違いはない」伊藤警部は言って、川崎を、そして私を見た。

「電話ボックスの床に、真新しい血痕《けっこん》が残っていたそうです。犯人は負傷しているらしい」

4

朝がやってくると、川崎明男は金策のために動きだした。

「一億円、工面するおつもりですか」

伊藤警部の質問に、彼は気色ばんで答えた。「当然です。犯人がまた連絡してくるまでに、金を揃《そろ》えておかなければ」

「わたしが参ります」と、三宅令子が立ち上がった。

「副理事長はここにおいでになった方がよろしいでしょう」

川崎はちくりと私を見ると、「僕はここでは用なしだよ。できるのは金の用意ぐらいだ。それに、何か動きがあったらすぐ連絡してくれるでしょう?」

「もちろんです。では、護衛を手配しましょう。くれぐれも用心なさってください」

彼が出かけてしまうと、令子は遠慮がちに警部に声をかけた。「よろしければ、何か食べるものを用意しましょうか。いかがです」

「有り難い、お願いします」

陽《ひ》が射《さ》してくると、町が目をさまし、さまざまな音が窓の向こうを行き交うようになった。壁ひとつ隔てたこの家のなかでは、命懸けのやりとりをするために、人間と器材がスイッチを入れて待っているのに、町にはなんの変化もない。

午前七時に、川崎家の郵便受けに新聞が落ちる音が聞こえた。中桐刑事がぼそりと言った。

「今、配達か。うちの方より遅いなあ」

朝食を済ませると、とにかくあとはまた待つだけの状態に戻った。刑事たちは無線や電話で連絡を取り合い、ときにはひっそりと足音を忍ばせて出入りもしていたが、それもちょうど車のアイドリングのようなもので、彼らも待機を強《し》いられていることは同じだった。刻々と入ってくる情報は、ふたつの公衆電話を中心とした捜索の結果や経過の報告だろうが、芳《かんば》しいものはない。

「三宅さん、お疲れでしょう」中桐刑事が令子に呼びかけた。朗々たるバリトンで、できるかぎり優しく歌っているという感じだった。

「お宅にお帰りになってもいいんですよ。誰かに送らせましょう」

令子は丁寧に辞退した。「わたしはここにおります。何かお手伝いできることがあるかもしれませんし、奥様のことが心配ですから。家にいても落ち着きませんし」

「学校の業務の方には差《さ》し支《つか》えありませんか」

「はい」

「あなたは？」と、刑事は私を振り向いた。

「編集部の方は承知していますから、かまいません。それに、ここから動くわけにはいきませんよ」

「そりゃそうだ。あなたにいなくなられたら困る」とぼけた感じで刑事は言って、また令子に向き直った。

「三宅さん、せめて仮眠をとってください。そうしてくださいよ」

令子はためらっていたが、刑事に強く勧められて、結局は二階へあがっていった。それを待っていたように、中桐刑事が私の脇に移動してきた。伊藤警部もこちらを見ている。

「ひとつ伺いたい」

そうだろうと思った。「なんです」

「三宅令子という女性は、ただの秘書ですかな」

近くで見ると、頬《ほお》も鼻もずんぐりしている。全部鈍角で、鋭いのは目だけだった。

「なぜそんなことを僕に訊くんです？」

刑事はニッと笑った。「部下が情報をつかんできました。一部では有名な話だそうですな。あなたなら、商売柄《がら》ご存じかもしれんと思いました」

私は息を吐いた。「知ってます」

「なるほど。川崎氏と愛人関係にあるそうですな。四年以上になるとか」

「もうそこまでつかんでるんですか？」

「私らは長い腕と特大の耳たぶを持ってますからな」

この家に詰めている被害者対策班以外の刑事たちがどこをどう動いているのか、ふと悟らされたような気がした。鼻をうごめかせて走ってゆく、油のきいたベアリングでできたロボット犬の大群か。

「そこに何か意味がありますか」

バリトンの刑事は濃い眉毛《まゆげ》を動かした。「あなたはどう思われます」

ちょっと返事に詰まった。伊藤警部が割り込んできた。「ナカさん、何を考えているね？」

我々はひそひそ声を出して話していたが、中桐刑事はさらに声を低くして、ひとりごとのように言った。「何も考えてはおらんです。ただ、ゴシップが好きなだけですわ」

ちらっと伊藤警部を見ると、無表情のなかに、少し興味を惹《ひ》かれたような色が浮いていた。長い釣り糸《つ》の先につけた浮きが、わずかに動いたのを感じた釣り師のようだった。

「あなたに人生をめちゃめちゃにされた、と言ってましたな」

私の方に目を向けると、言葉とは不似合いな穏やかな口調で、刑事は言った。

「言ってましたね」

「心当たりは？」

「全然」と、首を振った。「無責任のようですけど、とてもそんなことがあったとは思えないんです。僕個人には、まだそんな影響力も馬力もないですよ」

刑事はすんなりと頷《うなず》いた。「わかります。よくわかる。私らも人の恨みをかうことのある商売だが、さて具体的にとなると、案外思い当らないものです」

生駒と同じようなことを言っている。

「それに、不自然だと思うのは――」

「なんですかな」と、警部と刑事がいっしょに訊いた。

「犯人はこれだけのことをやってるわけでしょう? そして、こっちはこれだけしつこく〈理由はなんだ?〉と訊いている。それなのに、ひと言もしゃべってきませんね。匂わすことさえしない。人生をめちゃめちゃにした、なんて、三文小説の台詞《せりふ》みたいなもんです。その程度なら誰でも言える」

二人の警官は顔を見合わせ、警部が言った。「と言うと?」

「利用されてるんじゃないかと思うんですよ」

「あなたが」

「ええ。犯人は、小枝子夫人を誘拐《ゆうかい》した本当の理由を悟られないために、僕を口実に使ってるんじゃないかと。それなら、今までの僕に対する中途半端《はんぱ》な脅迫の仕方や、恨みの内容をまったく口に出そうとしないことにも筋が通ってきませんか」

警部は顔をしかめて電話機をにらんでいる。中桐刑事は天井を仰いで「ふうむ」と言った。

「これまで、何度か怒鳴りこまれたり、迷惑を受けたという人物から苦情を言ってこられたこともあります。それがどういう根拠のもので、どういう理由のものであれ——こっちから見ればまったく笑止千万なものでも——相手が本気なら、僕にもそれがわかりますよ。ふざけてるんじゃないってことは、ちゃんと通じてきます」

「この犯人には、それがない？」

「ええ。昨日からここへ電話をかけてきている人間には、そういう意志が感じられないんです。相手と話してみての感想にすぎませんから、あてにはできないかもしれませんが」

「いや、そうでもないと思いますな」警部が言った。「我々と同じく、あなたも他人の話を聞く——もしくは聞き出すのが商売だから」

二階が気になったので、ちょっと視線をあげてから、私は続けた。

「僕がこう考えるのは、たぶんに希望的観測も入ってるとは思うんですよ。責任逃れに通じますからね。とても川崎さんや三宅さんの前では口にできることじゃない。ただ——」

「わかります」と、警部が遮った。「私もその可能性はあると考えますな。犯人には、あなたを恨んでいる理由など、言いたくても言えないのかもしれない。そんなものは最初から存在していないのだから。下手に嘘《うそ》をつけば、すぐにばれてしまうでしょうし」

「しかし、あるいは」と、中桐刑事がまだ天井を睨《にら》んだまま言った。「本当に恨みを抱いており、あなたには絶対にそれを知らせず、一生苦しめてやりたいのかもしれん」

頭が重くなった。「ええ、それはあるでしょうね」

「ただ、それならなぜ、もう関係の切れている小枝子夫人を狙《ねら》ったんだと思うね？　ナカさん、私にはそれがどうも納得がいかないよ」

　中桐刑事はまたニヤリとした。「警部、ご結婚して何年になられます?」

「なんだね、急に」

「いやいや、そう驚かんで。三十五年でしたかな」

　警部は鼻白んだ。「そんなところかなあ」

「私は三十三年目ですわ」刑事は可笑《おか》しそうに目をぐるぐる動かした。「よく保《も》ったと思いますな。まあ、しかし、真面目《まじめ》に聞いてください」

　私に向き直ると、

「警察やマスコミ、医療関係、法律関係の商売に携わっている人間を身内に持ちますと、それなりに家族の方も腹が据わってくるもんです。大げさなことじゃありませんが、無意識のうちに覚悟している部分はある。ですからな、高坂さん。仮に私があなたと同じような立場に置かれて、家内や息子たちが危ない目にあったとしてもです、まだ諦《あきら》めはつくんですよ」

　ちょっと考えてから、私は頷いた。ふと、アパートの大家が(私は正義の味方だ。何があったって言論の自由を守りますよ)と張り切って言ってくれたことを思い出した。

　刑事は続けた。「そうでしょう?　そういう仕事を選んだ人間を選んで一緒に生活していたわけだから、家族だってわかってくれる——そう思う。いや、そう願っておりますよ。もちろん、平気ではない。まったく平気ではない。非常に辛《つら》いです。しかし、自分のために赤の他人が迷惑するよりは、まだ呑《の》み込みやすいわけです。わかりますな?」

「ええ、わかります」

「ですから、あなたの場合でも、あなたの家族や友人や恋人が狙われるより、今の事態の方がずっと身に応《こた》えておられるはずだ。今はもうなんの関《かか》わりもなくなっていて、幸せに暮らしている小枝子さんが、あなたのせいでひどい目にあっているわけだから。覚悟のないところを狙われたわけですからな。あなたの肩にかかってくる罪悪感の種類が――重さじゃないですよ、種類が違ってくるわけだ」

実感だった。

「それが目的か」と、伊藤警部が低く言った。

「それに、ここなら――」

刑事の言葉のあとを、私は続けた。「大金がとれる」

「そのとおりです」中桐刑事は頷き、また独り言のように付け加えた。「そういうふうに考える利口な人間もいるということですな」

沈黙が落ちた。居座ったきり、なかなか立ち去ろうとしない種類の沈黙だった。重苦しい圧迫感に急《せ》かされて、何かとんでもない失言をしてしまう前に、私は言った。

「人質が大人である場合は、ほとんど助からないという話を聞いたことがあるんですが」

痛んでいる歯をわざと突《つつ》き回すような質問ではあったけれど、聞いておきたかった。

「それは本当ですか」

中桐刑事がゆっくり答えた。「本当です」

思わず目を閉じた。まぶたの裏にわけのわからない幾何学模様が踊った。

「しかし、昨今は、そうとも限りません」刑事は堅苦しく言った。「子供でも——そういうことが多くなってきました。あまり、そのことはお考えにならん方がいい」

また沈黙に襲いかかられる前に、今度は伊藤警部が言った。「以前の脅迫者とこの犯人とでは、声が違っているとおっしゃいましたな」

「ええ」それには確信があった。「声だけじゃなく、話し方も違っています」

自分の感じたことを説明すると、二人の刑事はてんでに違う方向を向いて考え込んでいた。

「それに、怪我《けが》をしているとくる」伊藤警部がつぶやき、中桐刑事はまた天井を睨んでいる。

「昼間は電話をかけてこないんじゃないですかね」

私が言うと、警部だけがこちらを見た。「ほう」

「負傷しているとすると、目立つでしょう？　それに、犯人だって休息や手当てが必要だろうし——」

「病院には手配をしてあるが」と、警部は言った。「確かにそうだ。まったく動けなくなっている可能性もある」

事実、日中にはなんの動きもなかった。頭の上を太陽が通過していくあいだ、ただ待つのみ。

夕方になっても、夜に入っても電話はかかってこない。

次第に、雰囲気《ふんいき》が切迫し始めていた。うしろ向きの切迫だった。伊藤警部が険しい表情を濃くし、このまま連絡が途絶えた場合の処置について、本部とやりとりを始めた。外部からは、依然としていい情報は入ってこない。犯人の怪我がどの程度のものであれ、病院には足を向けていないのだろう。

近隣への聞き込みもひそやかに続けられているが、さしたる手応えはないようだった。

「最近、この家の周囲で見慣れない顔の学生を見かけた、という話はあるんですが」と、警部の部下が小声で報告している。

「この家の窓を見上げているようだった、と。具合が悪いような、真っ青な顔をしていたそうです」

伊藤警部は首をかしげている。それを脇目《わきめ》に、ふっと慎司のことを思ってから、打ち消した。まさか、彼が今回のことを察知しているはずがない。機会がなかったのだから。

金策を終えた川崎は帰宅して、銀色のトランクに詰めた現金の脇に座り、疲労と心労で青黒くなった顔を壁の方に向けている。令子はただ放心していた。

時計を睨んで、同じようなことをぐるぐる考えているしかない。待っているだけで拷問《ごうもん》同様だった。畜生、なんでもいいからとにかく何か言ってこいと呪《のろ》った。言ってくるならどんな要求だってきいてやるから。とにかく、何か。早く。

もう何度目になるかわからないが、立ち上がり窓際《まどぎわ》に寄ってカーテンの隙間《すきま》から外を窺《うかが》っていると、背後から素早く肩を叩《たた》かれた。中桐刑事だった。

「あなたに来客だ」

裏口を通って外に出ると、覆面パトカーが一台、塀《へい》に寄せて停《と》めてあった。運転席には刑事が一人。後部座席に座っているのは――

生駒と水野佳菜子《かなこ》だった。

運転席の刑事を外に出し、中桐刑事が私と一緒に乗りこんだ。こちらが口を開く前に、生駒が重々しく言った。「カコが、おまえさんに謝ることがあるそうだ」

佳菜子は目を真っ赤に泣き腫《は》らしており、まだ頬に涙が残っていた。化粧もすっかり落ちて、顔が青ざめている。

「どうしましたかな、お嬢さん」中桐刑事が声をかけると、彼女は膝《ひざ》に置いていたバッグを開けた。

取り出したのは、あの八通の脅迫状だった。

「あたしが、黙って、持ち出し、ちゃったの」

しゃくりあげながら、佳菜子は言った。

「ごめん、なさい。ホントに――ごめん――」

あとが続かなくなって、両手で顔を覆《おお》うと、また泣きだした。生駒を見ると、彼は怖い顔で、

「おまえさんの買い込んだ本のなかに、〈よく当たる霊感占い師〉とかいうのがなかったか？」

中桐刑事が妙な顔をした。

「ああ、あった」

「あれを見てて、思いついたんだそうだ。この手紙を見てもらったら、何かわかるんじゃないかとな」

そういえば本が動かされていた。あっけにとられていると、生駒が佳菜子の肩を抱いた。

「怒るなよ。カコもおまえが心配だからやったことだ。そうだよな？」

「女の子は占いが好きなものだ」と、刑事が優しく言った。「お嬢さん、泣かないでいいんですよ。これが失《な》くなっていたからどうこうということはなかったんだから」

佳菜子は声をあげて泣き、合間合間に息を切らすようにしてしゃべった。

「あたし――なんか――役に――たてるかと――」

「わかったよ。わかった」乗り出して頭に手を置くと、佳菜子が全身で震えているのが感じ取れた。「で？　じゃあ、今までカコちゃんが手元に持ってたんだな？」

佳菜子は激しく首を振った。「失くし――ちゃった」

「え？」

「その霊感占いとやらのところに行った帰りに、タクシーが追突事故にあったんだよ。覚えてないか？」生駒が言った。「それで、事故であたふたしているうちに、手紙をどっかに落としちまったんだ。だから真っ青になってたんだよ」

佳菜子は身体《からだ》を起こし、手で顔を拭《ぬぐ》うと、ぽろぽろ涙を落としながら説明した。

「どうしようかって――すごく心配で――今さら高坂さんに話すわけいかないし。そしたら、あの子が来たでしょ。あの、ほら――」

「稲村君か」言いながら、自分でも顔色が変わるのがわかった。

「そう。あの子――来るとすぐに――どうしてだかわかんないけど――あたしが困ってるって――でね、手紙、探してあげるって――言ってくれたの」

彼らが頭をくっつけて親密に話し合っていたというのは、それだったのだ。

「すごく――不思議だったけど――あの子にはできたのよ。あたしと――手をつないでね――その時行った場所や――タクシーで通った――場所を――もう一度通ったの。そしたら――わかるって――あたしの――行動が――ちゃんと残ってるから」

生駒が佳菜子をあやすように揺すってやりながら、

「事故現場のすぐそばの煙草屋《たばこや》の店員が拾って、持っててくれたんだそうだ。届けようかどうしようか迷ってたそうだ」

「どうしました？」中桐刑事が私に訊《き》いた。「何か問題が？」

問題は大有りだった。

「彼、手紙を見つけたとき、どうした？」

何度か必死で息を整えて、佳菜子は答えた。「なんかね――あたしより真っ青になって――しばらくこの手紙、貸してくれますかって言って――」

「彼が持っていったんだな？」

「うん。あたしハラハラして――でも、二日ぐらいたったら――返してくれた――だけどあたし――高坂さんの机に戻しておくチャンスがなくて――手紙、汚れちゃってて――きっとおかしいって気づかれると思って――」

確かに手紙はあちこち汚れていた。誰か踏み付けたのか、靴跡《くつあと》がうっすら残っている。

「ごめんなさい。こんな――ことになって――警察が手紙――探しにきたって聞いて――あたし、どうしたらいいかわかんなくって――今日一日――どうしようもなくて――死んじゃいたかった――そしたら生駒さんが――」

「本当に死にそうな顔だったよ」と、生駒が言った。「だから理由を訊いたんだ」

「あたし――ごめんね。ごめん――」

「もういいよ。もういい。気にするな」

そう言いながらも、ほとんどうわの空だった。手のなかの八通の封書がずしりと重い。

慎司がこれを見ていた。こちらで見せるまでもなく見ていたのだ。

(ねえ、最近なにか不愉快なこと、ない?)

(この家の窓を見上げて真っ青な顔をしていた見慣れない学生が――)

彼は知っていた。間違いない。これを出してきた人間の意図を、間違いなく読み取っていたはずだ。

そして今、彼は病院のベッドに横たわっている。脅迫は現実のものになっている。

(殺されちゃうよ――と、うわごとを言ってました)

病院に織田直也がやってきたことを思い浮べた。彼が言っていたことを。彼がやっていたことを。あの夜のことを。

(聞いてやらなくちゃ)

彼らは知っていた。慎司が知ったことを、あの時直也に伝えたのだとしたら？　報《しら》せて、助けを求めたのだとしたらどうだ？　それに応えて直也が現われたのだとしたら。

彼はどうする？

(自分一人で全部しょって立つ気構えがなかったら、他人の身に起こることに関わっちゃいけないって、直也は言ってた)

脅迫電話の声が違っている。若くなっている。怪我をしているらしい——

背中の上に、どすんと音をたてて確信が落ちてきた。

電話の向こうにいるのは、織田直也だ。

そのとき、車の窓を叩いて、刑事が低く呼びかけてきた。

「デカ長、犯人から電話です」

午後八時四十八分だった。

5

午後十一時きっかりに、指定された場所に立った。電話で説明を受けたとおり、そこには黄色い公衆電話があった。

江戸川区内にある小さな水上公園のなかだった。元は江戸川の支流だったところを人為的に埋め立て、まっすぐな流れをコンクリートの土手で固めて蛇行《だこう》をつくり、周囲には緑地帯を設けてある。最近盛んになっている再開発事業のひとつだろう。公園は土手から三メートルほど下がっており、両岸から緩やかなスロープを伝って降りることができるようになっている。

私一人、川崎の車でここまで来て、現金を詰めたトランクを後部座席に残したまま、車を乗り捨てて公園に入ってこい――それが〈犯人〉の指示だった。車を停めろと指示された中古車センターは土手の向こう側にあり、ここから見上げると、夜の闇《やみ》のなかで、対角線に張られた万国旗がはためいていた。

公園は秘《ひそ》かに、そして厳重に封鎖されているが、それでなくても、日頃《ひごろ》から夜間には人けの消えてしまう場所のようだった。手前を中古車センターに、向こう側を食品会社の配送センターに囲まれ、頭上にかかる小さな橋を渡った向こう側にはレストランが一軒あるものの、そこからではこちらを見おろすことはできそうにない。配送センターの前には、深夜トラックがうなりをあげて走り交う四車線の幹線道路が延びている。ぐるりを見回せば、公団住宅の無数の窓明かり、点滅する高層マンションの衝突防止灯、そして、非常用の誘導灯が輝いているだけの都立高校の大きな建物の影。

おあつらえ向きの夜に、おあつらえ向きの場所。

中古車センターの車のなかにも、周囲の土手にも、レストランのなかにも、大勢の刑事たち、機動隊員たちが潜んでいるはずだった。直近尾行班の指揮官は、橋を降りたところに路上駐車してあるヴァンのなかにいる。私の上着の下に隠した無線機は、じかに彼とつながっていた。

独りで行かせるわけにはいかないと、最初は言われた。代役を立てよう、幸い暗がりだから犯人も認識できまい、と。

(あなたと金を引き離そうというのが気に食わない。どっちを狙ってくるのかわからんのですよ。金より、あなたに危害を加えようとしてくるのかもしれないんだ)

何を言われても承知するつもりはなかったし、皮肉なことに、川崎も私を支持してくれた。

(もし代役なんか立てて犯人に気づかれたら、小枝子がどんな目にあわされるかわかったものじゃない)

独りで行って、おまえが死んでくれるなら大いに結構だ——とさえ言い出しかねない勢いだった。

誰になんと言われようと独りで来るつもりだったし、それが必要だった。神経を逆立てている刑事たちに、言ってやりたい気がした。危険なんてないんですよ、と。

直感でしかない。だが、はずれているとは思わなかった。〈犯人〉は織田直也だ。彼がすべて仕切っていることだ。

問題は、なぜ彼がこんな手の込んだことをやっているかということ——そして彼が負傷しているということだけだった。

あの八通の封書から、慎司は何を読み取ったのか。そして、何を直也に頼んだのだろう。彼は何をやろうとしているのだろう。それだけだ。

十一時五分。

肘《ひじ》のそばで、公衆電話が鳴り始めた。


「時間どおりだね」

電話の向こうで、聞き慣れた声がそう言った。だが、かすれている。苦しそうに聞こえた。

「次はどうすればいい？」

「そうだな――」

逆探知されるぞ、されればまた〈移動〉しなけりゃならない、また身体に負担がかかる、早く話せよ――そう言ってやりたい衝動をこらえるのに、文字どおりくちびるを噛《か》まなければならなかった。

「上着を脱いでくれよ。ついでに、いろいろくっつけてる装備もとっちゃってくれ。で、今いるところから、もうちょっと上手へ歩くんだ。少し先に、小さい池みたいなのがある。そこまで行くんだ」

電話は切れた。言われたとおりにしていると、左耳のイヤホンが早口に言った。

「何をしてるんです！」

「向こうの指示に従ってるんですよ。ほかにどうしようもないでしょう?」

やや下り坂になっている道をたどっていくと、水溜《みずた》まりに毛の生えたような池があった。水面は真っ暗で、あたりの草叢《くさむら》がざわざわしている。ほとりで足を止めると、ワイシャツ一枚を通して夜風が身に染《し》みた。

暗く、静かで、誰もいない。

声に出してはいけない。頭のなかで——意識だけで呼びかけなければならない。

闇のなかに一輪、とり残されたように、名前も知らない白い花が咲いている。神経を集中するために、それに目を据《す》えて、ひとつ深呼吸した。

(近くにいるのか?)

風が鳴っているだけで、返事はかえってこない。

(どこにいる?)

これまででいちばん大きな賭《か》けの瞬間だった。

やがて、驚くほど明瞭《めいりよう》に、頭の奥で声が答えた。

(捕まらない程度には遠くに)

直也の声だった。

無意識のうちに頭をあげて、辺りを見ていた。植えられてまだ間もない若い木立をすかして、かすかに街灯の光が差し込んでいる。今夜も頭上には月。闇が降りているのはここだけだ。

池の水面が風に波立った。

〈気がついてたんだね〉と、直也は〈言った〉。

〈びっくりした。そっちから呼んでくるとは思わなかったから〉

〈怪我してるんだな？　どの程度の傷なんだ？　大丈夫なのか？〉

〈平気だよ〉

〈なんでそんなことに？〉

直也は答えなかった。

〈なぜこんなことをしてる？　何か手伝えることは？〉

後頭部の辺りがじわっと痺《しび》れるようになってきた。

〈黙ってついてきてくれれば――それだけでいい。気づかないふりをして〉

〈本当にそれだけか？〉

痺れが広がってくる。

〈そうだよ。そうしないといけない。だから、何があっても絶対に要求に反するようなことはしないで。頼むから何も考えないで。そうでないと――台無しになっちまう〉

〈わかった。言うとおりにするよ〉

疲れたように少し間をおいてから、ひどく弱々しい〈声〉で――

〈小枝子さん、無事だからね。それだけ報せたかったんだ。だから、安心して最後までついてきてください〉

最後の方は、目を細め追いかけるようにして集中しないと感じ取れなかった。

ほとんど声に出して、（もうやめろ）と言った。（やめて、あとはこっちに任せて出てこい。このまま続けてたら死んじまう）

逃げるように素早く、直也は〈言った〉。

（俺《おれ》が離れるとき、めまいがするかも。倒れないように気をつけて）

その瞬間、すっと身体が浮いた。頭の奥のどこかを手で押さえられていて、その手が急に離れたような感じだった。ぱっとスイッチを切られたように目の前が真っ暗になり、本当に半歩うしろによろめいた。

冷汗をかいて、動悸《どうき》が激しくなっていた。耳鳴りがする。手をあげて頭に触れてみると、後頭部の感覚だけが鈍っていた。

アクセス——という言葉が頭に浮かんだ。負担がかかるのだ。こちらにも、そして直也にも。

けたたましいサイレンが橋の方からぐんぐん近づいてくるのを聞きつけたのは、そのときだった。

まぎれもなく消防車のサイレンだった。唖然《あぜん》として見つめるうちに、梯子車《はしごしや》を入れて三台の消防車が中古車センターの方で停車した。赤い緊急灯が閃《ひらめ》く。走って公園の出口へ向かうと、銀色の耐火服がばらばらと降りてくるのが見えた。レストランからも野次馬が走ってくる。四方から人が——まったく無関係な人間たちが集まってき始めた。

尾行班のヴァンの扉《とびら》が開けられて、顔をひきつらせた刑事たちが降りてきた。橋の上にも、路上にも、どこにも人がおり、混乱があふれ始めた。

「いったいなんだ!」と誰かが怒鳴り、「通報があったんですよ」と抗弁する声が聞こえた。どこにも火災など起きてはおらず、こんな場面で鉢合《はちあ》わせした警察と消防をとりまいて、夜に火がついているだけだった。

屈強な体格の若い刑事が一人、混乱を抜け突っ走ってきて私をつかまえた。「無事ですか? 怪我《けが》は?」

「なんでもありませんよ。それより、金は? 車はどうなってます?」

「ヴァンへ戻っていてください!」ひと声わめいて、彼はいなくなった。警察が取り乱しているのを初めて見た。

走って上着を取りに戻り、イヤホンを拾い上げると、そこでも誰かがわめいていた。さかんに呼んでいる。

「こっちは無事ですよ。いったい何があったんです?」

「わかりません。一一九番通報があったというだけで——」

私は公園の外に出かかっていた。そこで、野次馬のなかに思いがけない顔を見つけて、イヤホンのがなっていることが聞こえなくなった。

レストランの側の歩道の人込みのなかに、垣田《かきた》俊平が立っている。

間違いない。彼だ。怒鳴りあっている男たちの方に目を据えたまま、じりじりと後退《あとずさ》りしてその場を離れようとしていた。

走って近づくには、人が多すぎた。彼のひょろながい影を見失うまいと必死で追いかけ、道を渡り切ったところで誰かに腕をつかまれた。

「どこへ行くんです！　こっちへ、こっちへ戻って！」

刑事だった。真っ赤な顔をしている。一瞬それに気をとられているうちに、垣田の姿は人込みにまぎれてしまっていた。

電話は午前零時近くになってかかってきた。

「ちょっと確かめさせてもらったんだ」と、直也は言った。声がさらに弱っていた。

「消防署を呼んで騒ぎを起こしてみたら、警察が張ってるかどうかわかるもんな。あんなところに金を取りにいく馬鹿《ばか》はいないよ」

電話はそれだけで切れた。今度は逆探知も届かなかった。

「どこです？」

「江戸川区内だというところまではつきとめたんですが……」

もう遠くへは〈移動〉できないのかもしれない。

「なんて周到な野郎だ」と、川崎が歯嚙みしている。「警察をコケにしてるじゃありませんか」

金も無事、車も無事。犯人は現われなかったというわけだ。

届くはずはないとわかっていたが、頭のなかで直也に呼びかけた。なあ、なぜだ？　なぜこんな余計なことをしてる？　どうしてこんなことをしなきゃならない？　早く終わりにしないと、君の身が保《も》たないぞ――

それに答えるかのようなタイミングで、三十分後に電話がかかってきた。

「今度こそ、警察なんか抜きで来いよ」激しく息を切らしながら、そう言った。「今度が最後のチャンスだからな――」

6

今度は、川崎が行くと言い張ってきかなかった。

「あんな姑息《こそく》な手段を使うヤツなんですよ。私はじっとしていられない。警察の護衛ももう要りません。私が行く」

「指名されてるのはあなたじゃありませんよ」

指定された時と場所のことだけ考えていたから、私はあっさりそう言った。川崎はいきなり殴りかかってきた。刑事たちが止めに入る前に、顎《あご》に一発かすめたが、大して応《こた》えはしなかった。なんだこんな程度か、というものだ。激高している男の拳《こぶし》らしくもない。

「おやめなさい」中桐刑事がのほほんとした口調で言った。「内輪揉《も》めしている場合じゃない」

「貴様のせいなんだぞ」と、川崎はうなった。くちびるの端に唾《つば》が泡《あわ》になってついていた。

「わかってるのか？　貴様のせいなんだ」

とうとう「貴様」に格下げだ。

「申し訳ないとは思ってます。謝って済むなら何度だってそうしますよ。でも、今はそんな場合じゃないでしょう。落ち着いてください」

川崎はぶるぶる震えながら座り込んだ。令子が彼の腕に手を置き、そっとなだめている。

彼女はずっとこの家から動こうとしてはおらず、終始川崎よりは冷静だった。

「護衛は要りません」道路地図を確かめながら、私は言った。指定された湾岸の海浜公園まで、車で小一時間はかかりそうだ。

「そうはいかん」伊藤警部は厳しく言った。

「でも、どうするんです？　だだっ広い場所ですよ。尾行してきたって隠れようがないでしょう。また取り逃がしたら、今度こそどうなるかわからない」

とにかく早く、指示に従ってやりたかった。直也が（警察は抜きだ）と言ってきているのだから、そうしてやる。

（黙ってついてきてください）

ボイスチェンジャーを通した声を聞いているだけで、彼がもう限界に近いのがわかった。ひどく衰弱してきている。弱っている。

「そんなことは我々に任せなさい。あなたが心配することじゃない」鼻息荒く伊藤警部は言って、また無線にかじりついている。肩を叩《たた》かれて振り向くと、中桐刑事のずんぐりした顔が見上げていた。

「これを」と、差し出す。防弾チョッキだった。

「要りませんよ。飛び道具なんか出てくるわけがない」

「なんでそう言い切れます？」刑事はにんまり笑った。「まあ、格好だけでも着ておきなさい」

象のような小さな目の奥に、なにか非常に抜け目のない色が浮かんでいた。私だけにわかるように、彼は顔の片側で笑っているのだった。

「中桐さん」私は声をひそめた。「あなた、何か勘づいてるんじゃないですか？」

「ほほう。何を？」

つかまえられないほど素早く、胸の内側を疑問がよぎった。直也のことを知るはずもないこの刑事が、いったい何をつかんでいるんだろう？

「いいですかな」私にチョッキを着せながら、刑事はひそひそ言った。「誰でも、そう簡単に警察を出し抜けるもんじゃないです」

「どういう意味です？」

「今にわかります」と言って、息が詰まりそうなほど強くベルトを締めた。「おっと、きつ過ぎましたかな。それより高坂さん、さっきから顔色が良くないが、大丈夫ですか」

直也と〈話した〉ときに痺れていた後頭部に、じわりと頭痛を感じ始めていた。それも次第に強くなってくる。万力で頭を締め付けられているような——あんな短時間、彼の力に触れただけなのに。今まで経験したことのない、胸の悪くなるような頭痛だった。

たったあれだけでこのざまなのだ。力をコントロールしなければならない直也がどれだけ激しい消耗を強《し》いられているか、想像するだけで背筋が冷えた。間に合わないかもしれない——と思うと、それでまた余計に頭が痛んだ。

「川崎さんの車を使うそうです。後部座席に刑事を一人乗せてください。大丈夫、隠れていきますからな」

刑事はてきぱきとそう言いながら、今度は無線機をつけてテストしている。空とぼけたような横顔は、はっきりと何かを隠していた。そして、それを教えたがってちらちらさせているようにも見えた。

「中桐さん」

「はあ」

じっと見つめていると、刑事はちらと表情を崩した。ぽってりとしたまぶたをぱちぱちさせ、スッと肩ごしに周囲の様子を窺《うかが》った。川崎が激しい口調で伊藤警部に噛みついており、自分も行くと言い張っている。

中桐刑事は、手ぶりで私に近寄るように示した。そして耳元で囁《ささや》いた。

「黙って、犯人に言われたとおりにしていてください。私は、あなたの身に危険が及ぶようなことはないと思っています。感情的な面以外ではね」

「じゃ、やっぱりただ利用されてるだけだと?」

刑事は頷《うなず》いた。「そしてもうひとつ。残念ですが、小枝子夫人はもう生きていないだろうとも思います。おそらく——拉致《らち》された直後に殺されているでしょう」

目的は、最初からそれだけです——そう言った。断言だった。

「ただ、それをどの辺でぶちまけてやるか、タイミングをはかっているところです。まだ決め手がありませんのでね。もうしばらく辛抱してください」

真顔に戻って、私の肩をぽんと張った。

「さあ、行きますかな」


エンジンを切ると、風のうなりが耳をついた。海風だった。

午前一時二十分。車を出ると、湿った風が横殴りに吹きつけてきた。上空では雲が急速度で東から西へと流れている。潮の匂《にお》いと、雨の予感がした。

海浜公園の入り口で車を乗り捨て、徒歩で人工浜辺の方へと歩け。それが指示だった。おまえ一人で来い。

金はまたトランクのなかに置き去りだ。

また、あなたと金を引き離すつもりだと伊藤警部は言っていたが、それは違うと確信が持てた。

賭けてもいい。この計画の〈犯人〉には、最初から金など取りにくるつもりはないのだ。

私に用があるわけでもない。

全部狂言だ。

標識に従って浜辺をめざし、歩きだす。舗装道路から逸《そ》れると、すぐに足元が砂地になった。そっけないほど広く、人けのない海浜公園を横切りながら、ときどき顔にくっついてくる砂粒を払い除《の》け、てくてくと歩いた。砂地に足をおろすたびに、後頭部がずきんとうずいた。

遠く、夜目にはウエハースでできているかのように安っぽく見える建物の、一ヵ所にだけ明かりがついている。まだ建築中の施設の鉄骨が、太古の恐竜《きょうりゅう》の化石のように闇のなかに沈んでいる。その脇《わき》に、異形の歩哨《ほしょう》のように空をついて立っているクレーン。その頂点には赤いライト。それらは巨人を隠すには足りても、地上で闇にまぎれようとする人間には用をなさない。

隠れようのない場所で、最後の大芝居――

ゆるいスロープをのぼりきると、眼前に灰色の東京湾が広がった。

遠く、ちらちらと明かりがまたたく。視界をぐるりと半周して。その灯《ひ》のもとには町があり、ビルがあり、高速が走り、眠っている大勢の人間がいる。ここのこの足の下には土と砂と石。そして肌《はだ》にかかるかすかな波飛沫《なみしぶき》。油と潮の入り交じった東京湾の匂いだ。

風が吹き荒れていた。早い鼓動の音さえかき消すほど強く。

ゆるやかな山を描いて連なる砂浜で足を止め、ポケットに手を入れて、待った。

「人影は見えますか？」と、イヤホンが小さく言った。雑音が入った。

「見えませんね」と、私は答えた。見えるはずがないですよ。

すべて狂言だ。

昨日の昼間、刑事たちとあれこれ考えていたとき、私はかなり近い線までたどりついていたらしい。そう、恨みがあるの仕返しをしてやるのという言い草は、全部嘘《うそ》だ。空っぽの、ただのでまかせだ。

それを口実に、私への報復に見せかけて小枝子を拉致し、殺してしまう——ただそれだけの目的のために、手をかえ品をかえあれこれ策を弄《ろう》していたというだけのこと——報復ついでに金も獲《と》ってやると誘拐《ゆうかい》に見せかけ、あんなふうにひっぱり回しては姿を見せず、気をもたせていたのも、ただただそれらしく見せるだけのためだった。

小枝子がなぜ殺されなければならないか、その理由を知られないために。

だが、この狂言を練った人間は、いくつか計算違いをした。

ひとつは、私を——マスコミの人間を買《か》い被《かぶ》ったこと。恨みを抱いている人間の存在をほのめかせば、すぐにも（あれか？ これか？）と心当たりを持つほど大きな仕事をしている人間だと買い被っていてくれたことだ。

ふたつ目は、警察はそれほど馬鹿じゃなかったということ。少なくとも、中桐刑事はちゃんと見抜いている。だからこそ、小枝子はもう殺されてしまっているだろうと言ったのだ。

だが、小枝子は無事でいる。織田直也がいたから。それが三つ目の、最大の計算違いだ。

（どこにいる？）風に逆らって顔をあげながら、彼を呼んでみた。（もういいよ。もう終わりだ。警察も気づいてる。出ておいで）

出ておいで――もう一度呼んだとき、小さく震えるような声が頭に響いた。

（海のほうへ……）

ぐうっと頭蓋骨《ずがいこつ》がしめつけられるような感じがして、頭痛が強まった。

（もうちょっと先へ歩いて……あの倒木があるほうへ）

左手の前方に、ねじ曲がった倒木が横たわり、そこに波がかかっている。近づいてみると、それは人造の海を海らしく見せかけるための装飾品で、同じようなまがいものの倒木が、ほかにも点々と転がっていた。

その倒木の陰に、泡立つ波に洗われながら、男が一人倒れていた。

かがんで抱き起こすと、鉛色の顔に、視点の定まらないふたつの目が見返してきた。

あの、尾行してきた男だった。七恵の撮った写真にぼんやり写っていた、あの顔。

彼が刺し殺されている。

襟元《えりもと》のマイクに、私は言った。「死体を見つけました」

イヤホンの奥の声が裏返った。「なんですと？」

「犯人でしょうよ。死んでから、もう二日はたってそうな様子だな。来てみてごらんなさい」

ざざっと無線が鳴り、彼らが動きだしたのがわかった。立ち上がり、強い風に一瞬目を閉じてから振り返ると、目の前に織田直也が立っていた。

今でもよく覚えている。血の気が失せ、両腕をだらりと垂《う》らし、風に髪を乱している彼の顔。スローモーションのようにゆっくりと、前のめりに倒れかかってきた。抱き留めると、彼の全体重がかかってきた。頭をそらし、目は開いて空を見ている。身体《からだ》全体が湿っていた。濡《ぬ》れた毛布を抱いているようだった。

「ゴールだね」と、彼は囁いた。ほとんど聞き取れないほどの声だった。最後の〈移動〉で、まさに精根尽き果ててしまったのだ。

「しゃべるんじゃない」

頭を抱えてそっと横たえ、上着を脱いで包んでやると、彼はゆっくりとまばたきをした。左の脇腹の下を刺されていた。まだ血がにじんでいる。救急車を、と叫んだような気がする。刑事たちが走って近づいてくるのを背中で感じた。

「失敗……しちゃって……このざまです」

「しゃべるな」

走ってくる刑事たちに手をあげて合図すると、直也が私の袖《そで》をつかんだ。

「ナイフは……置いてきちゃった」

そのあと、何か続けて言おうとした。が、できなかった。直也の口が動き、声を出せないと知ると、私の頭のなかに触れてきた。だが、それもほんのわずかな感触で、聞き取れなかった。

彼の手も頬《ほお》も冷たくなっていた。じっとりと血のしみこんだシャツの上から、身体を走る弱々しい震えが伝わってくる。

駆け付けてきた一団が、我々を取り囲んだ。刑事が一人傍《かたわ》らに膝《ひざ》をつき、顎をわななかせながら言った。

「これは――これはいったい――」

「大声を出さないで」

「しかし――この、彼はいったいどこからやって来たんです? どこから現われたんだ?」

周囲の誰もがそれを口にしていた。どうなってるんだ? この二人は誰だ? いったい何が起こってるんだ?

私の腕のなかで、直也がうっすら笑った。首を振っている。

「わかったよ」私も声が震えた。「わかってる。もう休め。な?」

直也は目を閉じた。頭が傾いて、もたれかかってきた。

一団のなかには川崎明男がいた。目を見張り、今にも倒れそうな様子で、倒木の陰の死体を見つめている。

「小枝子は――小枝子はどこだ? どうなった?」

「さあな」と、私は低く言った。「どこかにいるんだろうけど」

「こいつらが犯人か?」

救急車のサイレンが近づいてきた。右往左往している刑事たちのあいだを割って、走ってくる。

ストレッチャーに乗せるとき、直也がもう一度、力をふり絞るようにして私の手を握った。ほとんど同時に、頭の奥に声が聞こえた。

(あとを……)

承知したしるしに、堅く握り返してから、彼の手を離した。ドアが閉まった。

捕捉《ほそく》班の指揮官が私に近寄ってくると、血走った目で食いつくように訊《き》いてきた。

「彼を発見したとき、何を言っていました? 何を聞いたね?」

刑事にではなく、砂地に座り込んでいる川崎に、私は言った。

「人質は無事だと」

「どこにいると言っていました?」

私はかぶりを振った。「でも、彼女は生きてるんですよ。あとは発見できればいい」

川崎が首をあげて私を見、目が合うと、ゆっくりと海の方へと視線をそらした。這《は》うようにして立ち上がると、刑事の一人に支えられて、来た方へと戻り始めた。

風のうなりと頭痛のために、目が霞《かす》んできた。歩きだすと、ふらりと視界が揺れた。どこへ行けばいいのかはわかっていた。

7

病院の夜間通用口へ近づいてゆくと、ドアを入ってすぐ脇のベンチで、誰か頭を抱えているのが見えた。

垣田俊平だった。

立ち止まって見おろすと、彼は目をあげた。ひどく憔悴《しょうすい》していた。痛みをこらえているかのように、身を縮めている。

それでわかった。なるほど。そういうことだったか。

「頭が痛いんだろ」

尋ねると、彼は怯《おび》えたように頷いた。「声が聞こえてきて……」

直也が彼を使ったのだ。見えない思念の手をのばし、彼一人ではカバーしきれなかった部分を、垣田にやってもらったのだ。

「なんであなたがここに？」

さあな、と言ってやった。

「〈アイリス〉ってレストランへ行ったか？」と、訊いた。「そこの洗面所に赤い札入れを捨ててきただろ？　今夜江戸川区の水上公園の近くで、一一九番通報したのも君だな？」

信じられないというように目を見張りながらも、垣田は頷いた。

「そのこと、忘れてしまえ」

「え?」

「もう終わったんだ。忘れちまえよ。それでいい」

「だけど……だけど、俺《おれ》……」

「君がどうしてその声に従ったのか、当ててみようか」

私は慎司が入れられている集中治療室の方へ目をあげた。

「君が彼をあんな目にあわせたからだ。そうだろ?」

長身の垣田が、ひどく小さく見えた。

「俺……あの子に言われたんだ。あの、手記のことで」

「なにを」

「あの子、俺に会いに来て——本当は、自首したがってたのはあなたじゃなくて宮永さんの方だったって、わかってるよって。全部わかってるって言うんだ。わかってる人間がいるってことを忘れるなって」

慎司は見抜いていた。見抜いて——言わずにいられなかったのだ。

(あいつ……正義感ばっかり強いから)

「宮永さんが自殺して、あなたはちょっぴりホッとしてるんじゃないのって、そう言われた。俺——俺——」

動転して、気がついたら慎司を叩きのめしていたというわけか……

「頭が痛いんだ」垣田は泣きだした。「あの声——慎司にすまないと思うんだったら、言われたとおりにしろって。俺、怖いよ。あの子に謝ればいいの？　痛いんだ。すごく」

「そのうち治るよ」そう言って、歩きだした。「家に帰ってろ。もう全部終わったんだから」

垣田の声が追いかけてきた。「なんだよ？　どうなってんの？　あいつ、何者なんだよ？」

「人間だよ」と言って、階段をあがった。


ナースステーションをうまく通りぬけ、人けのない廊下に立った。明かりも落としてある。すぐそばの角を、人声が通り抜けてゆく。壁に身を寄せてやり過ごしてから、ガラスの向こうをのぞきこんだ。

慎司は眠っているように見えた。傍らのモニターに、細い緑色の光が走っている。点滴の壜《びん》には薬が八割ほど入っており、眠気を催すようなゆっくりとしたテンポで、慎司の腕のなかへと送り込まれていた。

小さいな——と思った。ベッドが盛り上がっていない。痩《や》せて小さなこの身体の内側に、途方もないエネルギーが隠れているのだろうに。

呼んだら起きてくれるだろうか。それとも、意識を内側に閉じこめて、ずっと直也とやりとりをしていたのだろうか。

ガラスに額をつけ、心を自分の内側のいちばん深い場所に沈めた。波立たない場所にいた方が、慎司がつかまえやすいかもしれない。

脳波か、と思った。慎司の脳波をチェックしていた医師たちは、そこに何を見ただろう？

（——さん？）と、声が〈聞こえた〉。慎司の声が。

（そう）

（僕、わかる？）

（ああ、わかるよ）

破裂しそうなほど頭が痛んだが、爽快《そうかい》だった。自分が笑っていることに気がついた。

慎司の目は閉じている。長い、長い昏睡《こんすい》状態にいる小さな少年。

（ああ、ひどいね。負担をかけてるね）と、彼は〈言った〉。（よく聞いて。一度だけしか言えないよ。高坂さんが倒れちゃうから）

彼は教えてくれた。場所と、目印を。

（ずっと知ってたんだな？）

（うん）

（ありがとう）

さっと撫《な》でるような感触を残して、慎司の意識が離れた。

すぐには動けなかった。ガラスに手をついて呼吸を整え、よろめかないと自信が持てるまで、待った。

それから歩きだした。

廊下を戻っているとき、抑えた悲嘆の声を聞いた。頭のなかでそれを感じた。まだ接続が切れきっておらず——そう、ちょうど電話を切る寸前に相手が何かを言った時のように、きわどく感じ取ったのかもしれない。

(今、直也が死んだよ……)

教えられた場所は、小さな倉庫だった。

晴海《はるみ》の埋立地の端っこで、今はもう使われていないらしい。夜のど真ん中に、死んだ犬のように見捨てられていた。

廃材が積み上げられている一階のフロアを抜け、階段をあがった。明かりはないが、なかに入ると、上の方のどこかから光が漏れているのがわかった。

小枝子のいる場所だろう。

二階にあがると、使われていないがらんとしたスペースが広がった。はずれかけたドアが一枚、廊下に斜めにはみ出ている。

その陰に腰をおろして、あとはまた待つだけだった。

足音は、すぐに聞こえなくなった。だが、気配はした。

廊下の小さな明かりとりの窓を通して、隣のビルの常夜灯の光が差し込んでくる。その光で、腕時計を見た。午前二時四十五分。

案外早かったな——と思った。向こうも必死だからな。

壁にもたれ、腕を組んで息を殺していると、誰かが階段をあがってゆく。靴《くつ》を脱いでいるのか、足音は聞こえない。充分に間をおいてからそっと立ち上がり、私も階段をのぼった。

三階の、いちばん奥まったスペースから、黄色い明かりが漏れていた。

なかをのぞきこまず、外側に開け放たれたままになっているスチールのドアに張りついて、耳を澄ませた。

「誰?」という声が聞こえた。記憶に間違いがなければ、それは小枝子の声だった。かすれていて、怯えていた。

「誰よ、ねえ」

そして、彼女は言った。「三宅さん……」

やっと救《なす》けにきてくれたの、と小枝子は言う。ねえ、早くほどいてよ。ずっと待ってたの。怖くて怖くて――ねえ――警察は――警察は――

「それ、なあに?」

問いつめるような小枝子の声が、にわかにひび割れた。

「ごめんなさいね」と、三宅令子が言った。ことここにいたっても、彼女は冷静だった。

「本当なら、もっと早くにケリがついてるはずだったのに」

「どういうこと? ねえ、なんであなたがナイフなんか持ってるのよ!」

「あなた、とっくに死んでるはずだったの」

令子は平坦《へいたん》な口調で言った。感情を態度に表すことのない、聡明《そうめい》で慎み深い女性。利発な女性。

今ここで二人の女のやりとりを聞いていると、表面上はどうあれ、二人のうちのどちらが主でどちらが従だったのか、はっきり知らされる思いがした。

「計画は失敗しちゃったけど、小枝子さん、やっぱりあなたには死んでもらわなくちゃ」

最初からこうすればよかった――と、令子はつぶやいた。

「狂言誘拐だのなんだのって、明男さんは考えすぎてたのよ。もっと単純にすればよかった。そうすれば――」

「なによ……」

震えている小枝子の声が聞こえた。過去に一度も、彼女がこんな声を出すのを聞いた覚えはない。

「どうしてあなたが……あなたがわたしを……明男さんが考えすぎてたってどういうことよ？　あの人、何か関係があるの？　わたしをここへ連れてきて、閉じこめた男と関係があるの？」

「あの男は、明男さんがお金で雇ったの」令子は静かに答えた。「あなたが誘拐されて殺されたってお芝居をでっちあげるために、お金を払って雇ったのよ」

いったいどのぐらいの報酬を約束したんだ？　と、私は内心で独りごちた。皮肉なものだな、とも考えた。警察による電話の逆探知があれほどす早いものだということは計算外だったのだろう。だから川崎は、〈犯人〉から電話がかかってくるたびに青くなっていたのだ。

「明男さんとあの男とで、いろいろ小細工を考えて——うまくいくと思ったのに、どうしてあんな邪魔が入ったのか——どうして知られてしまったのか、全然わからないわ。本当に気をつけて、警察にだって絶対に気取られないように計画を進めてたのに」

小枝子は声を張り上げた。

「どうして……どうしてわたしがあなたや明男さんに殺されなきゃならないのよ?」

青写真は狂うこともあるもんだからだよ——と、私は考えた。

「あなたが邪魔なの」令子は素朴《そぼく》に言った。「目障りなの。いてほしくないの。子供なんて産んでほしくない。明男さんはもう一人立ちよ。自分の権限でなんでもできる。だから、もうあなたは要らないの」

子供に言い聞かせているかのような、噛《か》んで含めるような話し方だった。

「今あなたに死んでもらえれば、誰にも真相は悟られないで済む——誘拐《ゆうかい》犯人に殺されたんだってことで済むものね」

そして、小さく、令子は付け加えた。「どうして、離婚話を笑い飛ばしたりしたのよ」

小枝子はひきつったような笑い声をあげた。「あんな——あんな話、わたしがどうして本気にしなきゃならないのよ?」

「それが真実だからよ」

ドアの陰からそっと顔をのぞかせると、令子は私に背を向けていた。目測で、四歩あれば彼女に近づける。

呼吸をはかり、令子がナイフを振り上げかけたとき、思い切って動いた。

彼女は背後になんの注意もしていなかった。所詮《しょせん》、慣れないことをしているのだった。おまけに手袋まではめて。振り上げた腕をつかんでうしろへねじると、あっけなくナイフは床に落ちた。それを部屋の端に蹴《け》り飛ばし、それから両手で彼女の腕を押さえた。

何が起こったのかわかると、令子は気が違ったように身もがいた。

「諦《あきら》めなさい」口をきくと頭ががんがんした。「警察も、狂言だっていうことは見抜いてる。なんにもならないですよ」

それでやっと、令子は暴れなくなった。背中でねじりあげている彼女の腕があまりに細いので、嫌《いや》な気分だった。

彼女の膝から力が抜けてゆく。「そんな……そんな……なんでわかったのよ?」

「私らは、三宅さん、あなたを尾《つ》けてましたからな」

振り向くと、入り口の薄闇《うすやみ》のなかに、中桐刑事が立っていた。

「高坂さんがなぜ知ってたのかはわかりませんが」と、彼は笑った。「どちらにしろ、もうゴタゴタするのはおやめなさい」

数人の刑事がすべるように近づいてくると、私の手から令子を受け取り、両脇《りょうわき》から抱えるようにして連れ出した。彼女はようやく震え始めたようだった。

中桐刑事は近づいてくると、ゆっくり小枝子のそばにしゃがみこんだ。彼女は両手首と足首を縛られていた。刑事がそれをほどくと、紐《ひも》が食い込んだ痕《あと》が残っていた。

「お怪我《けが》はありませんか？　今、救急車が来ますからね」

小枝子はほとんど変わっていなかった。二日もここへ閉じこめられていたにしては、きれいに見えると言ってもいい。昔より少し太ったかな――という程度だ。髪型も変えてない。

「ずっと、ずっとここに――」きょろきょろ目を動かして、中桐刑事と私の顔を見比べながら、うわごとのようにつぶやいた。「縛られてて、叫んでも誰も来てくれなくて……」

「かわいそうに。もう大丈夫ですよ」刑事は言って、私を見上げた。「なぜここがわかりました？」

答えるのも面倒なほど、急に疲れた。「聞いたんです。あの――怪我を負っていた青年に」

「早く教えてくれればよかったのに」

「自信がなかったんですよ。本当かどうか」

「あの青年って？」刑事にしがみつきながら、小枝子が訊いた。「ずっとここにいた人？　あの――わたしがここへ連れてこられたとき、ここで待ってて――わたしを連れてきた男と格闘になって……あの男が刺し殺されちゃって……」

やっぱりそうだったか――と思った。

直也は、川崎と令子と、彼らに雇われた男の計画を知ると、先回りしてここで待っていたのだ。そして本来なら、男を倒し、彼をここから動けないようにしておいて、小枝子を救けだし、いっしょに警察へ飛び込む予定でいたのだ。

だが――そうはいかなかった。

格闘になったとき、直也は刺された。それだけでなく、相手を殺してしまった。

そうなるともう、その男が何を企《たくら》んで、小枝子をどうしようとしていたのか、そもそもは誰が練った計画なのか、証明できる人間がいなくなってしまったことになる。小枝子を救けだしたところで、川崎明男と三宅令子が無傷で残っているところへ返したならば、そのうち彼らはほかの手段で小枝子を殺してしまうだろう。それは目に見えている。

どれほど言って聞かせても、小枝子は信じなかったに違いない。ご主人とご主人の秘書があなたを殺そうとしてるんですよ――などということは。

それは彼女の青写真にはないことだから。

だから直也は、川崎と令子の計画をそっくり踏襲したのだ。すべてうまくいっていると見せ掛けるために。

そして、最後の最後のところで引っ繰り返すために。

その力が残っていたのなら、彼は自分でここへ戻ってきて、小枝子を殺しにやってくる令子か――川崎か――あるいはその二人と渡り合うつもりだったのだろう。その場を小枝子に見せてやれば、いかな彼女でも現実を悟る。

でも、その前に直也は力尽きてしまった。

「あの青年――」

近づいてくるサイレンに耳を澄ませながら、中桐刑事がつぶやいた。

「いったいどうやって、川崎たちの計画を知ったんでしょうな」

「さあね」と、私は言った。「もう、永久にわからないことじゃないですか」

急に我に返ったように、小枝子が私を見上げた。

「ねえ、なんであなたがここにいるのよ？」

表に出ると、立っていられないほどめまいが激しくなってきた。時間の感覚もなくなってきて、ぼんやりと路肩に座り、騒々しく駆け付けてくるパトカーや、行き交う刑事や警官たちをながめていた。そのうち、頭上で爆音が響き始めた。ヘリだ――協定解除かな――と思った。

誰かに肩を抱かれたので、顔をあげた。

生駒だった。

「ひでえ顔色だ」

彼は言って、ほとんど担《かつ》ぐようにして立ち上がらせてくれた。

「デスクが狂喜してるぜ」

「なにを」

「迫真のドキュメントだとさ」

「誰が書くもんか」

倉庫から少し離れた小さな橋の上に、彼は車を停《と》めていた。私をそこに寄り掛からせると、ポケットを探って煙草《たばこ》を取り出した。私も一本受け取ったけれど、ほとんど味がしなかった。

「織田直也が死んだよ」

「ああ、聞いた」

「彼が何をやってくれたかも聞いたか？」

「まだよくは知らん」

「説明する元気が出てくるまで、ちょっと待っててくれよ」

私は目を閉じた。めまいも頭痛もまだおさまらなかった。あらためて、直也の、慎司の背負っているものを思った。これほど――辛《つら》いものか。

「ただ、ひとつだけはっきりしてることがあるんだな」

自分の声が、遠く聞こえた。

「なんだ」と訊《き》いて、生駒は煙を吐いた。

「例の賭《か》け、覚えてるか？」

かなり長いこと、生駒はまじまじと私の顔を見ていた。それから、吸いさしを足元に落として踵《かかと》で踏んだ。

「これで十年は寿命が伸びるかな」と言うと、手にしていたハイライトのパッケージを、大きく勢いをつけて川面《かわも》に放《ほう》った。

「畜生、おまえの勝ちか」

そうだよ――と、心のなかでつぶやいた。すうっと気が遠くなった。

エピローグ

病院の中庭には、季節はずれの、どう見てもツツジとしか思えない花が咲いていた。いい香りがした。

師走《しわす》もなかばを過ぎていた。事件は新聞を賑《にぎ》わして、もう次の話題に取って代られている。

「今度は失敗したくないって――そう思ってたんだ」

車椅子《くるまいす》に寄りかかり、ぼうっと遠くを見ながら、慎司は言った。

村田薫が会いに来て、私と入れ違いに、たった今帰ったところだと言う。慎司は少し泣いていたようだったが、泣いたことで肩の荷をおろしたようにも見えた。

「マンホールのときみたいにね……。うっかりと、この力を持ってない普通の人を巻き込んじゃいけない。かえってややこしくなるだけだもの。村田さんも、それは正しいと思うって言ってた。ただ、一人でやろうとしたのは無謀だねって。でも、ほかに考えつかなかったんだ」

慎司の言いたいことはよくわかった。

あの八通の脅迫状――三宅《みやけ》令子が出していたのだった――から読み取り、それを手がかりにして知ったあの二人の計画を、慎司が私に、あるいは警察に話していたらどうなっていただろう。

警察は信じなかったろう。多少その気になってくれて、たとえば川崎家をついてみてくれたとしても、なんにもなりはしなかった。川崎と令子を警戒させ、表向きは憤慨したり笑ったりしながら計画を引っ込めさせ、また別の計画を練る機会を与えてやるだけのことに終わっていたはずだ。

では、私が聞かされていたなら?

やはり多少はごたごたしても、慎司を信用したかもしれない。が、それでどうなる? 私が小枝子《さえこ》に、旦那《だんな》と愛人に殺されかけてるよと教えたところで、彼女が本気にするわけがあるまい。

「土壇場《どたんば》で、ぎりぎりのところで首ねっこを押さえなきゃ駄目《だめ》なんだ」と、慎司はつぶやいた。「そう思ったから、僕……」

ベンチにそっくり返って、私は空を見上げた。癪《しゃく》にさわるほど平和に青く澄んでいた。

「僕がこんなことにならなきゃ、直也を巻き込まないで済んだのに」

慎司は車椅子を見おろした。

「これだって、もう放《ほう》っておけって忠告されてたのに、どうしても我慢できなくて垣田《かきた》さんを責めたりしちゃったから起きたことだったんだ。僕、自分を何様だと思ってたんだろう?」

「もう止《よ》せよ」

「だって……」

一度、きちんと言っておきたかった。私は座りなおして姿勢を正した。

「ありがとう」

慎司は黙っていた。

「それに、本当にすまなかった。君も直也も、結局は俺《おれ》を救《たす》けてくれようとしたばっかりにこんな目にあったんだよ。謝っても取り返しのつくことじゃないが――」

「やめてよ」慎司は穏やかにさえぎった。「高坂さんのせいじゃないよ。だって……だって、あなたには、僕たちみたいな力がないんだもんね」

「でも、直也を死なせちまった」

慎司はくちびるを噛《か》むと、首を振った。「それは僕のせいさ。僕が助けを求めたから。自分が動けなくなっちゃったから、もう頼れるのは直也しかいないと思ったんだ。それで、あとはずっと、できるかぎりずっと、力を使って直也を追いかけてた。モニターするみたいに」

慎司がうわごとで（殺されちゃうよ……）と繰り返していたのは、川崎小枝子のことだったのだ。

（なんとかして、直也、手伝って。そうでないと、殺されちゃうよ）

「小枝子さん――おなかに赤ちゃんがいたよね」

私は頷《うなず》いた。

かすかに微笑しながら、慎司は言った。「直也、赤ん坊は好きだったんだよ」

だから救けに行ったんだよ……と、つぶやいた。

「それにね、彼、死んでしまうときにね……僕の頭のなかから離れていくとき……へへ、って笑ってた」

「本当？」

「うん。ちょっと気持ち良さそうだったな……。なんていうのかな、やることはちゃんとやったぜって、得意になってたみたいな感じ」

ちょっぴり羨《うらや》ましかったな——と、慎司は言った。

そうだったと願いたい。それしかないことに、どうしようもない侘《わび》しさを覚えはするけれど。

事件の直後に、中桐《なかぎり》刑事と交わした言葉を、私は思い出していた。

(織田《おだ》直也という青年は、ほとんど捨身で川崎小枝子を助けたことになるわけですな)

(ええ、そうですよ)

(しかし、あんな狂言誘拐《ゆうかい》など、我々だって確実に見抜いていましたよ。彼は警察を信用しとらんかったんでしょうか)

(ひとつ、大事なことをお忘れじゃないですか)

(なんです？)

(警察は、あとになって川崎と令子を逮捕することはできても、殺人を食い止めることはで

きなかった——それだけは、彼にしかできなかったことでしょう？〉

「彼がいなくて、寂しいよ」

　慎司は何度もまばたきをした。もう泣かないと決めているようだった。

「寂しいけど——それは僕が受ける罰なんだと思う。直也のことを忘れちゃいけないよってね。だから僕、今度自分の番が回ってきたときには、精一杯やる。そうでなきゃ、存在意義がないもんね？」

　存在意義か。久しく、そんなことは考えたことがなかった。

「僕、誰かの役に立ててると思うよ。僕だけじゃないや、みんな、そのために生きてるんじゃないの？　すっごく気障《きざ》かもしれないけどさ、でもね、一年に一度ぐらい、夜中、一人っきりになって、そんなふうに考えてみるのも悪くないよ。きっとね」

　長い長いいきさつを、最初から通して語って聞かせた相手が、一人だけいる。三村七恵だ。話を始める前に、彼女はちょっと変わった装飾品を見せてくれた。モビールだった。金属片をいくつか組み合わせてつくってあり、ぶらさげると不安定な動き方をして、ときどききしむような音をたてる。私が何度か彼女の電話の向こうに聞いたのは、この音だった。

〈織田さんがつくって、わたしにくれたの〉と、彼女は書いた。〈うるさくって飾っておけないねって笑ってたけど、わたし、織田さんがいなくなったあと、彼を呼んでみたくなると、これをぶらさげてながめてたの〉

話しているあいだ、彼女はじいっと聞き入っていた。両手で頬《ほお》を押さえ、ときどき空に目をやりながら。

話し終えると、もう何も言えなくなってしまった。私と七恵は、言ってみれば、織田直也という青年を通して、たまたま結びついていただけなのだ。彼という輪が失《な》くなってしまった以上、私には彼女を引き止める権利もない。

これからどうしたい？と訊《き》いてみる勇気が出せなかった。君はどう思ってる？　俺が君を手放したくないと言ったら、それはやっぱり君に中途半端《はんぱ》な人生を押しつけることになるのかな？

七恵は立ち上がり、ホワイトボードを取ってきた。すらすらっと書いて、私の方へ向けて見せた。

〈知ってた〉と書いてある。

「何を？」

また、なんにもためらうことなく書いた。

〈あなたが、小枝子さんと別れることになった理由〉

息が詰まるような感じだった。

「直也に聞いたんだね？」

彼女は頷いた。

〈あなたは、そのことでひどく傷ついてるし、人を寄せ付けないようなところもあるから、

すっごく面倒臭い男だ、と。だから関《かか》わってもいいことないよって言ったんだと思う〉

ボードを見せながら、七恵はちょっと笑った。

すっごく面倒臭い男、か。七恵にはふさわしくない男か。

いや、それだけだったかな——と思った。直也はもっと先まで見ていたんじゃないか。慎司に報《しら》されるまでもなく、彼にもわかってたんじゃないだろうか。あの尾行者の思考を読んだときに。川崎たちに雇われた男が何を考えているかを読んで、俺が未来に巻き込まれることになっている計画を知っていたんじゃないか。

ただ、口に出さなかっただけで。

だから、七恵には忠告したのだ。私に関わるな——と。

川崎たちの計画がもし成功していたら、私はこの先一生、見えない枷《かせ》をはめられて生きてゆくことになっていたろう。自分が誰かに恨みを抱かれたがために、周囲の人間を死なせるような羽目になってしまった——という枷を。しかも、その恨みが何だったのか、見当さえついていない。

そんなものを背負いこむことになっている男と一緒にいたって、七恵が幸せなはずがない。

だが——

あの病院で、直也は見たのかもしれない。その忠告が無駄《むだ》になったようであることを。彼の目から隠し通せるものなど、何もないのだから。

だから——だから彼は、川崎と令子を阻止し、小枝子が殺されないように手を尽くしてくれたんじゃないのか。

私のためではなく、慎司に頼まれたからだけでもなく、七恵のために。

だから、(へへ)と笑っていた。私が一生かかっても七恵にしてやれないことを、彼はやってのけたのだから。

「君はどうしたい?」

やっと、そう訊いた。

「これからどうしたいと思ってる?」

七恵は考えている。

頭の上で、直也のモビールがかすかに鳴った。

「で、仲人《なこうど》は誰に頼むんだ?」

生駒《いこま》は気が早い。取材先を出てから、ずっとその話ばかりだった。

笑ってしまった。「まだそこまで考えてないよ」

「俺には頼まんでくれよ。女房に新しい留袖《とめそで》をねだられちゃかなわん」

今年も残すところあと一週間だというのに、世間は相変わらず騒がしかった。下町の方でぶっそうな放火が連発し、その件で午前中から焼け跡行脚《あんぎゃ》をやっている。

「ちょうど昼時だな」と、生駒は時計を見た。「おい、ここからだったら、みどり幼稚園はすぐそばだろ? 七恵さんを呼べよ。俺にいっちょう豪華な昼飯をおごらせてくれや。前祝いだ」

子供たちはちょうど自由時間らしかった。園の庭いっぱいに、紺色の制服が飛び跳ねている。七恵は同じ色の上っ張りを着て、滑り台で遊ぶ子供たちのそばについていた。

そこだけを別にすれば、以前に見た夢の光景と、そっくりそのままだった。

直也がそばにいるんじゃないか――そんな気がした。

「ほら、ぼうっとしてねえでくれよ。こんにちは」

生駒が手を振る。七恵はこちらに気がついて、軽く頭を下げながら笑顔を返してきた。

ようやく板につきかかってきた手話で、ただしスピードはきわめてゆっくり、話しかけてみた。

(昼、外に、出られるか?)

七恵は笑って頷き、(ちょっと待ってて)と手を動かした。

「便利なもんだ」と、生駒が笑った。

大勢の子供たち――これからさまざまな人生を歩んでゆくはずの小さな身体《からだ》が楽しそうにはずんでいるのを眺《なが》めていると、ふと、思った。

織田直也は生まれ変わってくるだろうか。

今度はまったく別の人生を。まったく違う――別の道をたどるために。

きっとそうだ――そう思った。楽観的な願いにすぎないものだとしても、そう信じたい。

そして、彼がもう一度この世に降り立ってくるときがあるならば、願わくばそれは、もう少し歩きやすい楽なものであってほしい。彼を苦しめないものであってほしい。今度は彼が人の役に立つだけでなく、人に助けてもらうことによっても幸せになれる人生であってほしい。

我々は身体のうちに、それぞれ一頭の龍《りゅう》を飼っている。底知れない力を秘めた、不可思議な形の、眠れる龍を。そしてひとたびその龍が起きだしたなら、できることはもう祈ることだけしかない。

どうか、どうか、正しく生き延びることができますように。この身に恐ろしい災いのふりかかることがありませんように。

私の内なる龍が、どうか私をお守りくださいますように——

ただ、それだけを。

※ 冒頭のエピグラムは、スティーブン・キング著「キャリー」(新潮文庫　永井淳訳)より引用したものです。

※ この作品はフィクションであり、実在する個人、法人、団体等とは何らの関係もありません。

解説

長谷部史親

本書『龍は眠る』は、一九九一年二月に出版芸術社から書き下ろし刊行され、翌九二年に第四十五回日本推理作家協会賞の長篇部門を受賞した。後でも述べるように、私はこの作品の成立過程において、いささかの関《かか》わりをもっている。そんなわけで、まず個人的な事情を開陳することから始めるのを、お許し願いたいと思う。

受賞式ならびに祝賀パーティーは、東京の飯田橋のホテルで行なわれた。招待状を貰《もら》って駆けつけた私は、スポットライトを浴びて祝福されている宮部さんの姿を、遠くから口を開けて眺《なが》めていたものである。ちなみにそのときには、まさかその翌年に私自身が壇上に立たされることになろうなどとは、夢にも思っていなかった。単にこの作品が受賞作として評価されたことに対して、自分なりにささやかな満足感を抱いていたのである。

すでにいろいろなところで活字になっているので、今さら繰り返す必要はないかもしれないが、宮部さんのデビュー作は一九八七年にオール讀物推理小説新人賞を受賞した「我らが隣人の犯罪」であった。同じ年には「かまいたち」によって、新人物往来社の歴史文学賞で佳作の座も射止めている。周知のように現在の宮部さんは、推理小説の作者としても、また時代小説の作者としても存分に活躍しているわけだが、そうした多才ぶりは、すでにデビューの時点で実証ずみであった。

しかるに、小説雑誌主宰の新人賞という難関をくぐり抜けても、ただちに新進作家としての道が自動的に与えられるわけではない。そこから先は、やはり自力で切り拓《ひら》かなければならないのである。今や押しも押されもしない人気作家として、衆目の一致する宮部さんの場合とて、実のところわずか数年前には苦闘の日々を歩んでいた。

振り返ってみると宮部さんの作家活動には、いくつかの節目が思い浮かぶ。前に挙げたオール讀物推理小説新人賞と歴史文学賞に始まり、八九年に『魔術はささやく』によって日本推理サスペンス大賞を受賞した。さらに九二年に『本所深川ふしぎ草紙』で吉川英治文学新人賞、そして本書『龍は眠る』で日本推理作家協会賞を受賞し、翌九三年には『火車』による山本周五郎賞受賞と続く。まさに順風満帆といった様子だが、宮部さんに最大の転機をもたらしたのは、何といっても『魔術はささやく』であろう。

たまたま私は、作家としてデビューする以前の宮部さんと面識があった。そもそも小説を書こうと志した心意気や、修行時代の苦労話の数々も聞いている。たとえばスティーヴン・キングの作品への人気が、まだ日本では爆発していなかった段階で、いつかはこのようなものを書いてみたいという心情の吐露も耳にした。それゆえ、オール讀物推理小説新人賞を受賞した際にも、早々に電話で報告を受けている。むろん偶然のなせるわざに相違あるまいが、私は宮部さんが作家として旅立つ局面に立ち会う仕儀となった。

あれは、一九八八年のころのことだったであろうか。ちょうどその年には、日本推理サスペンス大賞がスタートしている。記念すべき第一回は、乃南《のなみ》アサ氏の『幸福な朝食』が優秀作と決まり、秋に催された受賞パーティーの会場には宮部さんの姿も見られた。それ以前にも、同賞に応募してみたいとの意向をもらしていたが、決意を固めたのはたぶんこのころだったのではないかと思う。その会場で私は、冗談まじりに宮部さんに「来年は向こう側に立って下さい」と言ったような覚えがあるが、冗談ではなくなってしまった。

正確な日付は記憶にないが、明けて八九年の春まだ浅いころ、私は宮部さんと出版芸術社の社長との仲介役を買って出ている。待ち合わせ時刻に現れた宮部さんは、重そうな紙袋を手に下げていた。中身が何かといえば、実は後の『魔術はささやく』の草稿の束である。かなり前に脱稿して、さる出版社の編集者に預けたままになっていたのを返してもらい、推敲《すいこう》した上で第二回日本推理サスペンス大賞に応募する予定だとのことであった。

誤解を避けるために書き添えると、後に名作と呼ばれるような作品の草稿を手にしながら、ついに本にすることができなかった編集者の鑑識眼が曇っていたなどというつもりは毛頭もない。一冊の本が書かれてから書店の店頭に並ぶまでには、一般の読者の想像を絶するほど多くの人間が携わっており、小規模ながら一つの事業にひとしい。それゆえつねに産みの苦しみがつきまとい、最先端部分に位置する著者や編集者は、ときとして悔しい思いを味わう。誰のせいというよりは、経済構造上の宿命のようなものであろう。

余談はさておき、そのおりに宮部さんが執筆を引き受けたのが、すなわち本書『龍は眠る』であった。自身も口にするように、宮部さんはわりあい筆が遅いたちだということもあるが、最初から構想を練り直すなどのいきさつもあって、実際に本書が出たのは、それからほぼ二年後のことである。したがって書き下ろしの依頼を受諾した時点では、後の日本推理作家協会賞受賞作『龍は眠る』は、それこそまだ影も形もなかったわけだが、足もとに置いた袋の中に、後の日本推理サスペンス大賞受賞作『魔術はささやく』の草稿が文字通り眠っていたことを思うと、何やら不思議な因縁を感じてしまう。

さてその『龍は眠る』は、超常能力を持って生まれた二人の少年（というより一人は青年）がたどる運命を描いた作品ととらえることができよう。語り手の役割を務めるのは高坂昭吾で、彼は新聞社系の週刊誌記者という設定である。かつては将来を嘱望されたこともあるが、不慮の出来事を機に社内での立場が悪化し、現在の職場にいわば左遷《させん》されてしまった。その出来事の内容は作品の半ばに至って明らかにされるわけだが、彼の心の中に、ある種のわだかまりを残し、これが彼の人物造形に陰影を与えている。

物語は、嵐《あらし》の晩に車を走らせていた高坂が、稲村慎司という自転車に乗った高校生と出会うところで幕を開く。慎司を車の中へ迎え入れ再び走り出して間もなく、高坂は路上のマンホールの蓋《ふた》が取り外され、大量の雨水が流れ込んでいるのに気づいた。付近に小さな雨傘《あまがさ》が遺《のこ》され、どうやらペットの猫《ねこ》を探し歩いていた七歳の子供が、マンホールに落ちたのではないかと推測される。誰かが故意に蓋を外したのだとしたら、その責任は甚《はなは》だ重大といわざるをえない。そのとき慎司が奇妙なことを口走り始める。

慎司の言によると、彼には通常の人には見えないものを読み取る能力が備わっているとのことであった。他人が考えていることや過去の記憶のみならず、物品に残存する記憶すらわかるのだという。慎司は高坂を相手に、その能力の証明を試みたけれども、高坂としては薄気味悪いばかりで、全面的に信じる気にはなれない。だが、慎司の言葉にしたがって二人の画家志望の若者を訪ね当てたとき、高坂は彼らのそぶりからマンホールの蓋を外した張本人だと確信した。しかしながら、二人が行為を認めないうちに、慎司が性急に子供の転落事故の責任を問いつめたせいで、怖くなった若者たちは全面否定してしまう。これがさらに悪い結果を招き、慎司は心に傷を負うことになった。

その一方、慎司のいとこだという織田直也が高坂を来訪し、慎司の超能力はすべて巧妙なトリックだと説明する。だが慎司は、直也も自分と同じ超能力の持ち主で、それを世間から隠そうとしているのだという。しかも、ただでさえ頭の中が混乱しそうな高坂に、差出人不明の白紙の手紙が相次いだあげく、脅迫めいた電話もかかってきた。誰かの恨みを買ったのではないかと同僚に示唆《しさ》されても、いっこうに思い当たるふしがない。やがてこれが、水面下で進行していた大きな事件につながり、慎司や直也まで巻き込んでゆく。

すでにおなじみのように、超能力はこれまでしばしばマスコミ各界を賑《にぎ》わせてきた。またアメリカあたりでは、捜査機関が霊視能力者に助力を仰ぐ事例もあるらしい。推理小説としては、霊視者テレサを主人公としたケイト・グリーンの『砕けちった月』あたりが思い出されよう。本書『龍は眠る』では、そうした様々な事象を踏まえた上で、超能力を物語展開の要衝に据《す》えるのみならず、超能力者として生きてゆくことの難しさに焦点が合わされている。世間は興味本位で超能力を取り上げるけれども、もしも超能力者の立場に自分をなぞらえてみたなら、これほど深刻な問題はなかろう。

超能力を信じるか否《いな》かは、ある意味で永遠の命題である。そもそも何をもって超能力と見なすかさえ、議論が一定していない。人間は、自分の頭で理解できないものを信じたがらない習性がある。たとえばＴＶも新聞もなくて、体操競技なるものが全く知られていなければ、十代の女性が高い平均台の上で後ろ向きに宙返りするといっても、誰も信用しないであろう。体操選手を超能力者と呼ぶ人は少ないにせよ、これは万人に備わっている能力ではない。一般人と体操選手との距離を、体操選手といわゆる超能力者との距離と比較することが可能なら、その差は小さいといえば小さいし、大きいといえば大きい。

過去の推理小説の中に例を求めると、たとえばトニイ・ヒラーマンが描くナバホ・インディアン、アーサー・アップフィールドが描くオーストラリアのアボリジナル、あるいはジェイムズ・マクルーアが描くバンツー人らは、いずれも探偵《たんてい》役として特異な能力に恵まれている。何日も前の足跡は、アングロ・サクソン民族の目には全く見えないが、彼らの目にはちゃんと見えてしまう。近代文明は人類に多くの果実をもたらしたが、代わりに同等の能力を奪い去ったといわれることがある。もしかしたら有史以前の人間は、今では想像もできないほどの能力を保有していたのかもしれない。少なくとも、固有の文字を持たずに文化を培《つちか》ってきた民族は、文字に代わる情報伝達手段を発達させたはずであろう。

こう考えてみると、超能力を身近な問題に引き寄せてとらえ直すことも、あながち無理ではないように思えてくる。所詮《しよせん》は相対的なものでしかない。現代社会の諸局面に出現する正常と異常の価値判断は、長い人類の歴史を念頭に置くと、所詮は相対的なものでしかない。本書『龍は眠る』の中で、超能力の持ち主ゆえに、うまく生きてゆくことができない二人の人物は、そうした相対性を暗示する象徴とも見られよう。彼らとの接触を通して、半信半疑のうちに未知の領域に踏み込んでゆく高坂は、直也の死を食い止められなかった悔悟に悩みつつ、新たな認識に到達することで報われるのである。

前に述べたように早い時期から宮部さんは、ホラー小説やファンタジーに深い関心を寄せていた。また最近の時代小説『震える岩』においても、超能力が扱われている。これは、作者の関心領域の所在を端的に示しており、もはや持ち味の一つと考えてもさしつかえあるまい。とりわけ本書では、現代社会と超能力との関わりを軸に、より巨大な世界を垣間《かいま》みせてくれた点に注目したい。

もちろんそれ以外にも、宮部さんの作品の特色がうかがえるのを無視するわけにはいかない。年少者を描く筆の冴《さ》えには定評があるし、構成にはこまやかな神経が行き届いている。また本筋に関係のない会話の部分などに、軽妙な遊び心が滲《にじ》み出しているのも、本書の見どころの一つであろう。悲惨な事件を乗り越えて、新しい希望を予兆するような結末も余韻を残す。本書『龍は眠る』は、日本推理作家協会賞受賞作であるとともに、宮部みゆきの作家活動の節目を飾る作品として、長く語り継がれるにちがいない。

（平成六年十二月、文芸評論家）

この作品は平成三年二月出版芸術社より刊行された。

宮部みゆき著 **魔術はささやく**

それぞれ無関係に見えた三つの死。さらに魔の手は四人めに伸びていた。しかし知らず知らず事件の真相に迫っていく少年がいた。

宮部みゆき著 **レベル7《セブン》**

レベル7まで行ったら戻れない。謎の言葉を残して失踪した少女を探すカウンセラーと記憶を失った男女の追跡行は……緊迫の四日間。

宮部みゆき著 **返事はいらない**

失恋から犯罪の片棒を担ぐにいたる微妙な女性心理を描く表題作など6編。日々の生活と幻想が交錯する東京の街と人を描く短編集。

宮部みゆき著 **本所深川ふしぎ草紙**
吉川英治文学新人賞受賞

深川七不思議を題材に、下町の人情の機微とささやかな日々の哀歓をミステリー仕立てで描く七編。宮部みゆきワールド時代小説篇。

宮部みゆき著 **かまいたち**

夜な夜な出没して江戸を恐怖に陥れる辻斬り〝かまいたち〟の正体に迫る町娘。サスペンス満点の表題作はじめ四編収録の時代短編集。

宮部みゆき著 **淋しい狩人**

東京下町にある古書店、田辺書店を舞台に繰り広げられる様々な事件。店主のイワさんと孫の稔が謎を解いていく。連作短編集。

宮部みゆき著

火車

山本周五郎賞受賞

休職中の刑事、本間は遠縁の男性に頼まれ、失踪した婚約者の行方を捜すことに。だが女性の意外な正体が次第に明らかとなり……。

西村京太郎著

ミステリー列車が消えた

全長二〇〇メートルに及ぶ列車「ミステリー号」が四〇〇人の乗客ごと姿を消した！ 奇想天外なトリックの、傑作鉄道ミステリー。

西村京太郎著

大垣行345M列車の殺意

東京駅23時25分発の夜行列車に乗っていた若い女が殺された。その容疑者に十津川警部の友人が!? 傑作トラベル・ミステリー4編。

西村京太郎著

ひかり62号の殺意

「ひかり62号」で、護送中の宝石強盗の片割れが射殺された！ 主犯の男を追い、十津川警部はマニラに飛ぶが……。長編ミステリー。

西村京太郎著

箱根 愛と死のラビリンス

時価数億円の幻の名画。その行方を暗示するような謎の数え唄が招く連続殺人。暴走する欲望のゲームの仕掛け人を十津川警部が追う。

北方謙三著

冬こそ獣は走る

「自殺するみたいな走り方が、面白い？」深夜の高速を疾駆する、若き設計技師の暗い過去。男の野性を解き放つハードボイルド長編。

新潮文庫最新刊

北森鴻著
凶笑面
—蓮丈那智フィールドファイルⅠ—
封じられた怨念は、新たな血を求め甦る——。異端の民俗学者・蓮丈那智の赴く所、怪奇な事件が起こる。本邦初、民俗学ミステリー。

庄野潤三著
庭のつるばら
丘の上に二人きりで暮らす老夫婦と、たくさんの孫、ピアノの調べ、ハーモニカの音色。「家族」の原風景を紡ぐ、庄野文学五十年の結実。

田辺聖子著
源氏がたり㈢
—宇治十帖—
光源氏の衣鉢を継ぐ、情熱的な薫、奔放な匂宮。二人に愛された浮舟は、悩みの果てに入水を決意する。華麗なる王朝絵巻、完結編。

酒見賢一著
陋巷に在り8
—冥の巻—
孔子の故里・尼丘で瀕死の床につく美少女妤。孔子最愛の弟子顔回は、異形の南方医医鴖の導きで、妤を救うため冥界に向かう……。

石原良純著
石原家の人びと
独特の家風を造りあげた父・慎太郎、芸能史に比類なき足跡を遺した叔父・裕次郎——逸話と伝説に満ちた一族の素顔を鮮やかに描く。

福田和也著
乃木坂血風録
—人でなし稼業—
沈鬱な顔して不平不満ばかり言っていないか。肚をくくって生きているか。シビアな時代を元気に生き抜くための、反道徳的人生論。

龍《りゅう》は眠《ねむ》る

新潮文庫　み-22-4

平成七年二月一日発行
平成十五年一月三十日　三十八刷

著者　宮《みや》部《べ》みゆき

発行者　佐藤隆信

発行所　株式会社 新潮社

郵便番号　一六二―八七一一
東京都新宿区矢来町七一
電話　編集部(〇三)三二六六―五四四〇
　　　読者係(〇三)三二六六―五一一一

価格はカバーに表示してあります。

乱丁・落丁本は、ご面倒ですが小社読者係宛ご送付ください。送料小社負担にてお取替えいたします。

印刷・錦明印刷株式会社　製本・錦明印刷株式会社

ISBN4-10-136914-3 C0193